毛澤東傳

毛澤東傳

革命者(1927–1945)

魯林(Alain Roux)著　穆蕾 譯

中文大學出版社

《毛澤東傳：革命者（1927–1945）》

魯林 著
穆蕾 譯

國際統一書號（ISBN）：978-988-237-021-0

出版：中文大學出版社
香港 新界 沙田・香港中文大學
傳真：+852 2603 7355
電郵：cup@cuhk.edu.hk
網址：www.chineseupress.com

Le Singe et Le Tigre: Mao, Un Destin Chinois (Chapters 6 to 10, in Chinese)

By Alain Roux
Translated by Mu Lei

ISBN: 978-988-237-021-0

Published by The Chinese University Press
The Chinese University of Hong Kong
Sha Tin, N.T., Hong Kong
Fax: +852 2603 7355
E-mail: cup@cuhk.edu.hk
Website: www.chineseupress.com

Printed in Hong Kong

目　錄

相　遇

繁體中文版序

1965年10月1日，我置身天安門廣場，身邊還有其他十幾位受邀到中國學習中文的法國學生。這一天是中華人民共和國成立的紀念日，我期待着毛主席會在天安門城樓上出現。他沒有來。在歷史的幕後，文化大革命的悲劇已經開始了。

我就這樣錯過了與中國的第一次相遇。對許多西方青年而言，毛澤東代表的社會主義比晦暗的警察國家蘇聯更有生命力，但這個國家的真實狀況卻是，正有一場鬥爭隱匿在國家機器內。我也曾錯過其他與中國相識的良機。很多時候，我像其他西方人一樣，將對更公正、更自由世界的嚮往寄託在中國身上。馬可波羅說中國是一個充滿奇蹟的國家。18世紀，伏爾泰筆下的中國是一個由哲學家統治的王朝。

之後是西方蔑視中國，自負傲慢的時代：中國配不上她的過去，只好到西方侵略者這裏取經，西方價值觀被描繪成普世價值。如今，這些確定性已經讓位給質疑，中國再次成為一個謎。偉大的智者帕斯卡爾(Blaise Pascal)生活的時代恰逢滿清帝國開始沒落，他在《思想錄》中寫道[1]：「中國的歷史……我告訴你，有盲目的，也有明瞭的……中國晦澀難懂，但其中也能找得到清晰之處：去找出來吧！」。

有一個明智的建議，特別是在撰寫毛澤東這樣特殊的人物傳記時——這些人物打亂了國家的歷史，深遠地改變我們這個時代——寫作時要避免兩個誤區：着迷而盲目，或打倒偶像，把他塑造成一個怪物。作為歷史學家，我努力做到清晰觀察、建立事實、梳理事件的先後關係以及對人民生活的影響。我沒有尋求理解、贊同或辯護甚麼。我是歷史學家，不是法官。讀者會形成自己的意見，偉大舵手的固執使國家陷入饑荒或局部內戰時該如何評判指責，也是讀者的事。我不知道此次與中國讀者的相遇算不算成功。不過，我仍然感謝出版社和譯者讓我有這個機會。他們對自由思考和表達的尊重，使這次與真相的相遇得以實現。還原真相是對歷史學家最高的要求，這就是為甚麼我在書稿開頭引用了孔子離世幾百年後羅馬作家西塞羅（Marcus Tullius Cicéron）的箴言：「歷史不會撒謊，或者對真相保持沉默」[2]。

魯 林（Alain Roux）

2017年3月10日於巴黎

序

雪（1936年2月–1945年8月底）

北國風光，千里冰封，萬里雪飄。

望長城內外，惟餘莽莽；

大河上下，頓失滔滔。

山舞銀蛇，原馳蠟象，欲與天公試比高。

須晴日，看紅裝素裹，分外妖嬈。[1]

江山如此多嬌，引無數英雄競折腰。

惜秦皇漢武，略輸文采；

唐宗宋祖，稍遜風騷。

一代天驕，成吉思汗，只識彎弓射大雕。[2]

俱往矣，數風流人物，[3]還看今朝。

〈沁園春・雪〉[4]

（1936年2月–1945年8月底）

一架機身上印有美國空軍銀色五星標記的DC3客機從紅色革命根據地延安飛往民國政府戰時首都重慶。毛澤東坐在機艙前方靠窗的位置，俯瞰着眼前廣袤的中華大地：黃河如刀痕般刻在大地上，渭河河谷鬱鬱葱葱，秦嶺如屏障般高聳。飛機不斷升空，被雲層包圍，透過雲層的間隙，四川盆地金黃的稻田躍入眼簾。這一天——1945年8月28日，毛澤東第一次坐飛機，也是在這一天，他準備去見他18年以來幾乎無時無刻不在抗衡的最大對手——蔣介石。

毛澤東的裝束似乎讓他感到不大自在：一件皺皺巴巴、做工粗糙又不知道穿了多久的藍色中山裝，一雙鋥亮卻又硌得他腳生疼的新皮鞋，一頂似乎是用來防冷槍的木頭盔。坐在他旁邊的美國大使帕特里克·赫爾利穿着深色西裝，白色襯衫，打着領結，戴着一頂伯爾薩利諾帽，好像要去赴雞尾酒會。周恩來則很正式地穿着一身藍色西裝，精細的剪裁和無可挑剔的熨燙處處體現出對人的尊重。真正讓毛澤東感到不自在的，不是他的奇裝異服，也不是他和一個美國人靠得太近(這個美國人第一次到延安時，見到一群目瞪口呆的共產黨高官，感覺自己像是到了印第安人的領地，心想是不是應該像巧克陶人一樣喊幾聲號子)，而是當時的政治大環境。當時在延安的蘇聯聯絡員彼得·弗拉基米諾夫見證了毛澤東登上飛機的那一刻，他在《延安日記》中寫道：毛澤東當時給人的感覺像是走到了十字路口，他是那樣的蒼白和緊張。此外，毛澤東在10月11日回到延安後經歷了一次短暫的情緒危機，經常一連幾天閉門謝客。

1945年8月15日，日本無條件投降，抗日戰爭結束了。長征後保存下來的微弱火種已經發展成為一個擁有95萬平方公里土地、9,600萬人口、91萬戰士及230萬民兵的紅色政權。擁有120萬黨員的中國共產黨在三個月前舉行了第七次全國代表大會，會議將毛澤東思想同列寧主義、斯大林主義一樣，確立為馬克思主義的一部分。在延安，毛澤東像國王，甚至像神祇一般廣受愛戴。與蔣介石的會晤讓他更加順理成章地相信中國共產黨從此與國民黨政府平起平坐了。

然而，毛澤東也有擔心的理由：他認為蔣介石提出的挑戰極為冒險。兩個對手並不勢均力敵。況且，如果自1941年以來停止的內戰再度全面爆發的話，毛澤東不能指望斯大林會幫忙。因為後者在8月15日，也就是日本宣布投降前的幾個小時，沒有和他商量就與國民政府簽訂了《中蘇友好同盟條約》。在1945年2月份的雅爾塔會議上，斯大林、羅斯福和邱吉爾作了如下設定：中國將作為一個以美國為首的太平洋地區和以蘇聯為首的東北亞地區之間的緩衝地帶而存在，中國應成立一個以蔣介石為首的聯合政府，而毛澤東最多只是他的首席助手。這也是促成蔣介石和毛澤東重慶談判的原因。在國際上被孤立，手頭又沒甚麼王牌好打的情況下，毛澤東急需重拾信心。在談判前的幾個小時，毛澤東凝視着窗外祖國的壯麗河山，內心深處的情懷被喚醒，他自比為歷史上幾個大王朝的開創者，對〈沁園春·雪〉這首1936年2月寫了一半卡殼的詞理所當然有了新的靈感。

1936年，毛澤東的命運經歷了一次驚險的決定性轉變。1935年秋天紅軍長征結束，同年12月的瓦窑堡會議正式確立了毛澤東中共第一領導人的地位。1935年七八月，共產國際召開了第七次代表大會，會議旨在號召團結全世界各民族的人民，停止內部鬥爭，共同致力於抵禦法西斯主義的威脅。得知此事後，毛澤東接觸了一些對蔣介石政策有所保留的國民黨將領，同時也在試探是否可能與國民黨政府達成一致抗日的協議。1935年冬天到1936年的東進運動中，紅軍穿過山西，目標直指日軍，主動進行抗戰。這一系列行動讓當時的山西王閻錫山倍感壓力。

毛澤東在這首新詞中加入了從他記憶深處挖掘出來的老章節，他回憶起中國大地上紅軍戰士們抗擊暴風雪的景象。而第一次從空中俯瞰中華大地的景象給予了他全新的靈感：在1945年8月陽光的照耀下，永恒的雪山反射出銀蛇般的光芒，蒼茫高原散發出黃蠟般的色彩。

實際上，毛澤東剛剛經歷了二十年驚心動魄的歲月，而正是這一切促成了他此刻高漲的自信和滿腔的愛國情懷。這二十年可劃分為五個主要階段：

(1) 1927年12月至1930年11月，毛澤東投身於華南地區紅色革命根據地的建設。

(2) 1930年12月至1934年10月，毛澤東嘗試建立首個以他為主席的中共蘇維埃政府，但最終以失敗告終。

(3) 1934年10月至1937年8月，毛澤東重新掌握黨內政權，並且成功與國民黨建立了抗日民族統一戰線。

(4) 1937年8月至1941年，毛澤東成為黨內最高領袖之一，並逐步形成了毛澤東思想。

(5) 從延安整風運動開始成為黨內絕對領袖，在1945年的中共七大中，毛澤東將自己擺在與蔣介石平起平坐的位置上。

第六章

華南地區的紅色政權（1927年12月–1930年11月）

在秋收起義失敗後的第三年，這些一開始在山野間與當地兩幫土匪共居一隅的「綠林好漢」很快發展成了一支既能挑戰國民黨中心地帶政權，又能與中共中央平等商議大事的力量。這個成功分兩步取得：先是在湘贛邊界的井崗山地區紮根，接着從1930年2月起，在經歷了幾個月的軍事轉移後，在閩西贛南地區壯大。一個嶄新的社會在偏遠山區建立，然而內戰的陰霾和領導權的更迭讓這個新生政權承受了太多的政治壓力。

蠻荒之地的革命環境

在作進一步介紹前，我們有必要在腦海中形成一個重要的概念，它很大程度地影響了這段嘈雜而激烈的歷史：這段歷史在這個世界最偏遠的地區之一拉開帷幕，江西省消息閉塞，擁有十六萬平方公里，一千二三百萬人口，[1]包括兩大地區。

贛北地區，南起江西吉安這座贛江邊擁有五萬人口的城市，北至江西省會南昌，這座擁有三十萬人的城市坐落在注入長江的鄱陽湖邊。兩地通過贛江這條交通要道緊密相連。整個地區主要由丘陵和布滿水田的沖積平原構成，地形賦予了此地較為發達的交通網絡——一條南北向的御道和幾條部分鋪了碎石的主幹道，也賦予了江西東北部地區古老繁榮的貿易——北部邊界的景德鎮在幾個世紀前就步入了工業化，當地的瓷器經廣東商人之手出口，舉世聞名。鄱陽湖北岸的九江位於長江之畔，自19世紀初作為通商口岸對外開放以來，一直是一個重要的商業中心。在這一帶，任何共產主義軍事行動都極為困難，甚至是災難性的。西部的萍鄉則是個礦區，通過鐵路與湖南相連，屬湖南省的經濟勢力範圍。

贛南地區，包含一系列蔥蘢茂盛的山脈。幾條像井崗山脈（位於湘贛邊界），白雲山脈（位於興國，東固兩地之間）一樣海拔逾千米的陡峭岩石山俯瞰整個地區。除了能讓一些輕型船隻航行的贛江以外（部分區域無法行船），此地幾乎沒有對外聯繫的通道，尤其是沒有像樣的道路，只有一些連馬車都沒法走的崎嶇山路，而且因為這些山路通常在多石的山口被切斷，所以主要的運輸方式就只有靠人背。季風帶來的降雨和秋季的暴風雨將這裏的田野變成泥淖，幾乎找不到平整的地方。當地唯一的城市是位於南面擁有五萬人口的贛州市，其他都是些一萬到萬五居民的鎮，人口主要集中在有水稻田的河谷地帶。本地人是當地原住居民的後裔。客家人是後進入的移民，在幾個世紀以前從廣東梅縣地區及福建遷移過來。他們住在高山上，開墾被雨水侵蝕的貧瘠土地，特別貧窮，常常以販賣私鹽和搶劫為生，與本地人關係緊張，常常發生衝突。

現代化對這個地區的影響微乎其微。從1922年開始，一個連接當地各重鎮和省會南昌的無線電網絡開始修建。尋烏是該地區的南方重鎮，通過贛州連接廣東，南昌兩地，有一個能操作200元以內現金運送的三級郵政所。毛澤東在1930年發表的著名的《尋烏調查》[2]中重點介紹了這個地方：「前年三二五暴動，抓了郵政局長，罰過五百元。此次新局長怕抓，先期跑了。三二五暴動還殺了一個電報局長。」實際上，當時的無線電聯絡員被起義部隊就地處決了，因為他們發現他曾向贛州駐軍發了緊急電報，請求派部隊增援尋烏。顯然，共產黨人明白控制通信的戰略意義。1931年秋天，瑞金成立中華蘇維埃政府以來，共產黨在前後方的聯絡中大量使用了無線電報。

同一時期，共產黨人從敵人手中繳獲了幾套靠手動發電的無線電通信設備，[3]這些設備都派上了用場。然而在這個多山的地區，這些設備發送範圍有限，運行又不穩定，信息傳播總是不暢。1930年7月28日，蘇聯人在上海法租界建立了一個強大的地下無線電收發系統，直接將上海與海參崴聯繫起來。不過，當時在瑞金還沒有靈敏度高到可以捕捉這個系統信號的電台。所以江西的中共領導人和上海的中共中央聯繫還得靠人送信，而他們面臨的封鎖越來越嚴。有件事能說明兩地間發出一個指令到指定機關存在多麼驚人的延時：一封李維漢以中共中央的名義發出的確定毛澤東軍事地位的信花了五個月才送到。該指令於1928年6月4日從上海發出，到達井崗山時已經是11月2日了。[4]1929年2月7日，因為當時紅軍數戰不利，中共中央發出指令，要求將紅軍分拆成小的游擊隊，這個指令傳到瑞金已經是兩個月之後的4月3日了。[5]指令傳到時，紅軍已在大柏地大敗國民黨贛軍獨立第七師劉士毅部（1929年2月11日）。因此毛澤東在4月5日的回覆中，抨擊中共中央的悲觀態度。具有諷刺意味的是，就在前一天的4月4日，周恩來重新研究了他2月7日起草的指令是否正確。考慮到缺乏信息，不能準確判斷具體形勢，他在4月7日寄出的信中要求朱德和毛澤東向上海方面做彙報(上海方面曾要求朱毛向上海派遣一名使者彙報革命形勢)。儘管這個決定應該在5月上旬中共中央密使劉安恭到達前就送達了，但這種反反覆覆反而只能凸顯出毛澤東對黨的決策不夠尊重的態度。[6]在這兩方面影響下，經歷了幾個月時間的收信與發信，軍事形勢發生了根本性的轉變，指令變得極為無效。共產國際的集權領導與中共中央的領導並不適應當地的形勢，出現了各種不服從命令的現象。

毛澤東正巧利用了這種不靈便的組織運轉，莫斯科領導人幾次突兀地更換在華領導人更是加劇了這種運轉的劣勢。毛澤東在1929年5月20日寫給中共中央的一封信中曾抱怨在兩年中僅收到過黨中央的兩次指示。一次是上文提到的1928年6月的指示，一次是1928年7月11日在莫斯科結束的中共六大的一系列重要決定，後者於1929年1月初才送到井崗山。所以，這份重要文件花了六個月才從莫斯科送到瑞金。須知當時布哈林與斯大林一起商定了一些指導性的路線方針來指導中共六大的召開。然而就在瑞金收到文件的幾個星期後(4月22日)，斯大林給布哈林扣上了「右傾機會主義」的帽子，並將後者驅逐出了蘇共的領導層。[7]

毛澤東在贛南地區的革命運動至此遇到了瓶頸。不僅是因為此地過於偏僻，也是由於通信緩慢帶來的時間上的滯後。從那時起，這種時空上的脫節就招致了眾多黨內將領的不滿。1932年，向來心直口快的彭德懷比喻說當時毛澤東的視野如同井底之蛙：狹隘、好古、小農和小工商思想，就是沒有無產階級思想。毛澤東對信息的狂熱追求正說明了他想看看井外的世界。這讓他的為人處世除了一開始給人的印象外，都與當地的土匪大不一樣。

在井崗山上生存

1928年上半年，毛澤東克服了一切極端的困難，全力鞏固自己的井崗山根據地。他早就預料到國民黨還只是把他當作一股地方勢力，跟其他的法外之徒沒甚麼兩樣。1月，他在遂川建立了一個工農兵政府，2月他又在寧崗建立了一個。袁文才和王佐[8]的地方武裝投奔共產主義革命，何長工擔任政委，組建了工農革命軍第一師第二團。2月18日，毛澤東親自率軍在茅坪周邊的寧崗和新城三戰三捷，全殲國民黨一個正規營和一個靖衛團，這也是他首次贏得的對正規部隊的大捷。[9]因為最初的頭銜被免除，毛澤東一直沒有正式職務，3月，趁此機會他被任命為中國工農革命軍第一軍第一師師長。同時，為了鞏固自己得益於共產黨這股政治力量而樹立起來的權威，毛澤東加快執行黨中央傳達的種種指示。

毛澤東從不把自己歸為土匪之流，儘管在三灣改編[10]中他再三強調要尊重老百姓，他部下的一些舉動與那些收編的部隊仍然沒有多大差別。靠井崗山地區可憐的兩千名勞動力，部隊顯然是無法生存下去的。收成好的年份，穀物總產量加起來也僅勉強達到一萬擔。[11]一些紅軍戰士襲擊了周邊的一些鄉鎮，燒房子，搶村莊，對一些被定性為階級敵人的農民和商人，或者敲詐勒索，或者直接處決。那些資本家和土豪劣紳也遭到同樣下場。出於實際的需要，這些過激的舉動不被視作特例，而是規定。毛澤東在1928年5月2日寫給中共江西支部和中共中央的報告中，分析了紅軍在春季遭遇三次失敗的組織狀況。他強調「一支一萬八千人的農民武裝」所帶來的不便。他們聽從黨的指揮作戰，但是卻將注意力放在奪取戰利品而非戰鬥上。在1928年7月4日給湖南省委的報告中，他感嘆一支不深入群眾的強盜流寇組成的業餘軍隊是有害的。1928年8月，他給江西省委寫信，信中的第二點強調了燒毀城市是個錯誤；第五點表態不惜代價整治軍紀，消除流氓行為；第六點講述了11月10日紅軍在永新和新城作戰時，四團的一支警衛隊在寧崗地區幾個農民的幫助下沒有站崗，而是忙着偷牛。1928年12月6日紅軍第一屆黨代會上採納了針對第六點提出的解決方案。[12]

毛澤東一直致力於將一支由遊民、流氓和其他社會底層人員組成的雜牌軍建成一支有紀律的武裝力量。但1928年3月，一名由中共湘南特委派遣的代表中止了他的努力。此人叫周魯，一個毫無經驗的年輕人。他向毛澤東傳達了1927年11月至12月31日上海中央作出的一系列決定，特別指責了毛澤東在秋收起義中犯了「軍事逃跑主義和右傾機會主義」錯誤，並且撤了毛澤東中央臨時政治局候補委員和現任省委委員的資格，甚至還稱毛澤東被開除了黨籍。[13]這一切顯然是為了在高過自己的毛澤東面前樹立自己的威信。幸虧毛澤東在幾天前明智地提到了自己的一些功勞，他軍事上的指揮權得以保留，但這僅剩的權力也可能隨時被剝奪。[14]在這災難性的氛圍中，朱德[15]和陳毅[16]的部隊在經歷了九個月的撤退後又於3月在湘南地區接連遭到失敗。中共中央不得不讓快被消滅的殘部進行戰略轉移，與毛澤東會合。當時朱德和陳毅通過毛澤覃已經與毛澤東取得了聯繫。毛澤東是個不折不扣的常勝將軍。

由於周魯後來被國民黨部隊逮捕並被處決，毛澤東得以擺脫他的監管。4月24日，毛澤東在根據地接待了這四千名垂頭喪氣的士兵。當時朱德還與中央保持着聯繫，他告訴毛澤東他並未被開除黨籍。朱毛於是很快達成一致，在中央的支持下建立了湘贛邊界特別委員會，其管轄範圍擴大到有50萬人口的7個地區，由袁文才任蘇維埃政權主席。中央決定任命毛澤東為特別委員會書記——毛澤東的這次東山再起得益於周恩來實事求是的政治作風。這個狹小而動蕩的蘇區由一支番號為工農革命軍第四軍(後改稱為工農紅軍第四軍，簡稱紅四軍)的部隊保護，部隊有一萬餘名戰士，分為六個團。其中朱德率領的第二十八團，毛澤東率領的第三十一團有實戰經驗；袁文才，王佐率領的第二十九團，當地徵兵湊得的農民部隊第三十二團均無戰鬥經驗。毛澤東在治軍上的努力也終於取得了一定成效，儘管我們看到的這支部隊仍然存在一些紀律和忠誠問題，而且仍有一半的戰士拿不到槍，用大刀、木棍和拳頭戰鬥。

1928年5月20日至22日，鑒於已取得的成就，毛澤東在寧崗附近的茅坪召集了六十餘位代表召開了中共湘贛邊界第一次代表大會，毛澤東任特委書記，陳毅任軍委書記，毛澤東鞏固了自己的權力。[17]然而好景不長，5月29日，又一個省委代表來到茅坪，此人即是中共湖南省委巡視員杜修經，手握大權。緊接着，6月又調來了三個代表，其中包括新任省委書記楊開明，四人陸續帶來了四個上級指令。指令都流露出對當地情況的不滿，但又相互矛盾：有的要求維持井崗山根據地，有的卻對此隻字不提，甚至要求放棄根據地。然而這些指令又同時傳達了攻打湘南重鎮衡陽的設想。朱德在幾個月前曾在此地碰過硬釘子：那裏集結了湖南最精鋭的部隊，因為近來幾次戰爭都證明了得衡陽者得長沙。同時，江西省委又以自己的名義下令攻打吉安。毛澤東巧妙地利用了這種混亂。6月下旬，所有代表前往莫斯科參加在那裏召開的中國共產黨第六次全國代表大會，出於安全考慮，這次會議不在國內舉行。黨中央只剩下李維漢一人，他是長沙新民學會的成員，熟悉並欣賞毛澤東。

5月2日，毛澤東以自己的名義給中共中央寫了一份報告，介紹湘贛邊區革命根據地的情況，有些不快地要求中央下達指示支持他的創舉。這份報告在5月19日由江西省委送出，於6月初送達上海。李維漢在4日對此作了批示：重新成立被周魯廢除的前敵委員會，支持毛澤東發展井崗山革命根據地，在湘贛兩省傳播革命火種。這封信預測中共六大將採取實用主義路線，但送達井崗山的時候已經是11月初了。儘管6月30日前線特委就得知中央反對攻打湘南地區的戰略，因為這威脅到紅四軍的生存問題，但毛澤東不得不在楊開明[18]面前低頭，因為楊已經在毛澤東被剝奪中央臨時政治局候補委員資格之後成了他的上級。此外，7月中旬，楊開明取代毛澤東成為前敵委員會書記。此時，湘贛兩地國軍正聯手攻打井崗山。紅軍決定由朱德率領兩個團負責斷後，抵抗湘軍精銳部隊的進攻，毛澤東則帶領其餘兩個團牽制實力較弱的贛軍，直到朱德從後方殺回。

朱德很好地完成了既定的任務，但楊開明仗着自己的地位，命令朱德去攻打衡陽，而不是照先前商定的回井崗山與毛澤東會師。這是個災難性的決定，毛澤東不得不放棄部分根據地，丟掉了寧崗。為了與楊開明的特委抗衡，他還撤退到山中，成立行動委員會，自任書記。為了避免被當時已包圍井崗山的敵軍消滅，他不願意為了增援朱德而放棄根據地：8月30日，他指揮了一場戰役，利用他的部隊熟知當地複雜地形的有利條件，取得了黃洋界保衛戰的勝利。毛澤東立刻寫下了一首詞〈西江月・井岡山〉，題目就是戰鬥發生的地點，表達他見證這一時刻的激動心情：

山下旌旗在望，山頭鼓角相聞。
敵軍圍困萬千重，
我自巋然不動。

早已森嚴壁壘，更加眾志成城。
黃洋界上炮聲隆，
報道敵軍宵遁。[19]

10月4日到6日，中共湘贛邊界第二次代表大會在重新奪回的寧崗[20]召開，毛澤東得以重新恢復他的政治權威。楊開明由於疾病和聲望低落，被毛澤東的親信譚震林[21]取代，毛澤東也確定了行動委員會書記一職。一個月後的11月2日，李維漢於6月4日在上海寫的回信終於送達井崗山。在得知他恢復前敵委員會書記一職時，毛澤東掩飾不住自己內心的喜悅。11月底，中共中央又任命他為紅四軍黨代表，從此就有了「朱毛紅軍」的稱號。這個稱號使有些人誤以為這是一群「紅鬍子強盜」。[22] 12月10日，一支由年輕將領彭德懷[23]率領的800人部隊在井崗山與朱毛會師。這些戰士在7月底以紅五軍的名義起義，被編入紅四軍，紅四軍的兵力達到一萬二千人。

小結

這艱苦而動蕩的一年到了年底，我們列舉毛澤東的兩篇文章來說明他對革命形勢的把握。10月5日，中共湘贛邊界第二次代表大會召開，毛澤東發表講話，我們找到了此次講話的草稿。[24]他描繪了中國的總體形勢，也提及中共接下來的路該怎麼走：國民黨發起的資本主義民主革命已經在一定程度上變成反革命。中國當前的形勢好比是1905年的俄國，資本主義革命必須由無產階級領導才能完成，中國的資產階級歷史任務已經宣告失敗。中國是一個半封建半殖民地國家，不同派系軍閥的戰爭，反映了帝國主義各國之間為瓜分世界而進行的鬥爭，因此，第二次世界大戰不可避免。這也造成了一種世界上前所未有的政治形勢。毛澤東的思想中首次出現了中國特殊國情這個概念，這也是他一直拒絕由共產國際和斯大林統一領導，而是宣揚馬克思主義中國化的原因。譬如各系軍閥，表面上得到了帝國主義的支持，實際上存在不可避免的衝突，他們之間連年打仗，讓小塊的紅色根據地得以長期存在。由此可以得出結論，只有在北伐期間爆發過群眾運動的地方，才能從國民革命軍中分化出訓練有素的紅軍，「那些毫未經過民主的政治訓練，毫未接受過工農影響的軍隊，例如閻錫山、張作霖的軍隊，此時便決然不能分化出可以造成紅軍的成分來」。

在安定了聽眾對未來的信心之後，毛澤東將「八月失敗」歸咎於省委派來的代表「只知形式地執行湖南省委的命令」。下一步要做的是鞏固以井崗山革命根據地為中心的地區（大小五井山區）和寧崗城，並向北推進四公里，鞏固九隴山區和永新城。在黨的領導下帶領群眾打土豪，分田地，團結一切可以團結的革命力量。向大城市發起進攻的時機尚未成熟，絕不可行，就算攻下來了也守不住。[25]

毛澤東自己也不知道他的主張與在莫斯科召開的中共六大所達成的慎重路線不謀而合。在布哈林[26]的影響下，此次大會通過了發展游擊隊，建立農村蘇維埃政權的決議，以此來削弱國民黨的實力，等待更好的時機。紅軍作為革命的中堅力量，要在根據地積極動員徵兵；農民則應該受無產階級，即共產黨的領導。毛澤東稱讚本次大會的決策建立了正確的理論基礎，後來他打了個比方：「革命要有根據地，好像人要有屁股。人假若沒有屁股，便不能坐下來。要是老走着，老站着，定然不會持久。腿走酸了，站軟了，就會倒下去。」[27]

該講話草稿的第二部分分析了黨面臨的困難。他介紹了關於在農村地區難以從農民中吸收無產階級領導人員的問題，我們在《毛澤東選集》中找到一些話來解釋這一現象：過去，黨組織都比較獨裁，權力高度集中在書記手裏。沒有共同決議或一點民主意識。比如，毛澤東曾經就是特委的唯一成員。特別是這種情況造成了一種錯覺：百姓只認識個人而不認識黨組織。這樣的黨絕非布爾什維克的政黨。

這種奇怪的自我批評不久被指責為「書記的獨裁造成的不良工作作風」。在選舉執行委員會委員時，毛澤東是當選者中得票最少的人之一。這也解釋了為甚麼毛澤東在得知李維漢的來信時，表現出欣喜若狂來。不論如何，中央的一系列決定讓他成為井崗山的一把手：他需要上海方面的支持並最終如願以償。

最後，毛澤東還批判了「分田地時，在富農、中農和貧農之間實行極端的平均主義，而忽略了傭農」，並為曾經的錯誤而惋惜，「除了蓮花和茶陵地區，在建立紅色革命根據地時對封建大地主、紳士進行了屠殺，連看門狗也不放過」，同時還忽略了富農、中農和貧農之間的鬥爭。於是蘇維埃政府的政策只不過是「農協的化身」，政府的工作被「主席和總書記包攬」；有些蘇區政府甚至「被富農控制」。不過，井崗山的土地法[28]預見到了沒收所有土地的問題，重新分田地時考慮了家庭勞動力的狀況，要麼種自己的地，要麼在合作農場種地，要麼在蘇區政府管理下的大農場工作。政策路線非常刻板。面對上級「右傾主義」的指責，毛澤東好像流露出不滿。

另一篇文章是11月25日毛澤東以前敵委員會的名義提交給中共中央的報告，後來經過一些修改和刪節，又以〈井崗山的鬥爭〉[29]為題發表。兩個版本分析的內容一樣，而報告更詳細地體現了遇到的困難，主要分為四個方面。

首先是軍事上的困難。紅軍其實是拼湊起來的，在一年內喪失了三分之二的原始兵力，即秋收起義時原張發奎手下的警衛團，瀏陽、萍鄉一帶的農民武裝，湘南工農義勇隊，水口山的礦工以及部分參加過南昌起義的正規部隊。此後的部隊大多由前線地區的農民和戰俘組成，佔總數的四成。有些農民一分得土地馬上回家種地，留下的多是遊民。遊民「有戰鬥力」，但要「加緊政治訓練」。四分之一的戰士入了黨。1929年9月1日，陳毅化名董力寫了一篇報告，[30]做了詳細具體的叙述：又經歷了一場戰役以後，參加過南昌起義的葉、賀舊部約佔全軍人數十分之二，湘南農軍約佔全軍人數十分之四，歷次俘虜敵方士兵所改編的約佔十分之二，在贛南閩西新招募的約佔十分之二——並未將流民計算在內。從籍貫上看：湘南人約佔全軍人數十分之五，閩贛人約佔全軍人數十分之二，其餘十分之三則為其他各省人。戰鬥兵約佔全軍人數十分之六。參加過南昌起義的現在大半成了幹部，而新兵和戰俘佔到戰鬥兵的十分之四。武器供給極為缺乏，以致沒有繳獲到武器的勝利被認為是戰術上的失敗。同時我們通過陳毅還了解到：「每每紅軍經過某地……群眾毫不懂紅軍是甚麼東西，甚至許多把紅軍當作土匪打。」毛澤東和陳毅的分析恰好反映了對紅軍現狀深深的憂慮，部隊建設任重道遠。

其次是土地問題也讓毛澤東操心。在井崗山地區，六成的土地歸地主所有，農民僅佔四成。根據地周邊的六七個縣不斷失而復得，有50萬人口，在一塊像盧森堡那麼大的區域內，分配土地根本無從談起。事實上，每當紅軍進入新的地區時，為避免遭當地農民的反對，並不立即實施土地政策，大地主的土地除外。毛澤東似乎對接下去採取的政策感到為難。尤其是中間階級，「中間階級表面上投降貧農階級，實際則利用他們從前的社會地位及家族主義，恐嚇貧農，延宕分田的時間」，除非「進至革命高漲」，「紅軍的威力幾次表現」。在永興地區，紅軍打敗了白軍之後，處決了幾個延宕分田的人，才實際把田分下去。

對毛澤東來說，為了防止中間階級反水，似乎有必要實行強力手段。「封建的家族組織十分普遍，多是一姓一個村子，或一姓幾個村子，非有一個比較長的時間，村子內階級分化不能完成，家族主義不能戰勝。白色恐怖下中間階級的反水……他們依照反動派的指示，燒屋，捉人，十分勇敢。」紅軍一來，馬上逃之夭夭。此外，富農也向根據地政權施壓，要求在分田地時，除了考慮勞動力因素外，還要以資本為標準（工具、牲口、房產等）。毛澤東顯然覺得困擾。他詢問中央當初蘇聯內戰時，是如何在受白色恐怖威脅的情況下實施土地政策的。此外，毛澤東還注意到中間階級比窮人更受經濟封鎖和流動資金缺乏的苦。幾天前的11月14至16日，在一個由69位代表出席的紅四軍第六次代表大會上，[31]毛澤東換了一種方式提出這種發現：「禁止盲目燒殺」，「保護中小商人利益」。這樣的猶豫顯得很突兀，因為接下來實施的政策是極度「左」傾的。

再次是黨組織的素質低下。革命高漲時，投機分子混入黨內，黨員人數超過一萬人。當困難來臨時，很多人立即脫離組織甚至背叛組織。9月以後，厲行清黨，對於黨員成分加以嚴格的限制。永新和寧崗兩縣的黨組織全部解散，重新組建——當時對犯錯誤的同志只談開除和批評，並未處決。

最後提出的問題被長期掩蓋，也許是最嚴重的問題——20世紀80年代到90年代，一個美國歷史學家韋思諦（Stephen Averill）[32]深入當地進行實地考察，搜集到了一系列的證據和全新的資料。他發現1930年12月富田事變之後，政治危機本應已解決卻又反覆出現有其根源。這關係到數百年以來這一地區的本地漢人和客家人之間的關係。本地漢人在當地佔據山谷中最肥沃的土地；而幾個世紀以來，客家人從廣東和福建遷移而來，他們佔領山地，開墾最貧瘠的土地，[33]微薄的產出又被山下城裏的本地人剝削收購。毛澤東提到：「前年和去年的國民革命，客籍表示歡迎，以為出頭有日。不料革命失敗，客籍被土籍壓迫如故。」這個問題在寧崗尤為明顯：

> 前年至去年，寧崗的土籍革命派和客籍結合，在共產黨領導之下，推翻了土籍豪紳的政權，掌握了全縣。去年六月，江

> 西朱培德政府反革命，九月，豪紳帶領朱培德軍隊「進剿」寧岡，重新挑起土客籍人民之間鬥爭……例如邊界八月失敗，土籍豪紳帶領反動軍隊回寧岡，宣傳客籍將要殺土籍，[34]土籍農民大部分反水，掛起白帶子，帶領白軍燒屋搜山。十月，十一月紅軍打敗白軍，土籍農民跟着反動派逃走，客籍農民又去沒收土籍農民的財物。這種情況，反映到黨內來，時常發生無謂的鬥爭。我們的辦法是一面宣傳「不殺反水農民」，「反水農民回來一樣得田地」，使他們脱離豪紳的影響，安心回家；一面由縣政府責令客籍農民將沒收的財物退還原主，並出布告保護土籍農民。

這段文字再現了一些史實，韋思諦的作品變得更加為人所知。這段歷史實際上對大多數以前研究者的成果提出了質疑。以往在研究江西蘇維埃政權時，均重在討論中國共產黨內部幫派的鬥爭，毛澤東所起的作用以及上海中央與地方支部之間的不穩定關係。如周錫瑞(Joseph W. Esherick)和波拉切克(James Polachek)通過研究1921年至1927年共產主義根據地的原始分布情況，提出了贛南山區高地的社會生態學。吉安城扮演了至關重要的角色。在城裏的陽明中學和第七師範學校裏，「中層階級」——用毛澤東的話講——包括當地精英、小地主、工商業主和知識分子等階層的孩子有機會接觸到1919年五四運動以來的新文化。

這些年輕人中，有的到南昌或廣東繼續深造，回到家鄉時(通常是當地比較大的鄉鎮)，帶回了知識分子的爭論。有些信仰馬克思主義，還成立了一些共產主義小組；另一些則相反，堅決反對共產主義，甚至自發組織了「鏟共黨」(旨在消滅共產主義的組織)，帶些神秘色彩的「AB團」(Anti-Bolshevik，反布爾什維克的縮寫)。這些年輕人在當地紮根，大多數由本地人組成。正如毛澤東回憶的那樣：這些最初的共產黨人在從1927年4月開始的白色恐怖中頑強地以上海—南昌—吉安—廣州為軸心進行抵抗。當與農民合作遭到破壞時，他們轉而致力於創建秘密組織，同幫會、綠林好漢(通常是客家人)、小股農民武裝一同聯手反抗地方政府推出的新稅收或不受歡迎的禍民政策，取得了一定的成績。

在離井崗山不到100公里的東固白雲山腳下，出了一位武術高手——段起鳳，他一身農民打扮，是最早的共產黨員之一。在北伐期間，他帶領貧農佔領了一個大地主的莊園，分發了地主的財產。在距吉安西北20公里處的吉水安福地區，1900年出生的李文林是最早的共產黨成員之一，他幾乎是年輕時期的毛澤東在當地的一個翻版：出身富農，家裏有兩公頃土地，請了一個僱農。他在一所新式學堂讀書，成績優異，後來又在吉安上中學。從黃埔軍校畢業後，參加了1927年8月1日的南昌起義。當白色恐怖席捲當地的時候，他組建了一支小規模的農民武裝，後來又成立了紅四軍獨立第二團。在由一批異鄉青年組成的赤衛隊的協助下，李文林取得了一些小規模的勝利。

這些革命的種子為毛澤東提供了一片熱土。然而1928年冬天之後，這種發展的背後承載了因軍事和政治權力交替帶來的種種矛盾。韋思諦勾畫了一幅贛南地區政治人類學的草圖：井崗山革命根據地，確切地說寧崗一帶，都不易防守，除了一些客家人和土匪控制的高地。不過毛澤東在此處感覺相對自在，因為當時靠南瓜和野生紅米已經勉強能養活為數眾多的部隊，雖然饑腸轆轆的士兵還覬覷着山下谷地裏的戰利品。根據地的另一部分位於九龍山腳下的永興城周圍，是一個更為開放的地方，本地人眾多，在毛澤東的部隊到來之前就種下了共產主義革命的火種。然而毛澤東在那裏並不覺得自在，因為他和他的部隊都講一口湖南話，穿得像土匪，總被當作外人。他努力團結這些分散的共產主義力量和小股農民武裝，他的到來給當地的共產主義政治生活帶來了新的轉機。光靠拳頭打拼是看不到未來的，應該建立一個或幾個革命根據地，實施土地革命政策，同時引入家庭改革和婦女解放運動等其他各種改革，設立基本的管理部門，建立一支常規部隊。

讓毛澤東一直耿耿於懷的是他和各階層的對立，這在他後來的報告中也有較完整的體現。這些人中顯然有受土改衝擊的地主、保守的農民和捍衛沒落封建家族傳統的中間勢力。還有本地人，更多的是江西人，他們有自己的鬥爭方式，難以接受湖南人帶來的戰術，[35]儘管這種戰術經過毛澤東的實踐取得了成功。這種戰術不講究在第一時間抵禦來犯之敵，而是任由其進入根據地腹地，以便接下來切斷敵軍聯繫，將對方切成幾塊後，在數量上佔據絕對優勢的情況下分而殲之，但這將群眾暴露在了敵人的報復之下。1928年9月，寧崗和永新就遭到這樣的報復。最後還有當地的共產黨幹部、土匪幫派和會道門成員，儘管他們眼光比較傳統和狹隘，但為了服從總的政治戰略要求，讓出了部分地區——我們可以稱之為本位主義者。

1928年的11月和12月，毛澤東着手開展第一次黨內肅反。1929年1月初，他收到共產黨六大的決議，再次成為中共中央委員，他在23名委員中位列12。相比1928年艱難的開頭，他有了個較好的結束。然而井崗山根據地有些難以維繫，當地養不活一支一萬二千人的部隊，同時國民黨湘贛兩地五支縱隊組成十四個團，二萬五千人的部隊蠢蠢欲動。夏天的失敗證實了沒有重型武器的支撐，要守衛根據地是何等艱難。1929年1月4日至7日，前敵委員會擴大會議討論了戰略方針[36]：會議決定由王佐、袁文才部隊協同彭德懷部隊守衛井崗山；同時朱毛帶領第二十八團和第三十一團前去攻打敵軍的大後方——江西贛州，以達到圍魏救趙的目的，放棄井崗山是絕不可能的。

軍事和政治的東遷（1929）

1月14日，三千六百餘名紅軍戰士在風雪中沿着一條幾乎不能算是路的小道離開了大山，在距離贛州城40公里的一條路上給了敵軍突然一擊，然後到達位於安遠、尋烏和定南三地交界的鶴子圩。緊接着他們突然掉頭往西南方向挺進，在大余碰到一支國民黨部隊，交戰失利後立刻轉移到隔壁的廣東省。[37]有幾次，敵人都追到了後腳跟，他們無奈之下只能靠斷後部隊的犧牲來擺脱敵人。朱德的妻子就是在當時被俘後被殺害的，頭顱還被裝在籠子裏掛在南昌南城門示眾。

在此期間，彭德懷帶領着剩下的部隊，在以一敵三的情況下抵禦敵軍的「圍剿」長達一個星期。土匪和流民組成的部隊很快被擊潰了。與原計劃不同的是，朱毛的部隊並未及時趕回增援，最後在形勢慘烈、萬般無奈之下，井崗山不得不被放棄，只留下了傷員、婦女和兒童，後者大部分被敵軍屠殺。最初跟隨彭德懷在平江起義的

800人，只剩下了283人。[38]戰士們還常常懷疑是不是被朱毛背叛了，因為後者正好避開了這場災難。或許毛澤東認為比起革命的前途，保全自己更為重要？抑或他已經知道贛州固若金湯，根本就是一個可望而不可及的目標？

上海的媒體刊登了紅四軍遭到失利以及華南地區部分共產黨游擊隊被消滅的消息。周恩來得知後在2月7日以中共中央政治局的名義給朱毛寫了一封信，要求他們將部隊分解成至多500人一組的小分隊散入各游擊隊。至於朱毛二人，應立即離開戰場，解散部隊，迅速到上海與中央匯合。「到中央後更可將一年來萬餘武裝群眾鬥爭的寶貴經驗貢獻到全國以至整個的革命。」因為當前的問題事關生死存亡，在這種災難性的背景下，這是最為穩妥和合理的回應。[39]信中同時也表達了對朱毛6個月以來未曾向中央彙報工作的不滿，問朱毛是未收到中央指示還是故意置之不理。周恩來提醒朱毛不應忘記自己的責任；為避免引起反感，強調自己對朱毛部隊懷有特殊的感情。周恩來還在信中附帶了一份關於拆分部隊，分流游擊隊的詳細計劃。而實際上，他甚至不知道他試着遙控指揮的部隊當時身在何處。2月16日，中央政治局又向廣東省委寫了一封信，根據紅四軍當時的嚴峻形勢，要求廣東省委尋找朱毛部隊，幫助他們擺脫危險。這是斯大林遠在莫斯科根據「科學」的馬列主義理論做出的判斷，他還派出一些所謂專家調查實際情況。

這封信直到4月3日才送到毛澤東手上，當時朱毛部隊已經在江西東南部的瑞金地區享受着部隊最近取得的勝利。命運的轉盤又一次轉到了對毛澤東有利的一面。朱毛兩三千人的部隊在深入廣東之後又迅速向北折返，通過只有走私犯才知道的山間小路回到了江西。2月10日，在大柏地茂密叢林的掩護下，挺進到距離瑞金北部30公里處。偵察兵對追兵情況進行了仔細觀察，發現對方已經將他們包圍，但又苦於山區沒有像樣的路，已將部隊分成幾部分。朱毛得知後命林彪[40]率部連夜急行軍繞到了敵軍部隊後方。11日凌晨，林彪突襲追兵部隊的後方，敵軍大敗逃竄，同樣，另外五六支掉隊較遠的部隊也接連被行動迅速的紅軍突擊隊一一擊潰。國民黨江西部隊第五師第十五旅劉士毅帶着千餘殘兵逃進了贛州城：他損失了800兵力和槍枝，6挺重機槍和幾門迫擊炮。毛澤東也由此成為一位真正的軍事家，林彪則是他手下一個出色的戰術執行者。紅軍因此士氣高漲，不戰而勝，奪取了寧都。

朱毛部隊

在這關鍵的幾個月中，兩則有朱德和毛澤東簽名的聲明能讓我們更好地了解這支紅軍隊伍。第一則是在即將離開井崗山時寫的。[41]這是一份關於共產主義十條革命目標的號召，被概括為幾句口號：「打土豪，分田地，廢除封建剝削和債務。」這篇聲明被刷在「自由」寧都的城牆上，證明人民群眾熱烈歡迎光榮的革命軍隊。接下去的語調開始帶有威脅：朱毛要求當地商會必須在當晚20時前上繳大洋5,000元，草鞋、襪子各7,000雙，白布300匹用以給傷員做繃帶，還要一批伕子搬運財物：「如不切實辦理，則視為寧都商會聯合有意給紅軍製造困難。倘若如此，將不得不燒毀所有店鋪作為商會背信棄義的懲戒，望好自為之」。

這篇聲明很好地解釋了陳毅在1929年9月1日寫的關於紅四軍

的報告：「群眾毫不懂紅軍是甚麼東西，甚至許多把紅軍當作土匪打」。儘管朱毛在5月16日另外發表聲明中呼籲工商業者和知識分子支持革命，也邀請國民黨舊部的兄弟部隊加入紅軍。陳毅接着稱：紅軍的行動如行雲流水一般。攻佔一個鄉鎮後立刻勒索富人，搜集銀元、鴉片及食糧，令幾十名伕子跟隨。召開集會對一些鄉紳處以罰沒重金、當眾批鬥甚至處決的處理，然後離開當地。經過這種悲劇性的狂歡之後，當地又恢復原來的秩序。然而毛澤東似乎很早就想結束這種流浪式的行軍模式，建立一個或者多個穩固的革命根據地，實施土地革命，建立革命政權。他通過前幾個星期的戰爭勝利，提高了自己在朱德領導的紅軍軍委中的威信。在李文林和段起鳳兩位已經在當地站穩腳跟的將領所帶領的獨立二團和獨立四團的掩護下，紅軍戰士終於得以進行了為期一週的休整。毛澤東與這兩位的關係不錯：在他1930年1月寫給林彪的一封信〈星星之火，可以燎原〉中，他將李文林列入應學習的革命根據地人物之列。[42] 此外兩人還在1月17日組織過一次會議，毛澤東的弟弟毛澤覃當時也列席。

然而，革命形勢尚未明朗。3月10日，為了擺脱江西國軍的追兵，朱德率軍前往福建。3月14日，他在福建汀州擊潰了當地守軍（確切地說是在長汀）。狂妄自大的小軍閥郭鳳鳴在此役中被擊斃，其財產在翌日被全數分發給了百姓，一千名國軍士兵被俘，繳獲五百餘枝槍和一批彈藥。3月3日，彭德懷帶領900名紅軍戰士抵達于都與紅四軍會師。王佐堅守井崗山，而袁文才則由於敵我力量過於懸殊逃離。朱毛的部隊則士氣高漲。更為有利的是3月20日，蔣桂戰爭爆發，這讓紅軍四處躲藏，根據地被破壞的狀況得以暫時告一段落。毛澤東在攻佔汀州後的第二天，也就是3月20日重新召集了前敵委員會成員開會。他的報告回顧了年初以來遇到的種種困難：損失了600名戰士——其中很多是幹部——以及200枝槍，這是取得成功需要付出的代價。他表現得很樂觀，計劃以贛南閩西二十餘縣為範圍，用游擊戰術，發動群眾建立蘇維埃政權，形成一個向南彎曲的以瑞金為中心的大弧形，人口達到約兩百萬。毛澤東戰略性的設想讓他預見到了以後兩年多時間裏，中華蘇維埃共和國的輪廓。他分析敵方各勢力的紛爭，得出結論稱這會提高紅軍中黨組織的穩定性。事實上，4月1日，也就是彭德懷剛到瑞金時，朱毛召開了紅四軍改制會議，吸收了少數的紅五軍的部隊，將團部改為縱隊。[43]這種新的組織形式削弱了地區司令朱德的權力，彭德懷為副軍長，陳毅為政治部主任；毛澤東一人指揮前敵委員會，權力更大了。

每個縱隊由1,200人組成，配備500到600枝槍，由司令指揮。縱隊可分為兩個支隊，支隊又分為三個大隊。大隊這種基礎組織由200人組成，配備83枝槍。這是一種理想的游擊隊組織形式，因為它的規模讓他們能夠迅速找到食物和方便住宿，同時具有足夠的火力來對付遭遇戰。第一縱隊由林彪指揮，這是他首次在紅軍中升職，部隊主要由原毛澤東帶領的第二十八團組成；第二縱隊由原第二十八團剩餘部隊和特種部隊組成；第三縱隊由原朱德帶領的第三十一團組成。李文林和段起鳳兩個獨立團隨後被改編為第四縱隊。彭德懷部隊在井崗山與朱毛會師後被改編為第五縱隊。寧崗周圍各部隊被改編為第六縱隊。總兵力大約有5,000人，配備2,100條槍。

在這種情況下，中共中央4月3日送達瑞金的信引起了毛澤東的驚愕和憤怒。從5日起，毛澤東就開始以前委的名義回信，[44]斷然拒絕將紅四軍拆散，並回絕了同朱德回上海和中央領導匯合的提議。毛澤東不知道的是，其實中央已經撤銷了這兩個決定，他強烈的反應表現出挑戰中央的姿態。這是毛澤東第一次同黨中央領導平等地對話，他甚至開始給中央上課：他寫道，中央在分析形勢時表現出了悲觀主義。所有人都期待的第二次革命高潮正在到來。「分兵以發動群眾，集中以應付敵人⋯⋯這種戰術正如打網，要隨時打開，又要隨時收攏，打開以爭取群眾，收攏以應付敵人。」

因此，拆分紅軍將會是個錯誤的決定。同時，讓朱毛遠離一線不能保證中央派來頂替他們的同志具備同樣的能力：除了劉伯承和惲代英，毛澤東想不出第三個人。至於賀龍，中央稱他六月到達之後，一直都沒有露面。毛澤東暗示中央缺乏自信和不負責任，當然是通過一些比較明智的方法表達出來的：

> 拋棄城市鬥爭沉溺於農村游擊主義是最大的錯誤，但畏懼農民勢力發展，以為將超過工人的領導而不利於革命，如果黨員中有這種意見，我們以為也是錯誤的。因為半殖民地中國的革命，只有農民鬥爭不得工人領導而失敗，沒有農民鬥爭發展超過工人勢力而不利於革命本身的。

最後，毛澤東堅持要求朱德仍扮演關鍵性的軍事領袖角色，自己則做前委書記。

4月發生的事情證實了這種樂觀精神：4月1日奪取瑞金，同月8日紅軍又攻下了于都。前委遂於4月11日召開會議，羅壽南以中央軍事部代表身份列席。[45]幾天前他帶來了一封2月7日的不合時宜的信：拆散一支打勝仗的部隊是不可能的。4月30日，寧都被攻克，一個紅色革命根據地開始在贛南地區形成。5月20日，蔣桂戰爭結束，敵軍部隊應該很快會回來。然而就在這時粵桂戰爭爆發，閩南部隊前去增援粵軍。機會千載難逢，5月19日起，朱毛率領三個縱隊翻山越嶺，深入閩西地區，直取龍岩、上杭兩地。第一縱隊成功攻克永定，並在5月27日爆發了一場一萬人參與的大遊行，一些達官顯貴被當眾羞辱，掛牌遊街，之後這成了一種慣例。

5月15日，在興國實施的土改不像井崗山那麼嚴厲，[46]只沒收了公共土地和大地主的土地，保留了富農和中農土地。毛澤東開始致力於建立一個穩定的政治和社會結構，因此他止步於宣傳革命工作，而不急於實施土地政策。6月1日，毛澤東在福建永定給中央寫了一份報告。[47]報告分為4個部分，共14點，講述了紅軍第一、第二縱隊在福建進行55天游擊戰的情況。現在部隊進入瑞金，「與中央指示的『分開游擊統一指揮』相合」。考慮到中央的敏感性，毛澤東斷言可以在今後一年內控制贛南地區(在第5、第6兩點中，第8點遺失)，又可與寧崗及井崗山地區六個區域，以及方志敏[48]在贛東的游擊隊聯繫。因為在福建寫報告，他建議以閩西為中心建立一個穩定的蘇維埃根據地。在報告中，毛澤東還詳細分析道，在總共1,320人中(顯然是林彪帶領的第一縱隊兵力，毛澤東與林彪配合起來較其他部隊更為默契)，有192名學生，311名工人，106名小商販，626名農民。工人可能是原湖南安源煤礦的礦工、一些農村手工業者、傭農和各種社會遊民——毛澤東努力想讓他的被斥為由「強盜」組成的部隊戴上無產階級的光環。

紅軍軍力當時已經增至大約10,000人(第11到第14點)，配有4,500條槍，其中前3個縱隊由3,000名戰士組成(指被合稱為朱毛紅軍的部隊)。其中1,329名是黨員，有2,000條槍，堪稱主力。44.3%的戰士是黨員，這些縱隊的凝聚力來自政治信仰和意識形態，而不是僅僅來自地方意識或是靠僱傭關係維繫的忠誠。在第9點中，毛澤東提到東江(廣東)打算在梅縣一帶舉行暴動，請求紅軍支援，前委持否定態度。因為「不贊成此時舉行總暴動」。在第13點，他建議(既沒有堅持也沒有解釋)暫時撤銷原來由朱德擔任的紅四軍軍事委員會書記一職，像這樣的決定顯然符合中央的意見。接着他強調了官方媒體關於紅軍的負面宣傳過於誇張：

> 報紙所載我們怎樣殺人放火的消息，全與事實不符，如前在汀州十七天，僅向大商人籌款二萬，豪紳地主籌款三萬，彼就宣傳幾十萬；僅殺五人都是最反動的(郭鳳鳴營的)；長汀革命委員會燒四個，紅軍燒一個，彼則宣傳為五百多間房子；僅殺郭鳳鳴死黨三四人，彼則宣稱為殺千多人，總之全是胡説，不足為信。

毛澤東請福建省委負責在廈門設交通機關，專司前委與中央信息的傳達。附上價值一萬元的煙土，託龍岩縣委轉交。最後毛澤東稱派遣留俄學生22人，並強調所有人精神上都十分疲倦。

總之，他為自己寫了一份巧妙的辯護詞，建議結束流浪式的行軍戰術(在第9點中提到)，以他設想的建立穩固的革命根據地(第6到第7點)和政治化的紅軍(第11到第14點)取而代之。毛澤東處理和中央關係的這種靈活性在6月1日體現得更為明顯——在這天，政治局還沒有收到這封比4月5日那封更具有説服力的信，就已經承認自己分散紅軍的提議受到不了解中國國情的布哈林的影響，是錯誤的；同時朱毛有能力領導紅軍，因此也不存在讓二人離開紅軍的問題。

批評、對抗、嫉妒

正如我們所看到的，自此毛澤東面臨的問題不再是幾個星期前他和遙遠的黨中央之間的緊張關係，而是當地黨組織和紅軍遇到的實實在在的政治危機。這個危機始於軍事情況的好轉，隨着5月上旬紅軍到達劉安恭控制的寧都後進一步擴大。[49]劉安恭此時剛從蘇聯學習軍事歸來，被中央任命為紅四軍前委的軍政治部負責人。事實上他填補了之前被毛澤東撤銷的軍委位置，在當地黨組織中排在第三位，位列朱毛之後。然而，劉安恭一到任就憑藉着自己掌握的新科學知識，極力鞏固自己的勢力。在他看來，毛澤東、朱德、陳毅、林彪以及其他人跟強盜無異，無法掌握辯證唯物主義的精妙之處。

為了達到目的，劉安恭利用了這支不久前拼湊起來的部隊中核心領導層面出現的矛盾。大家都看到了毛澤東在逐漸削弱朱德的權力，林彪在大柏地戰爭勝利後突然被毛澤東安插進了少數的「指揮官」行列。林彪也在6月8日寫給毛澤東的信中對朱德含沙射影，說「某些同志的野心被壓抑太久」。在這封信中，林彪也不完全支持毛澤東，因為毛澤東在5月18日召開的前委會議中表現出對政治形勢過於樂觀的態度，同時他認為建立穩固的革命根據地的可能性不大。毛澤東在6月14日給林彪作了答覆。[50]在這封〈給林彪的信〉中，毛澤東斷言一場革命的高潮即將到來。他還稱，因為自己身體不適，已經準備辭去職務專心養病。黨部已經在紅四軍中牢固地建立起來了。

毛澤東回信的真正目的是在這個無聲的戰場上回應別人對他的詆毀[51]：有人批評他「工作作風不良」，「前委書記專政」，「特立獨行」，喜歡到處干預職權範圍之外的事，注重控制和集權，總之，毛澤東是「獨裁者」。紅軍戰士們大多數是年輕人，過着幾乎禁欲的生活。他們中間流傳着毛澤東和一個18歲的漂亮小姑娘——賀子珍的故事。1928年3月，袁文才將賀子珍介紹給毛澤東，她一開始為毛澤東翻譯當地方言。[52]賀子珍是永興這個井崗山腳下的繁榮鄉鎮裏一個茶莊老闆的女兒，在一所由芬蘭傳教士創辦的學校中受過良好的教育。教士很注重對她行為舉止的培養。1926年北伐運動傳播到當地時，她的兄長加入了共產黨，她也表現出了極大的熱情。她剪掉長髮以示和教會決裂的決心。在白色恐怖時期，她兄長被捕，被袁文才率部攻打關押地點救了出來。於是，賀子珍背着一把毛瑟槍跟他進了山。賀子珍很快被毛澤東吸引，然而毛澤東要娶她時，她顯得猶豫不決——毛澤東當時已經和楊開慧結婚，和他們的三個孩子住在長沙，因此對賀子珍來說，這樣的結合她僅僅是毛澤東的小妾。最後大家舉辦了盛大的宴會來慶祝二人的結合，[53]婚禮由袁文才三個妻子中的大房主持。楊開慧後來得知丈夫再婚的消息，加上身邊的親朋好友們一個個離她而去，她情緒低落，沉浸在悲痛之中。在最近發現的楊開慧日記中，她激動地寫到朱德妻子的死亡，彷彿預感到了自己的命運。[54]

彭德懷到達瑞金後，情況並未好轉。出於策略上的考慮，彭德懷站在湖南老鄉毛澤東的一邊；然而從性情上看，他似乎更偏向於朱德——一個軍校培養出來的軍人。陳毅當時也左右為難：與朱德同為四川人，但是未經軍校培養(在參加革命時僅僅是個追隨者)，同時又被毛澤東的智慧和戰略想像力折服，同為古體詩的愛好者。劉安恭在給中央的報告中描述了一分為二的紅軍和共產黨因為個人的矛盾逐漸癱瘓，表現出對朱德的偏向。

從5月底到6月中旬，危機仍未平息。而蔣介石在又一次平定了內部鬥爭後，籌劃着新一輪對贛南地區共產主義革命根據地更大規模的「會剿」。廣東國民黨部隊奪取了閩西的龍岩，紅軍則在撤出後進入了白砂地區。在白砂，具體地說是在6月8日，前委內部發出了第一份明確的政治聲明，毛澤東指出前委和劉安恭的新軍委存在雙重領導。他認為在這種情況下，前委「陷於不生不死的狀態」，他願意退出領導團隊。會議以壓倒多數票(36比5)通過了取消臨時軍委的決定，第二次在四個月的期限內撤銷了軍委。然而，他還是聽從了中共紅四軍第七次代表大會做出的決定。

6月22日，大會在龍岩公民小學舉行(龍岩當時已被朱德佔領，該城在1929年三次易主)。會議由陳毅主持，他必須調解前委的內部矛盾。[55]討論激烈而尖銳，發言極為自由。代表們並不認可毛澤東在聲明中指出的紅軍中普遍存在的「流寇主義」，因為這種指責「沒有依據」。他們也不贊成毛澤東提出的關於創建一個從井崗山至閩西贛南地區的革命根據地的設想。此外，對毛澤東提出的以一種特殊的民主集中制的方式[56]結束黨內極端民主化的方法進行了投票表決，這讓反對他的聲音更加強烈。會議最終指定了一個由13人組成的前委執行小組，成員包括6個縱隊的領導人和5個「司令」：毛澤東、朱德、陳毅、林彪和劉安恭。毛澤東不再擔任書記職務，取而代之的是更為靈活和隨和的陳毅。毛澤東又氣又病，[57]開始和脱離他控制的前委代表們賭氣。事後陳毅講，[58]他當時對討論作了總結，結果卻是好心辦壞事：「今天發生的事情對我們所有人來講都是一次實實在在的政治歷練，會議明確了政治領導，加強了黨對軍隊的領導，加強了戰士們對作為戰爭基礎的群眾工作的重視。尤其我們面臨着很多批評，但是我現在不想講這些，而是要想這些問題中對我有利的因素和不正確的因素。」會後，毛澤東在幾名較為親密的同志的陪同下，立刻到附近的醫院治病。陳毅還繳了他的馬和警衛，因為毛澤東不能繼續享受那樣的待遇，這讓毛澤東感到恥辱。

「會」而不「剿」，「剿」而不「會」

在此期間，由廣東、江西、福建三地派出的三支國民黨部隊一步步將紅四軍壓縮包圍在閩西邊緣一帶。陳毅作為新任前委書記，在根據地發動群眾，準備抵抗數量遠遠超過自己的敵軍包圍部隊，同時召開了第一次閩西黨代會。毛澤東則早在7月9日就到了蛟洋，該地位於去玳瑁山的途中，離上杭不遠，他在那裏有鄧子恢等堅決擁護他的好友。大會本應在7月11日召開，50名代表們也都已經在前一天晚上到達文昌閣。毛澤東自知是少數派，他一到就聲稱注意到代表們不了解當地狀況，於是親自發起了一場關於當地周圍農村地區農民的經濟，政治狀況的調查活動。他説服眾多代表同他一起進行此項調查。會議直到7月20日才召開，與原計劃差了一週多。23或24日，毛澤東再次以患病為由缺席會議。

此外，當地共產黨領導人給廈門去信，邀請福建省委派一位代表參加大會，但這位代表在途中被國民黨部隊逮捕。大家白白地等着這位代表，也造成了會議的延期。經所有人同意，討論終於得以展開，同時也得知當時國民黨部隊離他們僅有幾小時的行程。前委負責人兼會議主席（無法確定是否為陳毅）在還未選舉領導人或投票選出解決方案的情況下立即停止了大會。毛澤東彷彿突然病愈，緊急組織當時還在場的代表（大多數人偏向於他）討論在一塊即將被敵人佔據的土地上建立黨組織，並通過了他提出的關於在贛南至閩西連城地區創建一個革命根據地的設想。他設法讓他的朋友們（主要是湖南人）被選入閩西特委的領導層，由此控制了一塊根據地的政治權力。毛澤東此次反擊加劇了政治上的不穩定。同樣在29日，陳毅和朱德在幾個小時之後在距原址以北20公里處連城[59]附近的新泉再次召集前委開會。這是一次陳毅和毛澤東的激烈對抗，很多見證人向我們證實了當時兩人公開的憤怒爭吵。情況陷入了僵局，前委決定派陳毅到上海向中央彙報形勢，並要求他設法解決朱德、陳毅與毛澤東、彭德懷的不和。當時彭德懷身在遙遠的井崗山——寧崗革命根據地。

瘧疾終於擊垮了毛澤東，由於當時醫療條件簡陋，沒有治療瘧疾的唯一有效藥物奎寧，毛澤東不再出席任何會議。不過8月18日，毛澤東通過新成立的閩西特委宣布他反對朱德做出的將部隊向閩中地區挺進的決定。因陳毅前往上海彙報，朱德當時任前委書記。毛澤東提出了相反的戰術：將部隊散入農村，甚至放任敵軍深入閩西，通過在敵軍後方實施游擊戰的策略擾亂對方，在敵軍疲憊不堪時集結分散部隊進行反擊。據毛澤東的分析，這個戰術切實可行，因為敵軍部隊之間矛盾重重：若敵軍部隊先「會」則不會「剿」，因為他們相互間的矛盾會讓他們行動癱瘓；即使能切實實施「剿」，也不能長時間「會」在一起，還會因為分贓搶功而相互起衝突。由此看來，持久戰的雛形已經開始形成。

因為發高燒，毛澤東常常不省人事或胡話不斷。隨着國民黨部隊不斷入侵根據地，他又不得不時常更換藏身之處，朱德和陳毅在閩中地區受挫後也開始收縮部隊。毛澤東開始在上杭附近的蘇家坡接受治療，接着又轉移到大洋壩，最後在永定金豐山附近的一個只有十來戶人家的小村莊牛牯撲——一個以泉水聞名的景點落腳。他和妻子賀子珍住在當地一個10平方米的小竹寮裏，門上挂了一塊題為「饒豐書房」的木牌子。在疾病入侵和敵人進攻的雙重危機中，毛澤東如饑似渴地讀書閱報。[60]毛澤東像隱居的文人墨客一樣，吃着從附近溪流裏捕上來的魚頭補腦，喝大量牛奶，注重飲用水的水質，再次嘗試學習英語又無果而終。同時，隨着病情的好轉，他重新有了精力關注前線形勢，這讓他的藏身之處看上去更像是前線指揮部。他給進行中的戰爭報告做批注，研究軍事地圖，對林彪帶領的第一縱隊的游擊戰和李文林帶領的第四縱隊抗擊永定地區國民黨部隊的戰鬥尤為感興趣。9月上旬，朱德率領第二、第三縱隊同第一、第四縱隊會合，同時國民黨部隊中的粵軍和閩軍之間的關係日系惡化，「圍剿」失敗。正如毛澤東所說：「會而不剿，剿而不會。」

政治局的仲裁

朱毛之爭日漸公開化，相關的議論也傳到了上海。8月13日，中央政治局在得知紅四軍第七次代表大會的相關決議後，由周恩來在8月21日撰寫了給紅四軍前委的指示。政治局在信中強調朱毛之爭主要歸咎於劉安恭生硬的工作方法，後者於10月底在梅縣的一次戰鬥中犧牲。[61]他同意暫時撤銷朱德部隊中的軍委，並強調紅軍的責任不僅是行軍打仗，還要開闢蘇維埃革命根據地，開展土地革命。信中最後還聲明：

> 黨的一切權力集中於前委指導機關，這是正確的，絕不能動搖。不能機械地引用「家長制」這個名詞來削弱指導機關的權力，來作極端民主化的掩護。前委對於一切問題毫無疑義應先有決定後交下級討論，絕不能先徵求下級同意或者不作決定俟下級發表意見後再定辦法，這樣不但削弱上級指導機關的權力，而且也不是下級黨部的正確生活，這就是極端民主化發展到極度的現象。

可以說政治局的態度完全偏向毛澤東，但對他提出的在接下去的幾個月時間裏建立一個穩定的大型革命根據地的建議並不認可。

實際上，中央這樣的態度有兩個不為人知的原因，與分化紅軍內部的爭論沒有關係：第一個原因是滿洲里的中東鐵路公司事件。1919年7月25日，蘇聯外長列夫・米哈伊洛維奇・加拉罕(Lev Mikhailovich Karakhan)曾代表年輕的蘇俄政府宣布放棄沙皇俄國在華取得的一切特權和領土，並將滿洲里鐵路歸還中國，但鐵路問題未能及時解決。1924年5月，中國在外交上承認蘇聯。1927年11月，因為中國國內的反共白色恐怖，中蘇關係遭到破壞，儘管蘇聯在華領館並未立即關閉。1929年5月，張學良將軍和蔣介石政府達成協議，同意關閉哈爾濱的蘇聯領館，緊接着又在7月逮捕了中東鐵路公司的蘇聯工作人員，停止了從西伯利亞赤塔到黑龍江哈爾濱之間的鐵路運輸。11月，蘇聯突然派遠東部隊在司令加侖的率領下進行軍事干涉，蘇軍到達中國境內距哈爾濱250公里處。最終，此次危機在12月22日通過《伯力協定》得以平息，結束了雙方的敵對狀態。

在幾個月的暗戰中，忠於共產國際原則的中國共產黨強烈譴責「蔣介石的強盜們」對蘇聯犯下的帝國主義侵略行徑。1930年1月，毛澤東簽署了一封中國紅軍給國民黨部隊的信（毛澤東稱之為「刮民黨」），逐點分析此事。[62]蘇聯領導人在這種情況下強烈希望在中國發展游擊隊，擾亂國民黨的後方，隨時準備發動突然襲擊，給蔣介石「一個教訓」。同毛澤東一樣，他們也預感到中國革命高潮快要到來了。當時毛澤東還是為數不多的手握軍權的共產黨領導人之一。因此，斯大林對他很感興趣：1929年7月至1930年2月，毛澤東的名字曾四次出現在蘇聯《真理報》上。[63]然而共產國際卻誤認為他因病逝世，在1931年5月20日出版的《國際新聞通訊》上發了一份訃告，對毛澤東作了很高的評價：偉大的馬克思列寧主義革命家。周恩來作為與共產國際[64]聯繫最為緊密的中國共產黨領導人，也被要求高調評價毛澤東，儘管不願意，周恩來還是照做了。

從1929年6月開始，李立三在文章中談到革命浪潮，提出在中原地區的一個或者幾個省份取得革命勝利的條件下，紅軍配合城市內部大規模的罷工運動，向幾個大城市發動攻擊。他尤其提到武漢、長沙和南昌三城。在這個設想中，毛澤東是極為關鍵的一步棋——這就是政治局做出偏向毛澤東的選擇的第二個原因，陳毅在8月27日作的彙報中也確認了這一點。陳毅誠實而清楚地認識到自己的平凡，稱毛澤東「政治上強」，也比較正確，因為他有能力「從政治上來說明一切問題」。這個評價顯示了毛澤東的智慧。8月29日，成立了一個由李立三、周恩來、陳毅組成的委員會，專門負責起草政治局給前委的指令。

9月28日，陳毅起草的指示信獲得通過。10月22日，他帶着信回到當時廣東省梅縣北部的松源，與紅四軍指揮部會合，把這封信的複件交給毛澤東。[65]信中批評了認為革命只能靠紅軍是狹隘的軍事觀念。陳毅再一次聲明他只想加強領導人的權威，並批評了某些人的極端個人主義。但他認為一年之內在大半個江西地區建立一個革命根據地的想法是錯誤的。他還批評了朱德和毛澤東各自的工作方法，稱其中存在形式主義，缺乏坦誠和政治性，但保留了二人各自的職務：毛澤東重任前委書記，朱德指揮軍隊。這樣兩人都歸到了黨的領導下。

紅軍行動的分歧

陳毅缺席的這段時間，很多因素都發生了變化。8月21日，朱德收到政治局的來信後，為了響應號召，於9月下旬在上杭太忠廟召開了中共紅四軍第八次代表大會。[66]會議開了十來天，討論很激烈，但沒有解決任何問題，實質上還是朱毛兩派互不退讓的對立。大會因為毛澤東的缺席而止步不前。後來大會向毛澤東發出信函，請他重新擔任前委書記，因為這是中央的決定。當時毛澤東身在距永定30公里左右的河西。

毛澤東的回信很尖銳：

我平生精密考察事情，嚴正督促工作，這是「陳毅主義」的眼中之釘。陳毅要我當「八邊美人，四方面討好」，我辦不到。我反對敷衍調和、模棱兩可的「陳毅主義」，紅四軍黨內是非不解決，不打倒「陳毅主義」，我不能隨便回來；再者身體不好，就不參加八次大會了。

前委收到回信後極為憤怒，給了毛澤東黨內警告處分，毛澤東只得坐着擔架趕到，[67]但會議已經結束了。與會代表們看到他的身體狀況後就讓他繼續養病。正如熊壽祺在1930年5月16日的報告中所寫：大會實行所謂由下而上的民主制，一開會就得爭論半天。當時前委甚麼事都是民主的，大家要怎樣幹就怎樣。前委事先對於選舉沒有絲毫意見，八次大會時為了一個黨代表權力的問題，討論了兩天仍舊沒法解決，結果還是決定請示中央。八次大會因為無組織的狀態，開了三天毫無結果，是極端民主化的表現。

毛澤東在回到河西後又在10月10日左右坐擔架到了上杭。他住在汀江江畔邊一座雅致的小樓中，在一家條件良好的醫院裏接受了為期十天的治療。有人幫他弄到了奎寧，他的健康狀況快速好轉。他與上杭縣委書記譚震林和鄧子恢關係密切，還與後者聯合舉辦了平民小學，並擔任數門功課的教師。

當他在當地再次遇見朱德時，不久前不可分割的兩人之間，在紅四軍領導問題上的矛盾依然存在。當時兩廣軍閥戰事又起，讓中央認為廣東形勢對紅軍有利。朱德遵守了上海來的指示，決定攻打廣東東江地區，通過華南地區客家人移民的主要地區之一梅縣進軍。毛澤東並不同意這個計劃，因此當朱德在10月19日率領三個縱隊開始進軍時，毛澤東又一次以患病為由（實際上已痊愈）拒絕前往東江。事實上當時國民黨部隊已經逼近上杭，10月下旬紅軍不得不撤退，毛澤東卻堅持留下來指揮游擊隊。他住在離上杭不遠的蘇家坡養病，很快在農村地區開展調查，並接連完成了三份通告，由他在閩西特委的朋友發表。文中他強調，要培養幹部的政治性，必須親自進行實地考察，由此在幹部中開展了一場作風整頓運動。為了體現自己身體狀況的好轉，他在10月11日以重陽節和蔣桂矛盾為主題寫了兩首詞。

10月31日，率軍出征東江的朱德在梅縣遭遇重大失利，主要原因是蔣桂戰爭的結束讓國民黨部隊重新集中精力對付紅四軍。11月18日，前委召開會議，決定以建立閩西蘇維埃革命根據地為主，取代遠征的嘗試。而朱德和陳毅也寫信給毛澤東請他重新出山任前委書記。11月23日，紅軍佔領了閩西的汀州（長汀），朱德派人請毛澤東出山。26日，毛澤東終於離開了不久前居住的上杭蛟洋，偕中共福建省委巡視員前往汀州，一支100人組成的警衛團穿着嶄新的軍裝陪同。在這種高規格的迎接下，毛澤東很快到達汀州並與陳毅和朱德會面。

根據當時的涂振農回憶，陳毅對自己6月份以來的行為作了誠懇的自我批評，並講述了最近在上海同周恩來和李立三討論的內容，毛澤東隨後獲得了新的權力。毛澤東為自己以發燒為由寫信拒絕參加四軍第八次代表大會的決定感到滿意，儘管對陳毅的態度很不友好。朱德則更加明確地表達了他的態度：承認自己的錯誤，作為紀律嚴明的軍人，完全服從中央的指示。所有人都同意這種軍事和政治上的對抗是因為缺乏無產階級的領導，必須進行補救。毛澤東在當天寫了兩封信[68]，同時決定儘快召開紅四軍第九次代表大會，選舉新的領導，並糾正一段時間以來出現的錯誤趨向。

毛澤東思想逐漸形成

第一封信是寫給中共中央的，講述了陳毅回來以後的情況以及「在中央正確的指導之下」做出的決定，回顧了紅軍最近攻打梅縣的失敗，但是肯定了軍隊的士氣仍然高漲，因為閩西共產黨控制了八十萬人，而目前國民黨部隊對汀州的進攻並不危險：紅軍已經準備好在後方對國民黨部隊發動一次進攻，並已經儲備了一個月的生活用品和彈藥。毛澤東認為紅軍主要的弱項在於同志們和幹部們的理論水平偏低，需要大力提高。此外，也許正應了這封信中所說，解救汀州(新泉和連城方向)的行動已經成功開始，李文林率領的第四縱隊配合此次行動，並安排了為期十天的政治整訓，以清除紅軍戰士中存在的流寇思想，並使戰士們「在紅四軍第九次代表大會召開前團結在正確的思想周圍」。我根據《毛澤東年譜》[69]把這句反映毛澤東早期思想的話語翻譯成法語。這句話描述了一種政治運動的方式，後來成為毛澤東最偏愛的武器。

第二封信則更為私人，至少看上去如此。這是毛澤東寫給他的「兄弟」李立三的。毛澤東先簡單地寒暄了幾句，接着表明自己當時已經重新上任，儘管還沒有完全康復。他流露出對妻子楊開慧的思念——這應該是真實的，賀子珍當時稱自己和毛澤東的婚姻並不幸福。此外毛澤東還強調自己沒有楊開慧和兒子毛岸英的地址，請李立三將這情況告訴當時在上海的弟弟毛澤民，以便讓其打聽他妻兒下落。除了要求得到渴求的書報信息以外，毛澤東還稱迫切希望「立三兄」能「抽暇寫信指導」。接着他加了一句話，也許是為了迎合李立三以及遠方的「大哥」斯大林：「獨秀近來行動真豈有此理，中央的駁議文件已經到此，我們當普遍地宣傳。」

事實上，在滿洲里鐵路事件期間，還是共產黨員的陳獨秀向中央委員會寫了三封信。7月17日，中共譴責國民黨進攻蘇聯，號召中國人民擁護及武裝保衛蘇聯。7月18日，陳獨秀對共產黨發布的聲明表示遺憾，稱聲明將使得共產黨人更為孤立，更有利於國民黨控制意識形態。中共中央對此作出回應，給陳獨秀扣上了「國民黨資產階級左派」的帽子。而這位中國共產黨的奠基人在8月5日寫的第二封信顯得尤為激烈和尖銳。在8月12日寫的第三封信中，陳獨秀完全偏向於托派，批判了斯大林的冒險主義。11月15日陳獨秀被開除黨籍。毛澤東支持這次開除的決定，同時鞏固了當時的勝利果實。

12月20日左右，參加紅四軍第九次代表大會的代表們開始陸續到達位於上杭北部的古田。代表們在幹部和政治委員的指導下分成十個一組，研究各種錯誤傾向和錯誤思想的根源，危害以及糾正的方法，最終樹立無產階級價值觀。[70]顯然，觀點的正確與否是毛澤東來最終定奪的，而錯誤的自然是朱德的觀點。古田會議在1929年12月28日、29日召開，以一種特殊的方式宣告了毛式「整風運動」的開始。它開啟了一個新的時代，使1930年成為中國共產黨史上第二個災難階段的開始，上個階段在1927年以反革命大屠殺而告終。新的階段則以共產黨人的內部屠殺開始，同時伴隨着軍事上對蔣介石部隊的光輝勝利。

1919年冬天到1930年秋天，毛澤東的命運經歷了三次轉折。第一次發生在1919年左右，還是年輕教員的毛澤東在北京度過了一段不如意的時光後，在長沙成為介入五四運動的政治記者。第二次是在1927年年底，他成為崇山峻嶺庇護下的「法外之徒」。1930年秋天，他開始實踐一種新的作戰藝術，以戰略的眼光看待游擊隊，將後者視為能成功與南京軍隊對抗的力量。同時，由於內戰氣氛極度緊張，他開始進行第一次整風運動，開展階級鬥爭並尋求實現平等和專政。由此，毛澤東思想逐步形成。

第一次整風運動(1929年12月–1930年2月)

在毛澤東的精心準備下，古田會議通過了九項決議，但只有第一項日後被《毛澤東選集》收錄，並起了個具有象徵意義的題目〈關於糾正黨內的錯誤思想〉。[71]毛澤東作了政治形勢的報告，朱德則彙報了軍事形勢，陳毅介紹了他的上海之行以及政治局的一系列決定，也談到了陳獨秀，彭述之被開除黨籍的事件。自此，對於飽受疲憊和貧苦的戰士們來說，毛澤東成了開拓前景，帶來美好夢想，至少是希望的唯一領導人。毛澤東在當時的兩首詞[72]中寫道：「路隘林深苔滑。今日向何方，直指武夷山下」，「風展紅旗如畫」，「贛江風雪迷漫處」，「十萬工農下吉安」(〈如夢令・元旦〉，1930年1月30日；〈減字木蘭花・廣昌路上〉，1930年2月)。

這種革命浪漫主義伴隨着對形勢的樂觀估計：革命在全世界範圍內，尤其在中國將掀起高潮。決議對由社會底層農民和小資產階級組成的紅軍隊伍有「非無產階級思想」和「流寇主義」感到遺憾。朱德應該會被氣得耳朵嗡嗡作響，因為毛澤東列舉的後果如下：不負責任、極端民主主義、絕對平均主義和狹隘的軍事觀點。毛澤東在這些行為中發現了很多過去農民運動的特點。當年成千上萬手無寸鐵又無家可歸的遊民湧入黃巢（唐朝滅亡者）或者李自成（明朝滅亡者）的部隊中時，亦是如此。他並不否認這些古代起義者的熱情，但這些傳奇的領袖們所運用的戰術顯然不再適用於強調紀律和技術的現代戰爭。暴動者「不願意做艱苦工作建立根據地，建立人民群眾的政權，並由此去擴大政治影響，而只想用流動游擊的方法，去擴大政治影響」的觀點也是錯誤的。此外，毛澤東還諷刺有些起義者用大城市作為吸引人員加入的砝碼，因為他們可以在那裏放開肚皮吃香喝辣。他最後還批評有些幹部對待士兵態度粗暴，存在體罰、處決逃兵、關禁閉和漠視傷員等惡習。這在第二縱隊，即朱德縱隊中尤為明顯。後來，毛澤東用一句話概括：我們的原則是黨指揮槍，而決不容許槍指揮黨（1938年11月6日）。[73]朱德很遵守規則，不再直接干預政治事務：他知道毛澤東很記仇，而且「痛打落水狗」毫不手軟。

1930年1月5日，毛澤東給林彪寫了一封信，題為〈星星之火，可以燎原〉。毛澤東在信中以一種嚴肅而又友好的口吻批評了林彪的「悲觀主義」，他認為後者沒有預見到新一輪的革命高潮正在到來：「它是站在海岸遙望海中已經看得見桅杆尖頭了的一隻航船，它是立於高山之巔遠看東方已見光芒四射噴薄欲出的一輪朝日，它是躁動於母腹中的快要成熟的一個嬰兒。」他提到自己對1929年2月7日中央要求分散紅軍的批判，並強調1929年4月自己在于都會議上提出的正確觀點，即考慮在江西全省境內建立一個蘇維埃根據地的可能性。由此，毛澤東以一種清醒而堅定的革命路線勝利者的姿態出現。他允許四個支持建立革命根據地的人來分享他的見解：朱德(作為對他服從的獎賞)、賀龍、李文林和方志敏。[74]

我們發現毛澤東這種似乎帶點狂妄的自信源於某次前委擴大會議。1930年2月6日至9日，毛澤東在吉安縣東固附近一個叫陂頭的小村莊召開了由紅四軍前委、紅五、紅六軍軍委及其各行委、中心區委和蘇維埃黨團負責人參加的聯席會議。[75]會議日期在最後一刻被提前，而毛澤東並未向贛南黨委報備。被排斥在外的黨委負責人只能做徒勞的抗議。會議決定成立統一領導紅軍和贛西南、閩西等革命根據地的總前委。

此次選舉產生的總前委共設17名委員，其中7名常委——毛澤東是其中唯一的一位中央委員。他擔任總前委書記，權力擴大到紅四軍、紅五軍和紅六軍。[76]常委(包括候補常委)的其他成員為朱德(紅四軍首領)、彭德懷(紅五軍首領)、黃公略(紅六軍首領)、潘心源(秋收起義元老之一)以及一個新成員劉士奇——這個寧崗的湖南人是毛澤東第三任妻子賀子珍的妹夫。曾山[77]是常委中唯一一個江西本地人，與毛澤東關係親密，但幾乎不被其他本地領導認可。譚震林、鄧子恢和李文林等是普通委員。毛澤東把他的人安排在領導崗位，湖南人幾乎把江西人全部排擠掉了。

大會通過了一條嚴厲的路線，讓人想到不久前在井崗山推行的路線。2月9日投票通過贛西南《土地法》，其中的第二款除了準備沒收封建地主的土地之外，還要求一旦當地大部分農民要求分配這些剩餘的田地、山林、池塘和房屋，其他的土地所有者也要交出多餘的土地。在一份2月14日發布的通告中，毛澤東呼籲攻打吉安並在當地成立一個江西蘇維埃政府，屆時中共的九個地區中將會有一百一十五萬「紅色群眾」。2月16日發布的前委第一號通告採納了毛澤東的意見：把蘇維埃區域擴大到江西省全境，發展工農武裝，深入土地革命：「世界革命高潮要隨帝國主義進攻蘇聯的運動中爆發，中國的革命高潮很快地要到來，中國蘇維埃將繼俄國蘇維埃而出現，成為世界蘇維埃的有力支柱。而中國之內首先出現的將是江西蘇維埃，因為江西的客觀條件和主觀力量都比各省要成熟。」

然而這份以勝利者的語調發出的決議最後聲稱：贛西南黨內有一嚴重的危機，即地主富農充塞黨的各級地方指導機關，[78]黨的政策完全是機會主義的政策，若不徹底肅清，則不但不能執行黨的偉大的政治任務，而且革命根本要遭失敗。聯席會議號召黨內革命同志起來，打倒機會主義的政治領導，開除地主富農出黨，使黨迅速布爾什維克化。

政治批鬥由此展開，傳統形式是開除黨籍。一項秘密決議[79]決定逮捕並公審「四大黨官」，將他們判處死刑並立即執行。這些人被指控1929年底國民黨部隊對鹽阜—吉水一帶進行殘酷鎮壓時，曾要求當地蘇維埃政府暫停沒收土地，並重新收取地租以及要農民支付借款所產生的利息。這些「紅色官僚[80]」可能控制了紅軍的第三縱隊（李文林縱隊）和一些「流氓團夥」（可能暗指紅六軍？），成為不得不殺的「反革命分子」。總之，他們在危險面前，厭惡紀律的約束，毛澤東在古田會議通過的決議中將此現象稱之為「客觀上的反革命行為」。我們知道斯大林已經在蘇聯實施過這種殘酷而又瘋狂的鎮壓——毛澤東學到了。

毛澤東利用意見相左的小問題扣上反革命的大帽子，最終處死了四個鹽阜—吉水—吉安地區黨組織的創始人。他試圖消除本地幹部阻礙他和他的湖南客家幫掌握黨內大權。我們還注意到幾乎在同一時期的2月10日，袁文才和李文林在應邀參加永新黨委負責人安排的和解宴會後被暗殺。[81]

韋思諦注意到，逐步弱化寧崗這個井崗山腳下的革命中心，對九龍山腳下的永新城有利，永新更為開放，人口更多，防守更容易，當地的黨組織掌握在本地人而非客家人手中。微地緣政治的變化和黨內正在爆發的尖銳的政治危機之間，是否存在某種聯繫？是否應認清毛澤東的反對者們的「階級傾向」，即他們保護富農，所以反對毛澤東以貧農為基礎的「極端左傾主義」？是否應該將這個開始變得血腥的衝突與紅軍內部戰略上的衝突聯繫起來？實際上，毛澤東主張讓敵人深入蘇維埃根據地，就是放任村鎮被敵人燒殺搶掠，外來的戰士能夠接受，但本地的戰士是不能容忍的。所有這些因素在接下來的幾個月裏都將起作用，但要從這些事件中區分出哪些反映個人的爭執，哪些是政治路線的衝突，哪些是出於階級情況的考慮或者地區，氏族上的對立，就非常困難了。更何況文獻資料依然不完整，很多事件長期被掩蓋或將繼續被掩蓋下去。

毛澤東以退為進(1930年3月–6月)

毛澤東和中央的關係在1927年到1929年經歷了一個由緊張到平和的過程。1930年，隨着「立三路線」[82]的提出、掙扎和夭折，這種關係又經歷了一段新的敏感時期。毛澤東在這幾個月的危機中盡可能避免與中央發生直接衝突——他在黨內還沒有足夠的分量來處理這次危機。[83]他更傾向於使用計謀：在執行上海傳達給他的指示時，採取與自己的戰略思想一致的那部分而故意忽略與自己有分歧的部分——這也得益於信息傳播的滯後。在1929年年底，符拉迪沃斯托克和上海之間建成了新的電報聯繫，信息經共產國際地下聯絡部的加密或解密，有效地加快了共產國際和中國共產黨之間的交流。上海和蘇區之間的交流依然依賴信使。毛澤東利用上級與他領導的團隊之間存在的時間和空間上的距離來保護自己行動的自主權。

1929年冬天到1930年春天，毛澤東首先努力不讓自己捲入新的危險征途。1929年4月5日，他批評中央2月7日的信件中存在「悲觀主義」的立場。1930年1月5日，他寫信給林彪批評他過於悲觀，這些都與李立三的觀點相合。因為毛澤東同李立三一樣看到了全世界範圍內新一輪的革命高潮正在到來，而中國將在其中起到至關重要的作用。得益於此，毛澤東在2月初召開的批鬥會議中，自封為統帥三支紅軍部隊的前委總書記。李立三為了加強紅軍力量進攻大城市，只好默許了毛澤東的行為。然而李立三在1930年2月26日發布了中共中央第70號通告，批評紅四軍只滿足於在鄉下開展游擊戰，而要求紅軍時刻準備北上。

3月18日，毛澤東以新任前委的名義發表了一篇文章，解釋不可能服從中央這個命令的緣由，因為國民黨的三個軍團出現在通往南昌的道路上。[84]毛澤東建議部隊向福建漳州一帶挺進，以便利用軍閥混戰之機佔領一個出海口。在等待回音的過程中，他着手讓紅四軍分散進入贛南和閩西地區的農村地區宣傳革命。李立三在4月3日的回信中指責毛澤東發展紅軍速度過慢，而彭德懷已經將自己的部隊人數擴充了三倍。當月周恩來前往莫斯科，李立三更加自由。6月11日，他起草了一份決議，[85]重申新一輪的革命高潮已經開始到來，並批判了先前開展游擊戰的戰略思想與黨的最新路線不符，宣稱紅軍應該準備好攻打武漢、長沙和南昌之類的大城市。5月中旬，李立三在上海秘密召開及主持了一次會議，決定將紅軍部隊整合起來，分成四個編隊。5月20日至23日，召開全國蘇維埃區域代表大會，會議要求建立一個全國性蘇維埃政權。毛澤東並未出席這兩次會議，而李文林則參加了第二次會議，並與李立三取得聯繫。

實際上，毛澤東從5月3日到6月5日在尋烏度過了愉快的一個月，這是紅軍在5月2日攻打下來的一個有2,684人口的大型鄉鎮。在一名叫古柏的共產黨員的協助下，毛澤東在當地整個區域開展了一次為期十天的社會調查。[86]古柏是小學教員，出身當地最大的家族。同時，毛澤東還寫了一本名為《反對本本主義》[87]的小冊子。調查是對小冊子主題的延續，毛澤東明確聲明：「你對於某個問題沒有調查，就停止你對於某個問題的發言權。」在5月份於上海召開的兩次秘密會議上，李立三從書本出發來論證他的戰略思想，事先並沒有經過任何實地調查或者核實。毛澤東在尋烏周圍開展鬥爭，以從實際情況出發的名義來反對李立三的教條主義思想。他知道自己拒絕將部隊開往南昌的態度堅持不了多久，北上的命令於6月28日下達。[88]離開蘇區意味着將地盤留給競爭對手，毛澤東尤其擔心李文林得到了李立三的提携，而在當地鞏固自己的地盤。6月下旬，毛澤東召開了一次紅四軍前委和閩西特委聯合會議，會議先在上杭附近的南陽地區召開，後來又轉移到了汀州。[89]

會議做出兩個重要決議，一個關於富農問題，另一個則關於流氓問題，是毛澤東對李立三的間接反駁。這兩個決議的主要內容體現在《尋烏調查》的結論中。此次在對眾多村莊的尋訪中，毛澤東隨身帶了一個筆記本做筆記。可以說對毛澤東來講，這既不是一次純粹的社會調研（儘管報告中有時體現出這樣的內容），也不是一次經濟研究（儘管其中的統計數據極為豐富），更不是為了搜集相關素材以撰寫關於當地政治形勢的報告（該地區位於江西南部，有十二萬人口，分布在各個農村中，其中有八個是客家寨），調查描寫的真相是被作為工具使用的：毛澤東在無法直接抗衡中央的情況下，通過調查為自己提出的反對意見增加可信度。早在調查開始前，結論就已經得出了，調查僅僅是為了反映結論。

因此對於這篇文章，我們不應指望它有其他層面的意思。如果我們核對裏面提供的數據，就會發現有很多不相一致的地方，對社會概況的描述也顯得過於簡單。不過，我們發現裏面記錄了憤怒的農民上交收成時的歌謠：「袋子一大捆，擎把過街溜。嗎個都唔問，問谷曾曬就？窮人一話毛，放出下馬頭。句句講惡話，儼然稅戶頭。」[90]從中可以看出地主與佃農之間的契約關係，後者要向地主上交四到六成的收成，合同期多為五到七年，僅由地主保管。如果佃農沒有照商定的數量繳納曬好的乾淨穀子，地主就可以單方面終止合同。調查中還記錄了幾十個鄉紳的生平傳記。作者描繪了一個極為貧困的地區，佔總人口3.5%的地主階級擁有三分之一的土地，年收入為100到300擔，即60到180公擔大米。顯然這個數目很小：即使將這些穀物全部沒收也滿足不了佔人口七成以上，只佔有7%到8%土地的貧農。這部分群眾的需要最迫切，也最願意追隨共產黨，他們要求沒收一切氏族、祠堂和廟宇的社會土地（佔總量的40%）以及富農(4%)甚至中農(18%)的土地。他們對土地無休止的渴望讓土改政策得以一直延續下去。

從中又引出了另一條關鍵的線索：擁有剩餘財富的人們與在生存線上掙扎的人們之間的關係極為殘酷。後者發現與自己爭一小碗飯的競爭對手消失時，自己能得到巨大的好處。此外還有一條關鍵的線索：這是一個封閉的社會，村民幾乎都過着自給自足的生活，與外面世界僅有的聯繫是挑夫們挑着百八十斤的貨物沿着崎嶇的山路趕上幾十里地去福建，或者是船員裝上五六公擔的貨物通過內河河道去廣東梅縣。像這樣做地區生意也賺不夠20塊錢——這太少了。

因此，經過這次調查，我們就不會驚訝，1930年6月底在南陽會議上通過的土地政策是毛澤東歷來推行的政策中最嚴厲的。[91]會議投票表決通過了關於富農的決議，將「富農」這一概念進行了重新劃分：第一種是半地主性的富農，就是自己耕種，同時有多餘土地出租的一種人；第二種是資本主義的富農，即不把土地出租，有些還向別人租入土地，僱用工人耕種的一種人；第三種是既不出租土地又不僱用工人，單以自己勞力耕種，每年有多餘糧食出賣或出借的一種人，他們通過「穀物交易和高利貸」來剝削人民，比半封建地主階級更為惡劣。有記載稱，在革命初期，富農燒毀契約，分發田地，高舉紅色臂章甚至往黨內鑽營。然而他們的目的是提升自身的社會地位，在下一次與貧農和農村無產者對立之前取得農民組織領導權。決議還指出，「我們曾經主張把第三種富農稱為中農，不主張在鬥爭中打擊他們」的觀點是錯誤的。毛澤東還總結海陸豐農民運動的失敗是因為冒險主義和軍事主義，而不是因為彭湃發起的對富農的鬥爭。毛澤東將1927年湖南和湖北農民運動失敗的原因歸結於「並非農民運動過火，而是不到位」。在決議中，他簡單反駁了對富農進行鬥爭會不利於生產的觀點，因為貧農被激發起來的熱情會增加農業產量。他同樣也反駁了以江西袁文才和福建傅柏翠[92]為首對他提出的「左」傾批評。此二人反對分配氏族土地，主張將此類土地用作建設社會主義性質的合作農場。毛澤東認為這是為控制土地的富農和鄉紳進行辯護。他認為問題不在於消滅富農，而是為了爭取貧農的支持。不論如何，只要全國範圍內的農業社會主義化沒有完成，富農就永遠壓迫貧農。接下來的目標帶有明顯的政治意圖：毛澤東將階級鬥爭作為工具來動員社會力量，他需要用這種力量控制共產黨。

南陽會議的另一項決議關於流氓問題。[93]毛澤東先前寫過一系列關於這個問題的文章，如在1926年1月分析中國社會各個階級的文章中，毛澤東將這些不入流的社會邊緣人物看作一股潛在的革命力量，並稱讚了他們的戰鬥能力。然而1930年6月，他又將這些人視作隨時準備投靠統治階級的危險分子，應該從組織中驅逐出去。他還確定這些流氓是有組織的秘密社團，並列出了一串長長的名單。這些社會成員「個人主義、無紀律性、享樂主義、破壞主義、不信任群眾並敵視社會」，必須立刻將他們的首領以及部分同黨清除出黨，給他們安排工作，並強迫他們勞動，培養無產階級思想。決議還談到淨化紅軍的必要性，呼應了2月份批鬥會議上發出的警告。危機籠罩着脆弱的蘇維埃地區。

毛澤東利用李立三(1930年夏)

由於對毛澤東表現出來的順從感到欣慰，李立三在6月底到7月中旬採取了各種措施加強毛澤東在黨內和紅軍中的權威。他向湘贛閩邊界派了一個叫涂振農[94]的人，後者在汀州遇到了毛澤東，並在南陽會議上當着與會代表的面介紹了中央最新的決定：將紅四軍改編為紅一軍團，北上攻打南昌，轉而奪取九江，然後前往屆時應該已經被其他紅軍隊伍攻佔的武漢，奪取華中地區各省，為全國大革命打開局面。

在接下來的幾個星期裏，在這種指導思想下出台了一系列組織措施，並於7月18日在上海召開的全國會議上正式確定下來。各個省的行動委員會集中領導黨內一切軍事和政治活動，由李立三領導的中央總行動委員會統一指揮，同時成立一個中央軍事委員會，同樣由李立三領導，朱德任總司令，毛澤東任總政治委員。李立三領導了四個軍團，[95]而他實行的大範圍集權依然與地區實際情況完全脱節，尤其是我們先前提到缺乏可信賴的聯繫網絡。具有諷刺意味的是，這個瘋狂的計劃所帶來的唯一勝利消息——攻佔長沙，還是李立三通過上海的媒體報道得知的。

毛澤東表面上很聽話，但他的部隊卻不緊不慢。到7月24日，經過27天的行軍，部隊才取道贛江，抵達樟樹市的清江地區，共前進了270公里，南昌城還在北面80公里處。要渡過贛江困難重重，攻打吉安徹底失敗。29日，紅一軍團召開幹部會議，決定放棄攻打固若金湯的南昌城，轉而派遣一支分隊攻佔贛江對岸的南昌火車站，以便能在8月1日為慶祝南昌起義三週年鳴響禮炮：李立三的宏偉計劃成了煙火表演。8月1日下達的新命令要求部隊開往山區，攻佔南昌西方60公里處的小城奉新，方便使部隊分散進入農村發動農民。接着紅一軍團的一萬五千人重新前進，但沒有按照指定的路線去南昌，而是轉向了湖南。幸運女神又一次向毛澤東露出了微笑。

7月27日，紅三軍團的一萬五千名將士突襲並攻佔了長沙。但顯然，彭德懷無法守住城池，8月4日在國民黨將領何鍵的反攻下被迫撤離。從8月中旬開始，紅三軍團的戰士們就在瀏陽市附近的長壽街進行休整。不過，就在幾天後，毛澤東和朱德抵達湖南，在瀏陽以南50公里處的文家市取得了一場輝煌的勝利：他們以犧牲700人的代價，消滅國民黨的三個團，殲敵千餘人，抓獲俘虜一千多名。23日，彭德懷的紅三軍團和朱德的紅一軍團在湖南瀏陽附近的永和市會師，決定將兩個軍團合併，成立中國紅軍第一方面軍，共有步兵三萬人以及一個炮兵團。朱德任總司令，毛澤東任總政治委員和前委書記。毛澤東另外還兼任新成立的中國工農革命委員會主席，由此毛澤東的權力擴大到蘇區所有的黨組織。[96]儘管他在進攻南昌的問題上不服從命令，但毛澤東表面上對李立三權威的服從還是為他贏得了很大的好處：他從此有了一支力量和規模都極為可觀的軍隊可以依靠。

此外，9月，政治局還恢復了毛澤東的候補中央政治局委員資格。[97]7月23日，李立三在上海收到了一封共產國際的來信。共產國際對他的戰略思想提出了極大的質疑，不同意革命高潮迅速到來的著名論斷，而是建議先控制一兩個省份。此外，共產國際還將周恩來和瞿秋白派回國內，二人於8月20日左右回到上海。李立三一直對這封令他不快的信件秘而不宣，並在8月6日第一次也是唯一一次的中共總行動委員會成立會議上宣布正式展開革命運動。攻克長沙的短暫勝利促使他要求對這個城市發動第二輪攻擊，同時也接受了毛澤東權力迅速擴張的事實。8月26日，莫斯科方面傳來一則消息，毫不避諱地指責了李立三的冒進主義，並聲明攻佔大城市根本沒有任何希望，他必須放棄在武漢和上海進行暴動的模糊計劃。[98] 李立三還想挽回點面子，在9月24日至28日在上海召開的六屆三中全會上，他稱自己推行的政治路線並沒有錯，只是在指揮上出現了一些戰術運用的失誤。然而接下去屬他的日子結束了：11月16日，一封共產國際領導10月發出的信件寄達上海，信中不留情面地將「立三路線」定義為「冒險主義和反列寧主義」，並要求這位失寵的領導人到莫斯科解釋他的所作所為。李立三前往蘇聯。

毛澤東對這些變故尚不知情。紅一方面軍根據收到的命令，向長沙發動了二次進攻，毛澤東任政委，朱德擔任總司令，彭德懷任副司令。當時紅軍僅有一個工兵營和一個寒磣的炮兵營，甚至還不會使用從敵軍手裏繳獲的電台。何鍵的三萬部隊依靠完善的防禦工事網，打退了紅軍好幾次的進攻。紅軍方面傷亡慘重，尤其是在9月10日的進攻中，損失了超過一成的兵力。他們又得知國民黨馳援長沙的部隊在名將張發奎的率領下步步逼近。9月12日，紅一方面軍下令攻打湖南東部一線城市，並繞襲趕來支援的敵軍，「飲馬長沙會師武漢」。紅軍最終從長沙撤圍。13日，紅軍各部隊都紛紛將長沙附近的江西和湖南的城市作為進攻目標。紅一軍團攻下江西吉安。

9月17日，毛澤東在醴陵以前委總書記的名義向中央委員會寫了一篇報告，解釋為何放棄繼續攻打長沙[99]：主要是軍事方面的原因，同時，缺乏城市群眾的支持是另一個原因。他在信中還介紹了讓他權力明顯擴大的新機構，並聲稱攻打吉安符合中央下達的指令(這樣多少顯得有些放肆)。10月2日，紅一方面軍兵臨吉安城。4日早晨，守軍部隊作了象徵性的抵抗後立即撤退，紅軍順利進城。[100]毛澤東就這樣帶着一支經過戰爭洗禮的大部隊回到了江西。

這兩次攻打長沙給毛澤東個人帶來了一個悲劇。當時，他的行踪不定，第二任妻子楊開慧[101]和他們的三個孩子岸英、岸青、岸龍(分別生於1922年，1923年，1927年)住在長沙。由於沒有開展政治運動，在彭德懷第一次攻打長沙城時，楊開慧並沒有引起當局的關注。而第二次攻打長沙城是由毛澤東親自指揮的，因此國軍將領何鍵在10月24日想到應該逮捕楊開慧和她的大兒子。國軍要求楊開慧告發自己的丈夫並發布聲明與這個「強盜」脱離關係，楊開慧堅貞不屈，大義凜然，最終在11月14日被槍決——年僅29歲。毛澤東得知她的死訊後顯得異常悲痛。1957年他在給朋友李淑一回信時寫了一首動人的詞作，他哭訴道：「我失驕楊君失柳，楊柳輕揚直上重霄九」，「吳剛捧出桂花酒」，「萬里長空且為忠魂舞」。[102]其實，楊開慧的故居離當時紅軍行軍路線不遠，楊開慧要帶着孩子離開這座城市並為自己和孩子們找一個容身之處並非難事，而毛澤東似乎並未想到這些。的確，對他來説，如果楊開慧回來的話，賀子珍就成了他的第一個小妾，並會被他的對手們抓住把柄，猛烈地譴責他的「封建家長式行為」。楊開慧的犧牲也用她自己的方式強調了毛澤東當時已經不再是那個追求浪漫、熱愛自由、捍衛女權的年輕人了。

1930年秋江西蘇區的危機

在此期間，黨內的政治對手們在共產黨控制的各區域內有所行動，自春天以來顯露出來的社會政治危機進一步加劇。他們很好地利用了毛澤東不得不按照李立三的要求攻打大城市而離開的機會。5月20日至23日，李文林參加了在上海舉行的全國蘇維埃區域代表大會，7月份回到江西。他一直以李立三跟前的大紅人自居：相比其他優勢，這一條代表着能將毛澤東排擠出江西共產黨控制的區域。與此同時，1929年6月25日至30日，中國共產黨六屆二中全會在上海召開，會議最大的影響是「立三路線」在黨內成功推行，並在土地問題上通過了一份相對溫和的文件。會議認為斯大林無條件反對富農的路線是錯誤的（他到1930年才實行反富農運動）。因此，7月中旬到8月初，李文林利用共產黨官方的立場，成功地反對毛澤東在2月份的批鬥會議和6月份的南陽會議通過的關於農民問題的「左」傾政策。[103]1930年8月，李文林領導的革命軍事委員會通過了他制定的土地政策。

我們並不了解這次長期被掩蓋的政治鬥爭的細節，但可以確定的是李文林讓贛西南蘇維埃政府通過了一部土地法，其中有「抽多補少」，卻沒有「抽肥補瘦」——意思是抽取富農肥沃的土地來分給貧農——這一毛式政策。此外，「立三路線」的支持者們在土地方面並不是按照每戶人家的人頭數來分配，而是按照勞動力來分配。這樣當然對於擁有農具和耕牛的富農更為有利。最後，該土地法第十四條還規定，貧農所分得的土地如已經有原主播種，則第一茬的收成歸原播種者所有。[104]7月15日，在贛西南黨委擴大會議期間，八名代表提出相對保守卻反映了毛澤東思想的平均主義路線，遭到陳毅的反對。

爭論極為激烈，差點打起來。不過早在6月28日，毛澤東就帶着他的人北上了，陳毅贏得了一場榮譽之戰。但是有心機的毛澤東對李文林和「立三路線」的擁護者們仍然客氣相待。7月底，在贛西南特委召開第二次全體會議和工作會議之際，李文林對毛澤東的擁護者們發起進攻：他撤了賀子珍的妹夫劉士奇的秘書職務，自己取而代之。他支持李立三的暴動路線，並廢除了毛澤東激進的土地法。同時他被李立三指定為江西行動委員會負責人。毛澤東對此聽之任之：他表面上的靠山李立三很快會給他帶來一次顯著的晉升，讓他成為總前委負責人。

10月26日，在毛澤東帶部隊回江西幾個星期後，一次由總前委和省行動委員會聯合召開的會議公布了一份由兩個部門負責人毛澤東和李文林簽署的聲明。[105]這次會議在11月1日結束，10月19日通過了一份含有六條內容的土地決議，廢除「對富農有利，有明顯機會主義特徵的土地政策」，並重新確立了毛澤東在批鬥會議和南陽會議中提出的各個要點，毛澤東的反擊開始了。

AB團：第一場肅反運動

有兩個錯誤絕不能犯：將之後發生的戲劇性事件解釋為被警覺的毛澤東所發現的反革命陰謀，或者從這些事件中看出黨內「立三路線」的擁護者和反對者之間鬥爭的結果。前一個觀點無疑是錯誤的，而後一個觀點的影響力也正在減弱。韋思諦根據迄今為止最好的實地調查做出了恰當的分析，[106]我將依據他的分析從中梳理出整個事件的經過。首先要注意的是：自從1926年秋的北伐運動傳播到江西後，動亂便成了此地的家常便飯，主要由封建地主武裝和湖南、雲南部隊在當地一些較大城鎮的駐軍引起。朱培德在1927–1929年擔任江西總指揮，力圖通過在蔣介石與桂系各將領之間周旋來保全自己的權力。後來他不得不辭職，並於1929年8月離開江西。此後直到1931年，江西由蔣介石和黃埔軍人控制。他們依靠當地國民黨對付第三黨派和汪精衛的改組派，不畏懼政治暗殺，常常能以「AB團」的組織形式成功地深入到對手內部——「AB」是一個神秘的縮寫，大部分情況下被解釋為「反布爾什維克」(Anti-Bolshevik)。江西被神秘、猜疑、惡意誣陷的氛圍所籠罩。

在紅軍八次攻打吉安的其中一次戰役中，共青團書記被國民黨俘虜，他向軍警提供了一份被處決的戰士名單。於是有傳聞稱他叛變了，或者說他本來就是AB團的成員。附近一個鎮的共青團組織被解散，接着打入內部的特務偽造了一封李文林的信件，後者因此被牽連。在招募共產主義游擊隊員方面，尤其是在「北路」[107]吉安—安富—吉水一帶和「西路」寧崗(井崗山)、永新(九龍山)一帶很不均勻，有殘餘的農民組織、當地的土匪、會道門組織成員以及從湖南來的一些共產黨幹部。一直以來客家人與本地人的矛盾仍然存在，再加上1929年因為歉收和饑荒，許多河南人逃難而來。

1930年秋，這種不和情況因為毛澤東的軍事戰略而惡化：10月30日，蔣介石利用紅軍在長沙和南昌接連遭遇失敗全線撤退，發動了第一次「圍剿」，並在此後的11月18日攻佔吉安，給當時控制着贛江東南各鎮的紅軍造成了很大的壓力。當天，毛澤東決定放棄前線抵抗，放任敵人深入「解放區」，這使得當地群眾完全暴露在敵人的瘋狂報復之下。本地革命者無法接受這個強加在他們身上的決定，因為他們不像這些外來的湖南人無牽無掛。

毛澤東用六個月前在尋烏試過的方法來回應這場風波：他在北路一帶的多個村莊開展各種調查，檢驗他的政治決策是否可行，並以階級鬥爭為名鼓動最貧窮的人反抗最富有的人。還有一個令人不愉快的原因其實在於他戰勝李文林後[108]推行的土地政策。在永新，一個幹部向毛澤東反映富農們在青黃不接的春耕時期繼續盤剝貧農。有人特別向他描述了富田的情況：自中共江西行動委員會在11月中旬由吉安搬至這個小山村以來，一個當地小資本家[109]從南昌通過國民黨部隊的重重封鎖，將食鹽運到當地販賣，每斤價格翻了兩到三番。他還開了一間有兩台縫紉機的作坊，破產的裁縫對他恨得咬牙切齒。但被當地蘇維埃政府罰款了一千元以後，他就破產了，自此一蹶不振。顯然，毛澤東找到了發泄群眾不滿情緒的目標。

在贛州地區更南邊的興國開展的調查則更令人不安：毛澤東找到八戶支持新政權的農戶，想了解革命到底給他們帶來了甚麼，結果不盡如人意。[110]一個農民開了一個小屠宰場，一年宰三十多頭豬，當地蘇維埃政府取消他的債務後，他終於能擺脫因為母親的死而欠下的巨額債務，勉強維持收支平衡。但他當了赤衛隊隊長後，因為沒有足夠的時間，不得不放棄照看他的屠宰場，所以他想解甲歸田。

另外一個農民只能在逢年過節時吃上肉，也從免債中得了實惠。但他僅僅分到一點貧田，常常抱怨土地鹽鹼。第三個農民租地主的土地，李文林修改了土地法之後，這個農民發現比上次分田給的土地份額還下降了一成。還有三個農民也對分到的田地的質量感到不滿。有一個農民表示滿意，但馬上又說因為革命讓地主東家的商店破了產，他失去了一份作為賬房先生的工作。還有一個人是泥瓦匠，因為沒有人造新房子，所以沒有再接到過活幹，一家人如今衣衫襤褸，靠吃紅薯度日。他緊接着又添油加醋地說自己可憐，兒媳婦懶惰從來不做飯，三個兄弟游手好閑，家裏的牛也誤食了硝酸鹽被毒死了。

報告的餘下部分還證實了當地革命採取了極端暴力的行為。很多地主在革命軍隊燒毀房屋地契時手握着武器死去。其中一個被訪問的農民說一個殘忍的鄉紳殺害了一個貧農，後者的鬼魂半夜闖進鄉紳的房子要掐死他和他父親。另外還有人說某個村子裏面有12個富農，7個是反革命，其中有2個被殺，剩下的5人「表面上」加入了革命隊伍。另一個村子有9戶富農人家，其中3戶人家是AB團成員，另一個富農在3個兒子被殺後跑了，其他5個人無非是投機倒把加入了革命隊伍，在蘇維埃政府裏佔了三分之一的位置。

對土地革命的描寫也扣人心弦：農民在集會時猶豫不決，不敢分田，因為他們擔心一旦軍事形勢逆轉，就不得不支付高額的地租。貧農只分到貧瘠的田地，但也都接受了。農民們看上去比較消極，積極性不高。[111]積極分子多為社會邊緣人，比如有個厨師兼貨郎，靠在村子裏演戲時賣點豆腐和粢飯糕為生。鎮上的90個流氓，像算命先生、雲遊和尚、乞丐和職業賭徒都支持革命。有10個人甚至在蘇維埃政府裏謀得了一點職務，其中一個還當了一支游擊隊的隊長。很多富農對這個階級劃分有所懷疑，並自稱是中農。各富農可以保留必須分給貧農的土地，因為他們已經播種了，收穫時將40%的收成給新的土地所有者。大部分人選擇了妥協。

毛澤東還講述了土地革命中發生的一個小小的悲劇。一個小學教員十分熱忱地當起了村裏傳播革命的宣傳員，在當地成立了一個極為活躍的農業合作組織，積極推進平分山地的工作。當地人在山上種了一種茶樹，榨出的茶油在城裏很緊俏。9月，在李立三當權的時期，他被當地的蘇維埃政府告發，說他是AB團一個小隊的書記。於是他和另外11名所謂的同夥一起被處決了。毛澤東說他非常擔心這位英勇的宣傳員和他的同志們是被錯殺的，暗示自己也是被富農們偷偷仇恨的受害者。事實上，分田常常以一種非常官僚的方式進行，會議是形式上的走過場。所有的事情在開會前就已經決定好了，僅僅靠舉手表決投票。如果有人投了反對票，會議主席就把他列為AB團成員。通常只有黨員參加會議，「緊密聯繫群眾的領導人」被排除在外。此外，毛澤東還指出，曾經被共產黨人鼓動起來反對稅收的農民如今同樣反對取得當地政權後徵稅的共產黨人。

毛澤東的另一個調查於8日到15日在北路進行，也注意到了同樣的情況：已經分的土地佔總數的七成，引發了社會動蕩，削減了氏族權力，淡化了祭祖習俗，甚至改變了耕作方式，然而情況依然不好。最積極的似乎是強烈需要維護自己利益的富農們。事實上，他們地位的上升得益於推翻了他們一直想取而代之的封建地主階層，而革命隊伍中去城裏上過學的幹部也往往出身於此階層。毛澤東出於對革命團體固定化的擔憂，力圖發動最窮苦的群眾。於是他開始借助矛盾辯證法——他一生都使用，甚至濫用這種方法。他提出的政策遙不可及，但卻給這個悲慘的世界帶來了夢想。此外，他能調動對他的政策失望的人來對抗他想打倒的人，把不可避免的失敗歸咎於對手。他以此鼓動了眾多志願者為了革命鬥爭加入紅軍隊伍。也許正因為如此，陳毅支持在農村實行這條激進的路線——它給陳毅提供了他所需要的生力軍。

毛澤東結束了他的遊戲

11月14日，毛澤東在吉安參加了江西省行動委員會召開的一次會議。陳毅主持會議，他說自二中全會以來，贛西南黨委實行的路線是逐步完成土地革命。他認為有人經常清除忠心耿耿的同志，而把職位留給了頑固的AB團分子。所以富農仍控制着紅色區域的經濟，而貧農則十分失望。責任應當歸於不肯實行「抽肥補瘦」政策的李文林。

然而從初夏開始的消滅「反革命」的運動發起人正是李文林，他主導的行動委員會一開始採取的手段就十分暴力。嫌疑犯受到殘酷的嚴刑逼供，在說出同夥名字後又引發新一輪的逮捕、折磨和處決。自此江西進入了一段極端暴力時期。雖然毛澤東不是這場暴力的發起者，當他率領部隊重回江西時已經察覺到它來勢洶洶，但是10月26日，他和李文林一同發布聲明，要求加強並深化對AB團分子和打入黨內及蘇維埃政府內部的反革命分子的鬥爭。確實，國民黨部隊進攻迫在眉睫，任何形式的背叛都顯得不可原諒。1930年夏天，黨內大開殺戒，到當年10月份，三萬名贛西南地區的黨員中有一千人被殺害。11月，瘋狂的血腥有過之而無不及，而毛澤東的調查又給這情況火上澆油[112]。運動在11月底到12月1日到達了第一個高潮，當時紅軍在黃陂一帶集中，此地離前線很遠，以至於有人稱之為「黃陂肅反」。[113]

12月7日淩晨，毛澤東政治領導班子骨幹之一李韶九帶領一隊有特殊任務的紅軍，沿着被秋雨浸潤的道路從黃陂來到富田。他帶着毛澤東以總前委的名義分別寫給富田革命政府主席曾山和行動委員會宣傳處處長的兩封信，此二人都是毛澤東的親信。李韶九下令逮捕了行動委員會中八名「立三路線」成員，因為這些人在黃陂的同夥在嚴刑拷打下供出了他們是AB團分子。李韶九立刻包圍了行動委員會所在的院子，親自逮捕了嫌疑對象。就在此時，毛澤東得到李立三倒台的消息：他可以報復了，而且他的報復毫不留情。

在三年時間裏，一個最初為了解救被壓迫的人民和被列強欺淩的祖國而投身政治的知識分子蛻變成為一個粗暴、殘酷的戰爭領袖。他認為為了達到目的，可以不擇手段。在一步步上升為中共領導人的過程中，他個人的命運與中國革命的命運融合在一起。

第七章

失敗（1931–1934）

1931至1934年是「喧嘩與騷動」的四年，在「紅色恐怖」中拉開帷幕，在撤離革命根據地的災難中謝幕。1934年秋天，短暫的中華蘇維埃共和國結束，期間毛澤東自富田事變後確立了在江西中央蘇區的領導地位。1932年秋天，毛澤東在政治上遭受失敗，之後兩年儘管還不至於為反對派所不容，但確實逐漸遠離了決策中心。這些政治事件突出了毛澤東性格中最負面的特徵。我們已經了解他的性格中善於計謀的一面，如同《西遊記》[1]中著名的猴王孫悟空一般。1930年，他性格中另一面的「虎氣」開始顯現。當時的反叛者認識到了毛澤東作為一個領導者的氣度和無情。

很久以後的1970年12月18日，當時毛澤東已經成為中國人民心中神一般的偉人，他在接受老朋友美國記者埃德加．斯諾的採訪時，談到被人民崇拜，最後他開了個玩笑，用四個字形容自己：「無法無天」。[2]翻譯立刻把這句話譯為「我是個頭頂破傘的雲遊僧人」，塑造了一個孤獨偉大的領袖形象，和阿爾弗雷德．德．維尼（Alfred de Vigny）在《命運集》（*Les destinées*）中塑造的摩西（Moses）一樣，沉思着走在歷史的道路上，四周一片蒼白。其實它是中國人常說的歇後語：和尚打傘——無法無天。翻譯對原文作了些更改，也沒說錯。可是對於這句經常被掛在嘴邊的歇後語背後所隱藏的意思，所有的中國人都忽略了。中國人喜歡說雙關語，中文的四聲聲調也很適合雙關語。如果我們不發第四聲的「髮」，而是第三聲的「法」，這就是反宗教的人利用和尚來比喻：「沒有法律也沒有信仰」(無法無天)。1964年8月，毛澤東在給康生的信中稱自己「畢業於叢林大學」。在其他場合，他也多次提及。正如菲力普·肖特所說，1930年12月後，毛澤東永遠地失去了他的政治清白，猴子也能成為老虎。[3]

富田事變：江西的紅色恐怖[4]

1930年，紅一方面軍肅反委員會的政治保衛處處長李韶九突然帶士兵到江西省行委駐地富田進行調查，一場嚴重的政治危機——富田事變就此拉開序幕。肅反委員會隸屬於毛澤東領導的紅軍總前委，駐地在東固。1930年11月30日，毛澤東下令逮捕李文林。[5]約一週前，有人向毛澤東誣告李文林是AB團成員。12月3日和12月5日，毛澤東先後寫了兩封密信給李韶九，任命後者調查此事。第二封信中寫道：「重要犯須立即捉起詳審外，再則李白芳更比段袁重要，諒你們已捉了，並且你們要從這些線索找得更重要的人。」[6]而後者正是這麼做的。

12月12日嘩變

李韶九到達富田，立即逮捕了八名江西省行委領導進行審訊，嚴刑拷打逼供他們承認是AB團成員。李韶九對這批同志施用了「打地雷公、燒香火」等多種刑法，被打同志「皆體無完膚」，「手指折斷，滿身燒爛行動不得」，以最不舒服的體態被吊着綁着，最後這些人不得不認罪並供出所謂的共犯。他們的妻子前來打探消息，隨即遭到逮捕並嚴刑拷打。江西蘇維埃政府主席曾山和毛澤東的秘書古柏（在尋烏調查中曾提及）當時都被派往富田，協助肅反，總共逮捕了120名幹部，經審訊25人第二天即被槍斃，其他人被關在竹籠裏。[7]

12月9日，李韶九根據這些人的招供，滿意地前往紅二十軍軍部駐地東固繼續清洗，逮捕了獨立營營長劉敵。劉敵和李韶九是湖南老鄉，劉敵辯稱自己是被陰謀陷害的，而李韶九相信了，沒有立即逮捕關押劉敵。10日黎明，劉敵乘機逃離，匆忙召集了400名士兵趕到山另一側的富田，經過12日一晚的血戰，殺了看守的百餘名士兵，佔領監獄並釋放了二十餘名被懷疑為AB團的人。這就是「富田事變」。事變領導人在革命政府廣場前召開士兵大會。整個會場群情激憤，喊出了「打倒毛澤東，擁護朱〔德〕，彭〔德懷〕，黃〔公略〕的口號。之後紅二十軍向西轉移，離開毛澤東控制的勢力範圍，一路通過永陽和吉安南部，抵達贛江以西，最後以永新和九龍山為駐地。大部分的江西行委跟隨轉移，12月15日紅二十軍領導向中央寫信譴責毛澤東，要求撤其職。[8] 信中寫道：毛澤東為人陰險狡詐，自私自大……他在會上發表意見時，所有人都必須贊成。否則他便利用黨組織鉗制言論或者杜撰事實，使人無法活下去。他對待幹部一貫是化為己用……總之，他不僅不是一個革命者，也不是布爾什維克，他想成為黨的皇帝。與此同時，紅一方面軍參謀部收到一封誣告信，信中聲稱毛澤東指示古柏搜集證據證明朱德、彭德懷和黃公略是AB團的首腦。收到這封信後，朱彭黃三位將軍知道眼下情形嚴峻，於12月17日發表聯合聲明，譴責富田事變，認定這是由AB團領導的反革命分子發動的兵變並表示支持毛澤東。[9]隨後毛澤東於12月20日寫了封長信〈總前委答辯的一封信〉。信中主要表達了兩個觀點：(1) AB團分子密謀消滅紅軍，推翻土地革命並消滅革命領袖。(2) 8月召開的贛西南黨的第二次全體會議是李文林和AB團陰謀分子以及托洛茨基分子的密謀，目的是廢除2月7日在批鬥會議上作出的革命決議。信中毛澤東還多次提及誣告信和對他的控告。毛澤東其實知道這些都是嚴刑拷打導致的後果。

事實上，三位紅軍統帥迅速作出上述決定是迫於戰爭形勢。11月末，國民黨集結41個團，十萬餘人的兵力，毫不費力地奪下吉安，形成了一個由東至西240公里的弓形包圍圈，其中四個縱隊向南推進。12月初，蔣介石親臨南昌督戰。除了強大的地面部署，空中還有20多架飛機轟炸行軍中的共產黨部隊(其中1931年10月，黃公略在東固附近被飛機炸死)。面對這種形勢，僅四萬餘人，裝備簡陋的紅軍部隊擔心會被閩贛的國民黨軍隊全部殲滅。三位將軍對毛澤東的支持正是這種擔心的體現。此外，從1930年夏末開始，李文林就率支持者在江西的軍隊中大肆圍捕AB團分子，大約二千多名軍民被殺，當時紅軍主力和毛澤東還未抵達江西蘇區中央根據地。在強大的敵人和危險的叛變面前，紅一方面軍的將領除了堅守別無選擇。按照中央10月30日在羅坊會議上作出的「誘敵深入」的政策，紅一方面軍在四週的時間中邊戰邊退，僅剩下游擊隊不時地擾亂敵軍。毛澤東在1932年5月6日的信以及1936年12月所做的報告中指出，國民黨軍隊得到永豐、南豐、石城和安源（靠近福建的寧化）等一部分紅區白區交界處的百姓的支持。紅軍部隊一撤退，地主、民兵和土匪們就立刻回來，而且村子的防禦工事愈堅固，對共產黨的敵意就愈大。更糟糕的是，「在富田—東固一帶的老百姓受到AB團的欺騙，不再信任紅軍，甚至對紅軍有敵意」。[10] 不過，在永豐—興國—寧都一帶的山區，比起國民黨軍隊，老百姓更支持紅軍。1931年8月12日蔣介石在報紙上苦楚地承認「跟共匪打仗比打一場大戰還要難，他們不僅在自己的土地上打仗，而且還能夠從當地人民群眾中得到一切所需」。[11] 而國民黨部隊戰線過長，深入腹地，四個縱隊完全被隔開了。

12月24日至30日，紅軍部隊四萬餘人秘密東進，通過山間的羊腸小道迅速逼進龍岡。這天天剛亮，紅軍利用濃霧的掩護突然包圍龍岡（毛澤東當時稱之為天時）。國民黨有一個師駐紮在龍岡，幾個小時後，四個團被全殲，一萬二千名士兵被俘，其中包括三位將領。軍銜最高的張輝瓚被當眾砍頭，腦袋掛在木筏上沿着贛江順流而下至南昌。1931年1月3日，東側的國民黨第二縱隊開始撤退，抵達東韶時兵力僅剩一半。1月4日，第一次反「圍剿」戰役結束。紅軍不但回到了原來的駐地，還佔領了新根據地，都分布在玉山天塹以東。[12] 翌日，紅軍慶祝勝利，15,000名國民黨士兵被擊斃，繳獲槍械10,000多枝，機關槍70枝，迫擊炮4門，子彈130,000發以及電台1部。1月10日，中共中央政治局常委，黨內第三號人物項英從上海抵達蘇區，調查富田事件的悲劇。中央總書記向忠發授予項英全權，任命他與瞿秋白、周恩來組成三人領導小組，召開五屆三中全會。

恐怖流派

「富田事件」的影響和後果值得我們仔細研究，之後共產黨的領導層無論政策如何更迭，這一危機的影響始終持續，直至1934年夏天的軍事失利。

有幾點我們可以肯定：

首先，AB團是真實存在的，這個組織成立於1926年，叫「Anti-Bolshevik團」或者「AB反赤團」，主要分布在吉安和江西西南地區，以國民黨內部反對共產黨的右派和三合會成員為主，還雇傭了當地一些政治軍事幹部。1928年後，AB團的影響減弱。其實這個組織自始至終都沒有形成一個緊密的結構化網絡。所有的共產黨人都在大力肅清AB團，李文林、毛澤東甚至富田事件後駐紮在永陽的紅二十軍都不斷打壓AB團。1932年5月，還有共產黨將士被認定為AB團成員遭到槍斃。這種肅反往往牽連着其他的反革命力量，比如托洛茨基「取消派」，汪精衛的「改組黨」、「第三黨」、社會民主黨等等，就好像AB團把某種摸不着的威脅力量具體化了，證明其中有陰謀。參加革命的富農階級遭到懷疑，被認為是機會主義者，極易叛變革命。事實上AB團體現了共產黨人內心的不安，如果說這個組織在結構上是薄弱的，那麼它造成的不安卻是深層次的。

其次，富田事件清洗所牽涉的範圍遠遠大於實際的危險。根據陳永發的估計，事件中共有兩萬人被殺，其中三分之二是平民，三分之一是軍人，佔當時總人口的百分之一，軍隊人數的十分之一，大約四分之一的領導被殺。毛澤東在12月20日的信中提到4,400人被捕，2,000人被槍決。我們估計1930–1931年冬天遇害的將士大概有三至五千人，正好是紅軍人數的十分之一。1931年夏天再次肅反，紅二十軍400名官兵被殺，在江西當地招募的紅三十五軍中亦有相當人數被槍斃。贛西南20個區中3個區的3,400名黨員被殺。90%的領導人被槍斃、驅逐或者逃跑。創建東固革命根據地的19人中，5人被敵軍殺害，1人病故，剩下12人被視作反革命分子，只有1人逃往白區。整個事件就是一場旨在消滅江西當地軍民幹部的大屠殺。江西的紅色恐怖還波及了其他根據地。閩西和閩北根據地分別有6,000人和2,000人遇害，湖北—河南—安徽邊界處張國燾領導的鄂渝皖根據地大約槍斃了2,000人，甚至在一些更小的蘇區，如湖南四川邊界的賀龍都受到了影響。因此張戎和喬・哈利戴把富田事件簡單地解釋為毛澤東居心叵測策劃的一場陰謀詭計是不妥的。

第三，富田事件肅反者力圖把大清洗和當時戰爭形勢聯繫起來。第一次圍剿戰爭中，國民黨五個師12月19日佔領了東固。東固在富田以東16公里處，一週前富田事件中的事變者剛剛佔領過這裏的監獄。1931年2月至5月末的第二次圍剿戰爭，對國民黨而言又是個沉重打擊。經過三個月的軍事對峙後，1931年6月，蔣介石重新投入三十萬人的兵力準備發動第三次圍剿戰爭。面對嚴峻的戰事和可能的巨大損失，共產黨經過兩個月的努力，獲得群眾大力支持，迅速儲備食物和糧餉，集結紅軍部隊共渡難關。9月6日，國民黨軍隊因其他戰事吃緊而被迫撤退。1932年6月，在東北和上海戰場上對日戰事暫時平息，國民黨迅速開始第四次圍剿戰爭，全面向各個蘇區發起攻勢。8月，紅四軍被迫撤出鄂豫皖根據地，隨後1933年9月的第五次反圍剿戰爭失利，紅軍退出了江西中央蘇區。這些戰勢緊張的時期和「AB團反革命肅反」的高潮階段有着微妙的聯繫。可以說面對蔣介石強大的兵力，紅軍能取得大勝，確實出人意料，主要應歸功於紅軍士兵紀律嚴明和領導人的團結。肅反在紅軍中引發的緊張氣氛就如同其他戰事中的宗教信仰一般發揮巨大作用。另外，與國共之間的圍剿與反圍剿的戰事相比，紅色恐怖顯得微不足道。國民黨軍隊佔領村莊後，立即將村莊洗劫一空，無一倖免。從1927年5月–6月起，白色恐怖漸漸消退，取而代之的是消滅「階級敵人」的紅色恐怖，1930年2月後轉為共產黨內部的肅清運動。從這個角度看，「富田事件」只是國共內戰造成的一個比較誇張的現象。

第四，1930年後共產黨各派系領導人都實施過紅色恐怖。從這個觀點看，「富田事件」屬一個恐怖流派。根據部分最新資料研究，高華[13]指出整個事件的起因是1930年夏天李立三派李文林發起針對毛澤東的清洗，隨後毛澤東反過來以此對付李文林。採用的「逼供信」的手段確實駭人聽聞，項英對此持保留態度，甚至打算懲罰毛澤東，1月15日後項英剝奪了毛澤東的全部權力。第二天出版的蘇區中央政治局文件把富田事件定義為反革命事件，同時也批評了總前委的做法過分。2月的兩份通報指出事變者是被反動分子所挑動，要求事變領導道歉。之後項英還派特使至紅二十軍協商。三月初邀請事變領導人在寧都附近的青塘召開和解會議。項英是個真正的列寧主義者，總體立場是批評紅二十軍的做法，贊同當時朱德等人支持毛澤東的做法。然而，當時項英自己也處境困難，3月20日在黃陂召開蘇區中央局會議，傳出李立三失勢的消息，4月10日新的中央領導小組抵達江西，轉達了四中全會的決定，恢復毛澤東所有的職務。[14]

「富田事變」應歸咎於李立三的支持者。這裏我們擬對毛澤東的真實態度作仔細分析。毛澤東向來反對李立三的「左傾冒險主義」，1931年4月他與王明[15]的特使緊密合作，發起AB團清洗行動，項英和瞿秋白等親李立三者都被撤職。[16] 1931年4月16日，中央委員會決議贊成毛澤東針對AB團的清洗[17]：4月17日，劉敵被捕送往軍事法庭審判，隨後當眾處決，二十軍的大部分領導人在寧都被捕。1932年7月23日，根據中央政治局針對「第三次反圍剿戰爭」的指示，紅二十軍回到贛江以東，跟國民黨軍隊打了幾仗後，轉移到于都休養。于都位於中央蘇區南部，遠離二十軍平常的駐地，在這裏二十軍被撤退而至的紅一軍包圍繳槍。所有的士官都被逮捕審訊。大部分都被視作反革命分子槍決。紅二十軍解散，番號被撤銷，餘部被歸入其他紅軍部隊。李文林及其部下5月再次被捕，8月毛澤東親自主持法庭審判，判處死刑當月執行。12月15日，周恩來抵達瑞金，為黨中央撤離上海移師江西做準備。此時，周恩來已無力改變局面。儘管8月末他已從秘書處聽説毛澤東在富田事變中的過分做法，他沒有插手事態，只是成立了鄧發[18]領導的專業化警察機構。只有李韶九受到黨紀懲罰。[19]

至此，無序的恐怖被標準化的國家工具所替代，而採用的方法本質上並無差異，只是對規模和涉及人數進行了限制，直到長征前夕仍然有AB團分子被處決。我們認為這場政治鎮壓體現出由城市精英領導的共產主義運動難以適應農村的環境。這些年輕人背井離鄉，來到農村搞革命，卻發現與農村格格不入，甚至產生敵意。建立一個政黨，就像成立一個新的家庭一般，想要得到庇護，必須要完全忠誠，當然前者可能要付出生命的代價，比如荒誕的恐怖。正如有狂熱的宗教分子，也有狂熱的政黨分子。

最後一點，毛澤東在這場人事更迭中扶搖直上，擺脫了李文林等江西小知識分子的阻礙，這些人在1928–1930年期間就阻礙了毛澤東的崛起。1931年7月24日，紅二十軍事變者被圍繳槍的前夜，軍中所有軍官都被處決，這絕對不是一個巧合。[20] 紅一軍在1931年5月21日至6月22日[21]期間召開的九次前線中央會議中，毛澤東作為紅一軍的總前委，曾在會上表達自己的擔心，稱傷員在以AB團成員為主的野戰醫院得不到應有的治療。另外，他請求經審判處決肅反運動中一名主事者以及一名政治特派員，這兩人陣前逃亡，被認定為AB團分子。毛澤東還指出這兩人不該在士兵不知情的情況下召開會議任命將領，其實這種做法在紅軍前期非常普遍。毛澤東的做法有些類似當時的土匪胡竹生，此人曾經活躍於白紅兩區交界處的南豐一帶，1929年歸順共產黨，1930年成為江西蘇區的中央領導成員。他曾經濫用職權，誣賴上百名共產黨員是AB團成員，最後自己也被判定為AB團成員被處決。毛澤東曾擔心這個處決不夠保密。這是一場不知是為誰的利益發動的無謂運動，毛澤東從第三次圍剿戰爭之後開始與這場運動保持距離，1931年12月22日，他同意放緩處決AB團成員嫌疑分子。[22] 而且毛澤東自己的一位親人也在寧鄉被李韶九之流殺害。因此對毛澤東而言，這場流血危機的結果是兩面的。通過危機，毛澤東獲得了中央的尊重，但是這種尊重中摻雜一絲隱憂，擔心遭到報復。

對於肅反，陳毅[23]支持要毫不遲疑地打擊AB團，但是不能極端化。他偶然得知李韶九在調查自己，毛澤東的這位打手把陳毅也說成是AB團成員，還愚蠢地向身邊人吹噓自己很快會取而代之。陳毅把這種擔心告訴了心愛的妻子。一日，陳毅開會未歸，妻子誤以為陳毅被抓，害怕落入李韶九之手遭受各種折磨，竟然投井自殺。陳毅悲痛不已，曾寫詩一首紀念愛妻。這場悲劇也影響了陳毅和毛澤東的關係。當時與朱德會面時，陳毅感嘆眾多的老戰友冤死在這場清洗中，還說：「你很清楚是誰躲在後面指揮了這一切。」[24]彭德懷的五個副官中兩個被當作AB團分子處決，他對這場運動的批評更直接。在1931年末的一份報告中，彭德懷這樣寫道：我反對任何人用軍隊來維護自己的王國，這些人猶如井底之蛙。[25]他們的意識形態是百分之百的農民意識形態。[26]

這些緘默和批評為日後的政治危機埋下了伏筆。從短期來看，毛澤東成為中央領導，動輒能定人生死。富田事件和反圍剿戰役的勝利加速了他在黨內的晉升。1932年1月7日，周恩來主持中共蘇區中央局會議，通過〈蘇區中央局關於肅反工作決議案〉。決議雖然認為「過去反AB團鬥爭是正確的，是絕對必要的」，但着重指出：「把反AB團的鬥爭簡單化了」，算得上是一種自我批評。這個決議使中共的幹部們心裏踏實了，但毛澤東沒有，周恩來在他的頭上懸掛了一把達摩克利斯之劍。

毛澤東主持工作：短暫的成功(1931–1932)

1931–1932年期間，「富田事件」後仍然不斷有人被處決。[27] 1930

年秋天至1931年秋天的三次反「圍剿」戰爭的勝利幫助毛澤東登上中共的權力頂峰。但是中共蘇區和王明領導的共產國際的關係卻在冷卻。王明不相信毛澤東，也不信任他領導的中共蘇區。這種懷疑既表現在軍事路線上，也表現在政治線路上。毛澤東在軍事上的勝利暫時延緩了政治上的失敗，直至1932年秋天的寧都會議。

對軍事策略的懷疑

1930年11月，國民黨集結十萬人發動第一次「圍剿」戰爭，1931年1月初在龍岡慘敗。同年2月再次發動戰事，投入二十萬兵力，一直持續到5月末。1931年5月末共產黨開始反攻，[28]奪取了福建武夷山的建寧。這兩次勝利毫無疑問都依賴於毛澤東正確的軍事策略，尤其是1931年4月17日、19日以及20日中央政治局在青塘召開中央革命軍事會議，確立了毛澤東的軍事路線，從而結束了長達兩個月的路線紛爭。軍中大部分領導都贊成毛澤東和朱德提出的「誘敵深入」的策略，利用地形優勢及游擊隊，待國民黨軍隊深入後，趁兵力分散且疲憊而殲之。然而，項英以及4月初在任弼時帶領下抵達江西的「四中全會代表團」，[29]擔心兵力與國民黨軍隊相差懸殊，提出分兵退敵的策略，建議紅軍撤出根據地，把兵力分散在四川和湖南南部等地。最後由於國民黨軍隊迅速集結，項英的建議沒有被採納。[30]軍事會議最後決定頑強抵抗，避免採用持久戰的軍事策略，把江西根據地建成中國的蘇維埃區。

接連兩次打敗國民黨，共產黨內再無人懷疑毛澤東和朱德的軍事路線及眼界，但第三次「圍剿」戰爭打破了這種一致認同。蔣介石不僅以更快的速度集合了三十萬人的兵力，還採用了空中偵察和無線電聯絡。國民黨的將軍們從前幾次失利中吸取了教訓，雖然8月6日在龍岡失利，但他們沒有受失利的影響，而是繼續推進部隊，合圍來不及撤走的紅軍部隊。紅軍不得不千辛萬苦翻過山頭撤回東固，損失慘重。兩萬名紅軍士兵向南蜿蜒前行，以擺脱圍追的國民黨軍隊。

當時有三個因素幸運地救了毛澤東。第一是國民黨內部可能再次爆發了軍閥混戰。3月初，蔣介石在南京派人監視對手胡漢民，[31] 汪精衛和孫中山之子孫科得知後，在兩廣軍閥的支持下成立廣州國民政府，與蔣介石的南京國民政府分庭抗禮。8月末，南京政府決定迅速派重兵入駐湖南，以應對南方可能發生的叛亂。9月6日，國民黨十九路軍和紅軍在高興圩激戰後，撤出了興國。這一戰，共產黨損失慘重，八千名士兵彈盡糧絕後犧牲，稱得上皮洛士式的勝利，紅軍俘虜了兩千名士兵[32]並在9月取得了一系列戰爭的勝利，但付出的代價亦很大。第二個因素是皇姑屯發生「九一八事變」，日本大舉入侵中國東北。之後的幾個月，國民黨對日作戰的壓力與日俱增。1932年「一．二八事變」後，日軍入侵上海，十九路軍奮勇抗敵，直至上海淪陷。第四次「圍剿」戰爭不得不推遲到1932年夏天。第三是1931年12月14日，[33]駐紮在寧都的國民黨二十六路軍[34]一萬七千名士兵，在斷餉四個月後，被共產黨的軍官成功策反，起義投入紅軍旗下，成為紅軍第五軍。

這三個因素都不是毛澤東在制定軍事策略時預料到的。紅軍的領導幹部十分清楚，他們能夠從這個災難中脱困得救事出偶然。紅軍內部立刻爆發了爭辯。8月30日，中共蘇區中央政治局給總前委寫了一封長信。此時，王明在共產國際的扶持下已經控制了中國所有的蘇區，江西蘇區正在準備迎接周恩來的到來。[35]信中不指名地指責毛澤東「狹隘的經驗論」——彭德懷在同一時期提到的井底之蛙的眼界——「富農路線」和「極嚴重的一貫右傾機會主義」。[36]10月初，這種尖銳的批評傳至前線作戰的紅一方面軍，沉浸在勝利中的紅一方面軍非常驚訝及氣憤。除了政治方面，這種批評還體現了當時中共的不安：不改變策略，如何應對第四次「圍剿」? 尤其是紅軍在準備這些戰鬥時自身已經發生了深刻的變化。[37]

第三次「圍剿」戰爭末期紅軍的人數已經開始減少。如果算上脫黨分子與傷亡人數，紅軍士兵減少三分之一，軍官人數減少一半。1930年10月，紅軍第七路軍六至七千人離開廣西玉河根據地，1931年4月初抵達江西，加上「寧都事變」後當地的自衛組織和游擊隊的加入，1931年9月紅軍人數達到五萬人。這個數字與四十萬到五十萬人的國民黨正規軍隊相比微不足道，共產黨決定在蘇區大力招募兵力。毛澤東期盼的志願加入的士兵數只佔當地人口的1.5%–2%，紅軍開始採取徵兵的招募方式。至此紅軍不再是一支純粹以意識形態為動機、不斷遷徙、對當地十分陌生的軍隊。新的紅軍是在當地招募的戰士，旨在保衛家園，行軍減少，裝備更高級，是為適應現代戰爭而操練的部隊。

毛澤東自己也意識到作戰方式需要改變。1931年10月14日，毛澤東下令攻打炮樓和土圍子，儘管動用了炮兵、坑道和工程隊，但還是沒能取得勝利。[38]首先就是吸納游擊隊和當地自衛組織成為紅軍正規軍，推行義務兵役制度。這個做法推行了數月。其次是紅軍的裝備也發生了革命性的變化。1930年秋天，紅軍一支二三千人的師只有八百枝一發式手槍。1931年末，紅軍四分之三的士兵都配有漢陽兵工廠製造的五發式手槍。1931年5月，紅軍第一次用上了電台。1931年12月末，紅軍已經有了16部電台。「寧都事變」後，紅軍得到了19,800枝現代手槍、2,000枝槍、400枝機關槍、300門迫擊炮、40門大炮、2,000匹騾馬和8部電台。而第三次「圍剿」戰爭初，紅軍只有3門山炮、2門低伸炮和50門迫擊炮。1931年10月，紅軍還在興國附近的關田建立了一個小型兵工廠，日產千發子彈。1934年，彭德懷曾經統計過共產黨士兵和國民黨士兵的射擊數據，平均共產黨士兵每射1發子彈，國民黨士兵要射300發，但是共產黨士兵經過嚴格的射擊精確性訓練，每17發就有1發射中目標(朱德的統計是每20發)，因此共產黨士兵的射擊命中率遠遠高於國民黨士兵。此時紅軍開始有統一的着裝，即藍色的棉衣制服，冬天是雙層棉衣，頭戴有紅星標誌的帽子；配備了65斤的裝備，1桿槍，2顆手榴彈，100發子彈，5斤糧食和一些紅辣椒。當初紅軍游擊隊上井崗山的時候，像綠林好漢一樣衣衫不整。而從這時起，紅軍開始有了統一的制服。

對政治路線的懷疑

1931年黨中央代表項英抵達江西，掌握了江西中央蘇區的政治權力，毛澤東的權力被削弱。

然而項英的計劃一開始並不順利。1931年1月15日，項英成立中共蘇維埃區域中央政治局，由周恩來任書記，項英任代理書記，取消了總前委和毛澤東擔任的總前委書記職務。在蘇區中央局宣布成立的同時，還建立了歸蘇區中央局領導的中央革命軍事委員會，統領江西和全國其他紅軍，項英兼任主席，朱德和毛澤東任副主席。除此，毛澤東只是委員會下屬的政治部主任兼中央政治局候補委員。但是項英沒能把權力落實，他的軍事才能不及毛澤東，而且他和瞿秋白都是四中全會選舉產生的，被懷疑支持「立三路線」。

4月初，由任弼時、王稼祥和顧作霖組成的中央第四次全體會議代表團抵達江西，改變了江西根據地的政治格局。早在2月23日的信函中，中央就指示要重新建立總前委，恢復毛澤東的職務。王明和共產國際的米夫（Pavel Mif）[39]做出這樣的決定，並非因為欣賞毛澤東，而是希望通過削弱項英來打倒李立三。

4月17日，在寧都的青塘舉行中央局擴大會議，傳達六屆四中全會的決議，通過了《關於富田事件的決議》。[40]決議批評了項英在富田事變上的態度，進一步確定了富田事變的「反革命」性質：富田事變是AB團領導的，以「立三路線」為旗幟的反革命暴動。但是決議也承認在處理這件事情上的手段不當，這也為以後反對毛澤東埋好伏筆。4月17日對毛澤東而言是值得紀念的一日，斯圖亞特・施拉姆在所編的《毛澤東全集》[41]中詳細描述了當日通過的決議：毛澤東贊成六屆四中全會制定的路線，並利用這個路線肯定了其在1929至1930年的所有作為，尤其是在1929年12月的古田會議和1930年2月批鬥會議期間的做法。他聲稱，1929年他離開領導崗位，紅軍倒退成為「武裝流亡分子」；1930年他被孤立，紅軍犯了「地主和富農的機會主義錯誤」。而且「立三路線」對彭德懷的紅三軍造成的破壞遠甚於他的紅一軍。當他的意見重新被採納時，紅軍在軍事上連連取得勝利。由此毛澤東開始將自身與共產黨的光輝歷史緊密相連，直至1945年的六屆七中全會確定了毛澤東的最高領導地位。毛澤東的報告可能引起了王明的不滿，王明已經決定要讓毛澤東為自己大膽的言行付出代價，一直伺機打擊報復。4月18日，毛澤東延續着前一日的輝煌：中共蘇區中央局擴大會議採納了他制定的第三次反「圍剿」戰役的戰略。林彪、彭德懷、陳毅[42]當選為政治局委員，儘管這三位將軍與毛澤東也有意見相左的時候，但比起任弼時和另兩位新當選的委員，毛澤東還是掌握了政治局半數以上的席位。5月初，毛澤東正式取代項英，主持蘇區中央局工作。

然而，8月30日王明在〈中央給蘇區中央政治局並紅軍總前委的指示信〉[43]中，不指名地攻擊毛澤東。當時紅軍正處於國民黨的鉗形包圍中，上海的局勢也十分緊張，這些情況王明似乎完全沒有納入考慮範圍。信中的內容和表達方式十分書生氣，指出蘇區中央局(暗指毛澤東)所犯的最大錯誤是：

> 缺乏明確的階級路線與充分的群眾工作。例如你們容許地主殘餘租借土地耕種，對於富農只是抽肥補瘦[44]，抽多補少，而不實行變換富農肥田給他壞田種的辦法。紅軍直到現在還沒有完全拋棄游擊主義的傳統與小團體的觀念，這在紅軍已在進行大規模戰爭與擔負着爭取一省幾省首先勝利的任務是不相稱的。

爭論的焦點集中在土地問題上。這裏有三份毛澤東當時撰寫的研究土地問題的資料。[45]2月27日，毛澤東注意到江西蘇區的農民在春耕時不願耕種。他認為原因有三個：(1)最近幾個月中進行了四五次土地分配，過於頻繁的變動使得農民心中十分不安。(2)缺少耕畜。(3)紅白兩區交界處的山匪時常擾民。資料中還附有毛澤東的一些建議：土地分配時猶豫不決，反反覆覆危害極大，農民擔心分配所得的土地不能任意使用。因此必須清楚地告知農民土地分配依照公平原則，分配的土地永久歸百姓所有：

> 得田的人，即由他管所分得的田，這田由他私有，別人不得侵犯……租借買賣，由他自主。田中出產，除交土地稅於政府外，均歸農民所有。吃不完的，任憑自己出賣，得了錢來供零用，用不完的由他儲蓄起來，或改田地，或經營商業，政府不得借詞罰款，民眾團體也不得勒捐。……以上這些規定，是民權革命時代應該有的過程，共產主義不是一天做得起來的，蘇聯革命也經過許多階段，然後才達到現在社會主義的勝利。

8月，中央軍事委員會的二號通知肯定了毛澤東的看法：要與富農階級作鬥爭，他們是農村的資產階級。要保衛工農階級的利益。要避免將反對剝削的鬥爭變成集資的方式，例如批鬥年收入只有20元的人，這樣只會使所有人都貧窮。把中農當作富農來批鬥的做法也是錯誤的。因此毛澤東的土地革命政策要求絕對平等，是比較極端的改革措施，但是他不贊成在目前的民主資產階級革命階段就取締一切土地的擁有者和富農階級。他甚至同意富農獲得一部分出租土地所得的剩餘價值。相反，王明打算把斯大林在蘇聯實施的反富農化運動直接搬到中國，取締所有地主和富農階級。相比王明的極左主義，毛澤東的左派顯得比較溫和，這也是被王明指責為富農主義的原因。

第三次反「圍剿」戰爭結束後，毛澤東採取了一些反擊措施：10月11日，蘇區中央局發電報給臨時中央，彙報中央局的決定：由於項英的「工作能力不夠領導」，由毛澤東擔任中央軍事委員會秘書長一職；召開中央局擴大會議並選舉新委員。電報實質上是希望黨中央同意中央局5月末後通過的一系列決議，並取消王明8月30日的信中以黨中央名義下達的命令。[46]黨中央回覆決定11月1日至5日在江西瑞金召開中華蘇維埃全國第一次代表大會。[47]大會通過了一系列決議，把近期軍事上的順利歸功於王明「分兵退敵」的政策；公開批評中央局的政策；把毛澤東的抗日意願定義為「狹隘經驗論」[48]，把他的土地分配政策痛斥為「富農主義」，並再次譴責毛澤東對游擊戰的偏好以及對陣地戰和攻打大城市的遲疑。11月7日，在瑞金慶祝俄國十月革命的一片歡騰中，這樣激烈的批評令人非常驚訝。在這次大會上，所有人都認為毛澤東將當選主席，因為中共領導人中沒有人的聲譽能與之相提並論。這也是蘇聯的希望。[49]實際上，王明的政策十分靈活：因為難以反對，他把毛澤東推上了臨時政府的主席位置，但是他又不希望毛澤東快速崛起，成為江西黨和紅軍的最高領導。

虛渺的勝利[50]

中華蘇維埃第一代表大會在瑞金葉坪召開，600名來自全國蘇區的工農兵代表宣告了中華蘇維埃共和國臨時中央政府的成立，選舉毛澤東為臨時政府主席，項英和張國燾任副主席。選舉產生了63人組成的中央執行委員會並設立中華蘇維埃中央革命軍事委員會，朱德任主席，王稼祥和彭德懷任副主席，毛澤東任委員。瑞金沉浸在節日的氣氛中，[51]燃放着鞭炮煙花，上午有閱兵式，晚上是火炬慶祝活動，高台上紅旗飄飄，播放着廣播，空中飄着風箏，其中有一隻代表英國，下面還拖曳着象徵印度和愛爾蘭的標誌。大會的主會場設在明朝時建造的謝氏祠堂，周圍是名貴的樹木，主席台上掛着馬克思和列寧的肖像，一面紅旗和一面鐮刀加斧頭的黨旗。上面拉着一條橫幅「全世界無產階級聯合起來」，另一邊的一條寫着「階級鬥爭」。中共在紅軍廣場上舉行了簡單的蘇維埃政權成立儀式。

瑞金成為臨時政府首都，這個小城距離南昌300公里，僅有難以行走的小路相連。此外最重要的城市就是40公里以東，武夷山另一側的汀州，與潮州—汕頭三角洲有水路相連。經濟封鎖使這個區域完全與外界隔絕，只能見到走私物品，根據地缺鹽，缺少藥物和生產物資。當地氣候濕潤，以紅土地為主，主要物產是板煙和樟樹。實際控制的面積並不完全相連，大約有十五萬平方公里，一千萬人口，分布在七個省份。最穩固的區域在贛西南和閩西地區，儘管其中還摻雜着一些白色區域，但基本上是一整個區域，面積大約為五萬平方公里，人口二百五十萬。十五個人民特派員管理各個部門，還設立外交專署（儘管當時沒有一個國家承認），負責起草發表聲明。10月，瑞金和上海的黨中央建立電台聯繫，電台良好地運行了三年，直到長征前才關閉。

臨時政府的官員都住在當地叫沙洲壩的地方。紅軍很快在附近的樹林中搭建起一個星形會議大廳，大廳內設有兩千個座位，另外附有能容納一千人的防空洞。毛澤東住在當地一位鄉紳的漂亮住宅中，人們還加了磚板防範老鼠，在客廳一側開了一扇窗戶。毛澤東能夠直接看見正在召開的會議。從此，人們稱呼他為毛主席，這個稱號跟隨了他一生，看上去毛澤東似乎成了黨內第一人。

事實上卻不然，毛澤東的統治和蘇維埃政權一樣是空中樓閣。毛澤東本人確實希望有所作為，但是這個政權只在紅軍控制的區域才有效力，而且只有那些紅軍信任的黨內領導才真正在行使權力。中華蘇維埃政權基本上沒有公務員，所有的預算主要來自戰鬥繳獲的物資或者是對階級敵人的罰款以及沒收的物品。從1931年11月(第一次代表大會推選毛澤東為主席)到1932年10月(寧都會議削弱了毛的權力)，毛澤東作為政府首腦參與政治決策19次，作為軍事領袖參與決策21次，調解與王明及其代表的共產國際之間的衝突4次。要知道1931年10月至1932年夏天，國共內戰暫時平息，由此可見毛澤東在軍事問題上非常有影響力，但是在國家治理方面的作為則比較少。而作為國家主席，他幾乎沒有決定性的意見，只行使了形式上的權力。

1931年4月15日，毛澤東以中華蘇維埃共和國的名義宣布向日本宣戰。[52]由於與其他參戰方缺少共同的前線，作戰信息錯誤等原因，反而被當時抗日倒蔣的英雄馬占山和蔡廷鍇將軍等斥責為叛徒。但是毛澤東繼續活躍在抗日輿論的前線，1931年9月21日在〈致國民黨兄弟〉的信中呼籲國民黨士兵起義，帶上武器加入紅軍，共同抵禦日本入侵。[53]同年12月11日，毛澤東以蘇維埃國家主席的名義，寫信致全國同胞，要求通過罷工、罷課和罷商的「三罷」行動反對南京政府的賣國行為。[54]

此外，毛澤東在刑事問題上參與過5次，主要涉及當時蘇區肅反運動，差不多是他作為主席參與的總決策數的四分之一。在經濟問題上只參與過1次。[55]當地事務的處理上有3次，如1932年8月永新的問題。[56]作為蘇區的最高領導人，這些確實有些少。1931年12月1日，毛澤東簽發通緝令，「緝拿和撲滅顧順章叛徒，[57]是每一個革命戰士和工農群眾自覺的光榮責任」，比起共產黨紅軍「無時無刻都要打擊叛徒」的命令，這樣的通緝令顯得有些微不足道。同樣，1932年7月7日秋收後，他禁止鴉片種植並強調「要嚴格執行」命令，對此，我們持懷疑態度，要知道當時中國蘇維埃政府的主要財政支持就是鴉片收入。在興國—寧都—玉都這一帶，鴉片種植一直遭到國民黨的打擊，共產黨還因此鼓動農民反對當局徵稅。共產黨從開始支持鴉片種植到禁止鴉片的突然轉變勢必會引起當地農民的反感。[58]

毛澤東繼續主持工作

1931年12月末，周恩來抵達瑞金，取代毛澤東主持中央政治局工作。1932年1月7日，周恩來成立肅反公安機構，由鄧發領導並通過〈蘇區中央局關於蘇區肅反工作決議案〉，指出「AB團是危險的反革命力量」，同時批評毛澤東的肅反工作處理不當。周恩來計劃在1月9日召開中央局會議，提交並討論該決議。1月9日，中共臨時中央發出《關於爭取革命在一省與數省首先勝利的決議》。鑒於國民黨軍隊在淞滬戰役中精英部隊遭受重創，紅軍應利用這一契機，擴大蘇區統治區域，計劃奪取湖北、湖南和江西部分地區尤其是江西北部平原的吉安、南昌和撫州[59]等大型城市。周恩來決定首先鞏固贛西南的中央根據地，消滅區域內的白區堡壘，然後直取南部的贛州，打通連接中央蘇區和贛西井崗山根據地的通道。[60]彭德懷支持這一策略，毛澤東和朱德堅決反對，指出贛州敵軍重型裝備齊全，恐難攻克。

1月中旬，毛澤東主持召開蘇區中央局會議，會上總結了三次反「圍剿」戰役勝利的經驗。與會的「國際派」[61]提出日本入侵東北是為進攻蘇聯做準備，號召大家「武裝保衛蘇聯」。毛澤東拒絕這樣的口號，認為這種分析輕視了中國在這場危機中的作用，指出應該動員全國人民抵抗日本入侵，從而擴大階級鬥爭的基礎。一位共產國際成員生氣地指責毛澤東是「典型的右傾機會主義者」，[62]要求開除毛澤東黨籍。毛澤東聽後臉色蒼白，一言不發地離開會場。會議中途另選主持人，在毛澤東缺席的情況下繼續召開。

翌日，毛澤東稱病向黨中央申請休假。一週後，在妻子賀子珍[63]的陪同下，前往離瑞金100多公里的東華古廟休養。古廟位於山頂的一塊大岩石上，可以俯瞰整個平原。廟中樹木茂盛，空氣潮濕，房間破爛不堪。毛澤東和賀子珍住在古廟唯一可住的房間裏，靠近一個石槽。每天，平原上的苦力把水拉到石槽邊，供人梳洗。毛澤東帶了兩個沉重的鐵箱，裏面是資料、手稿和書籍。天氣晴朗時，警衛就把一個箱子放在附近的林中空地上，那裏視野極好，而毛澤東就坐在箱子上抽着美國煙開始思考問題，閱讀書籍，摘抄筆記。士兵經常送來黨中央和政府出版的報紙刊物，毛澤東的職務由副主席項英暫代。日本進攻上海後，毛澤東寫了《對日戰爭宣言》，由於他當時拒絕提出「武裝保衛蘇聯」的口號，宣言一直到1932年4月15日才在《紅色中華》[64]上刊登。

在此期間，2月初，彭德懷指揮紅軍攻打贛州32天未克，4次進攻損失了3,000兵力，毛澤東和朱德的擔心得到了印證。3月7日，國民黨援軍從南邊的吉安和北邊的梅縣前後夾擊紅軍，彭德懷絞盡腦汁方使紅軍脱困。

3月9日，項英只帶了一名警衛騎馬專程從瑞金趕到東華，請求毛澤東暫停休養，回到瑞金主持工作，指揮前線作戰。儘管當日下着大雨，但毛澤東不顧賀子珍的哀求，冒雨騎馬趕到贛州以東20公里的江口前線。3月17日和18日，中央領導人進行了兩天的軍事會議，討論攻打贛州的經驗教訓和紅軍今後的行動方針。毛澤東認為攻打贛州本身就是錯誤的，建議放棄贛州，轉而攻打福建西北。閩西北自1929年後一直有零星的游擊隊活動，當地地形適合紅軍作戰，而且敵軍駐軍不強，主要是一些改編的強匪。彭德懷和共產國際提出反對，認為行動方針不符合黨中央要求奪取長江大型城市的要求。最後周恩來作出裁決：決定紅軍兵分兩路，紅三軍由彭德懷指揮，沿贛江北上，奪取重要城市；紅一軍由林彪指揮，聶榮臻[65]任政治委員，兵力是紅三軍的兩倍，向西北行，以南豐、南城和撫州為主要目標。毛澤東以臨時中央政府主席和中革軍委委員身份隨紅一軍行軍北上。原計劃兩軍合圍南昌，然而，途中毛澤東向總指揮林彪和政治委員聶榮臻闡明向閩西發展的主張，得到他們的贊同。21日，行軍至汀州，林彪和聶榮臻向中革軍委發電報建議採取毛澤東的建議，將中路軍的行動方向改向閩西。[66]毛澤東隨後匆忙趕回瑞金，參加3月27日和28日召開的中央局會議，並在會上作出承諾，保證紅一軍取得勝利。當時久攻贛州不克，加上彭德懷的紅三軍沒有捷報傳回，周恩來只能採取毛澤東的建議，支持向閩西發展的建議。林彪和聶榮臻於3月21日致電中革軍委的請示也起了重要作用：「行動問題，我們完全同意毛主席意見。日前粵方開始派兵入閩贛討赤情形下，更應採毛主席意見。」根據這種說法，紅一軍中途改變行軍路線是因為敵軍威脅了蘇維埃政權的右翼地區，故紅軍不得不直下漳州，沿九龍江抵達海邊。然而，毛澤東改變黨中央和共產國際制定的線路，是故意為之嗎？胡績溪認為毛澤東的目的是奪取廈門。[67]廈門與日本殖民地台灣隔海相望，廈門被佔必然導致日軍在該地區進行軍事干預，從而打破在上海簽訂的停火協議，拖延蔣介石發動第四次「圍剿」戰爭的時機。而且攻打廈門時紅軍會與日軍交火，從而落實4月15日中華蘇維埃對日宣戰的宣言。如果毛澤東的計劃確實如此，則紅軍便能借機成功闖入國際舞台，這當然不是蘇聯所希望的。當時蘇聯正在努力與國民黨重建自1929年中斷的外交關係，並且蘇聯根本不希望惹怒日本。這樣我們也更容易理解1932年夏天為甚麼毛澤東無法得到蘇聯人支持的原因。不過當時蘇聯駐中國代表德國人艾威特（Arthur Ewert）曾在博古（秦邦憲）面前為毛澤東辯護，稱莫斯科反對解除毛的職務。[68]他們之所以還能夠容忍毛澤東，完全是顧忌毛澤東的威望和知名度。這些人只打算在第二戰場活躍，而毛澤東則希望一個更大的天地。

得到軍委的許可後，毛澤東立刻趕回汀州。期間紅一軍已經攻下汀州，向龍岩開進。毛澤東致電瑞金，強調紅五軍團全部必須立即出發，以阻斷陳濟棠[69]的廣東軍隊，避免紅一軍和根據地被分割開。由此這場軍事行動已經完全背離了最初的本意，毛澤東重新在軍事上取得領導地位。周恩來把軍委移至汀州，此時紅一軍奪取了上杭，之後不久的1932年4月20日，紅一軍殲滅國民黨兩個團，攻佔閩南重鎮漳州。紅軍舉行了簡單的入城典禮，毛澤東身穿灰色中山裝，頭戴涼盔帽，騎着白馬，率兩萬士兵分四排敲鑼打鼓地進入漳州。[70]漳州城人口五萬，是個繁榮的海邊城鎮，緊鄰廈門。紅軍在此逗留了49天。入漳後，上海、香港、汕頭報刊的新聞都進行了報道：「紅軍入漳，沿海大震，漳泉逃廈者，十餘萬人，言傳紅軍欲攻福州。紅軍欲入潮汕，帝國主義兵艦集廈門者二十八艘。」

毛澤東志得意滿，22日致信周恩來，[71]描述了當地百姓熱烈歡迎紅軍的場景。繳獲戰利品頗豐：五十萬兩銀元、食鹽、藥品、呢絨、武器、軍需以及機器（一台車床、一個鼓風機和一個三十馬力的馬達）。這些機器被運往關田的兵工廠，500個工人在3個從奉天（瀋陽）兵工廠來的領導的帶領下，開始製造兵器，5月末生產出了第一批槍枝彈藥及其他軍需。紅軍還繳獲兩架飛機，但他們當時還不懂如何駕駛。還有幾箱書，沿公路開車送回瑞金，其中比較珍貴的是《資本論》，恩格斯的《反杜林論》和列寧的《共產主義運動中的「左派」幼稚病》等作品的中文譯著。紅軍還新招募了一千名士兵。張戎説及毛澤東曾經把一部分的戰利品挪作己用，放在胞弟毛澤民處，以備不時之需。[72]

毛澤東的這次獲勝離不開周恩來的支持，但是周毛兩人的聯盟只是暫時的。5月5日後，國民黨和日本在上海戰場上休戰，共產黨愈加擔心蔣介石發動第四次「圍剿」，毛澤東和共產國際的矛盾也愈發突出。應對這次「圍剿」戰爭的軍事戰略爭論了幾個星期。《紅旗週報》4月末連着兩期的社論再次批評毛澤東的游擊隊思想、經驗主義以及觀望主義，[73]認為黨中央和共產國際提出的「積極進攻的路線」才是正確的路線。1932年7月22日，在紀念1928年萍鄉起義的系列文章中，[74]紅三軍表示支持積極進攻的路線，反對毛澤東的戰略。[75]有作者還這樣批評道：「有些人沒能堅定地攻打贛江的大型城市，反而跑去了廈門。」1932年8月1日《革命與戰爭》上刊登了劉伯承將軍[76]的一篇文章。他剛從莫斯科的伏龍芝軍事學院學成歸來，文中嚴厲批判了毛澤東所推崇的孫子兵法，提出應學習蘇聯紅軍的經驗，迅速改變中國紅軍的戰術戰略思想。[77]

5月3日，毛澤東致信中共蘇區中央局進行反駁，[78]措詞嚴厲，指出：「電悉。中央的政治估量和軍事戰略，完全是錯誤的。」毛澤東認為國民黨遭受三次「圍剿」失利以及日本出兵之後，實力大減，特別是蔣介石的勢力遭到打擊，因此我們對第四次「圍剿」戰爭的戰略也應不同於前三次。「第二，在三次戰爭以後，我們的軍事戰略，大規模上決不應再採取防禦式的內線作戰戰略，相反要採取進攻的外線作戰戰略。我們的任務是奪取中心城市實現一省勝利。」這些觀點令人詫異，毛澤東似乎把對方對自己的批評奉還給對方，而且極度樂觀——顯然毛澤東沒有意識到第四次「圍剿」戰爭的緊迫性，因此他放心地移師閩東。或許他認為蘇聯和國民黨重新建交後，蔣介石能容得下共產黨。信中也反映出毛澤東的軍事思想：奪取白區城市並不意味着必須沿贛江南下奪取南昌，與國民黨的精英部隊硬碰硬。毛澤東希望以實力較弱的敵軍為目標，比如閩軍，故此前作為不算違抗中央的命令。從信中還能看出毛澤東不願回師江西，而當時中央蘇區正嚴陣以待第四次「圍剿」戰爭，下令紅一軍立即返回瑞金。5月29日，毛澤東終於離開漳州，他沒有乘勢進攻廈門，當時帝國主義軍艦齊集廈門海域，火力覆蓋了整個廈門半島。朱德和王稼祥前來監督紅一軍，紅軍繞道廣東與紅五軍團會合，6月初在梅縣附近的水口與陳濟棠的粵軍激戰了三天。

第四次「圍剿」戰爭爆發後，毛澤東開始反思此前的樂觀和期望，轉而贊成防禦式的內線作戰方式。一位紅軍幹部余則鴻，可能是毛澤東的密友，7月11日在總前委刊物上撰文呼籲紅軍向寧都一帶殘存的敵軍發起攻勢，保護農民的秋收，取締廣昌和石城一帶秘密社團，趕走樂安縣的地主及打手們。[79]紅軍不應該再走「立三路線」，冒險進攻防禦完備的大型城市而放棄大後方。他還畫了地圖，這些城鎮構成不規則的四邊形，而中央蘇區正位於四邊形的中央。經過多次書信往來後，周恩來採取了折中方案。

1932年8月8日，毛澤東被任命為紅一方面軍總政治委員，他再次將所有力量集中在一支部隊上。同日，紅一軍在贛江北上作戰，進逼南城和撫州(現臨川)。這場爭論表面上是博古贏了，但是如果我們仔細在地圖上查看剛才提及的城市，[80]就會發現這些都是江西中央蘇區前方的小城鎮，防禦較弱，紅軍能輕而易舉地攻下，目的是防止敵軍滲透。因此就實質而言，這是毛澤東的戰略而非博古的戰略。然而，紅軍只在最初取得了幾場勝利，之後便遇到了阻礙。進攻南城時，紅軍發現國民黨軍隊已經集結完畢，屢攻不克後，8月29日決定放棄攻佔南城。更糟的是，9月初，紅軍不得不退回玉山的東紹，這裏已經離蘇區中央不遠了。此時，國民黨發動第四次「圍剿」戰爭，投入了四十萬兵力，已經攻下了鄂北大別山的鄂豫皖革命根據地，張國燾率軍撤退，向西轉移，在川陝邊界的巴中—通江—南江三角洲地帶建立根據地。湘鄂交界處賀龍的湘鄂西革命根據地隨後失陷。這是紅軍最早的兩次長征，紅軍再也無法威脅到武漢。當年的秋冬兩季，江西中央蘇區以北的壓力劇增。顯而易見，毛澤東的軍事戰略是有缺陷的，改變路線的爭論又爆發了。[81]

出於軍事戰鬥和政治統治的需要，中共內部產生了兩個決策中心，雙方以無線電相連：前方的軍事最高會議，由毛澤東、朱德、王稼祥，和7月初加入的周恩來組成四人領導小組；後方的中央政治局設立在瑞金，由任弼時、項英、鄧發和顧作霖組成。中央政治局得到在上海的博古與洛甫(張聞天)的支持，上海通過海參崴直接與莫斯科的共產國際保持電報聯繫。5月30日後，周恩來感到政治的權力漸漸轉移至共產國際手中，對毛澤東的支持開始動搖。但是當7月25日後方致電前方，要求重新攻打贛州時，他果斷地和王稼祥一起支持朱德和毛澤東的策略，拒絕服從命令，這就產生了前面提到的折中方案。[82]

9月25日，中共蘇區中央局覆電周恩來、毛澤東、朱德和王稼祥，不同意紅軍撤退，要求繼續向北發展，雙方的分歧愈發明顯。9月26日，毛澤東以前線四位領導人的名義回電後方，提請中央注意。之後一個月，儘管軍事路線尚不明朗，但紅軍繼續在「赤化」敵軍控制的村莊，推進土地革命，避免作戰時陷入陣地戰。[83]最後前方後方的八位領導人決定在寧都縣內的東山壩小源召開中央局全體會議。

寧都會議與毛澤東的半個失敗[84]

1932年10月3日至8日，中央政治局全體會議在寧都召開，劉伯承作為顧問列席參加。在寧都會議後的兩年時間內，毛澤東漸漸遠離了共產黨的權力中心。會議期間以毛澤東為主的前方和以任弼時為首的後方意見分歧嚴重，顯然是對立的陣營。任弼時通過電台得到了在上海的洛甫的支持，指責前線沒有認真執行共產國際和黨中央的指示，集中批評毛澤東對勝利缺乏信心，對革命勝利與紅軍力量估計不足(這點是從贛州失利和拒絕進攻吉安得出的)，有保守主義、游擊隊思想、觀望主義和逃避作戰的傾向；尤其批評了毛澤東違抗命令，帶領紅一軍進攻廈門的行為，還暗示了收繳戰利品的事件，指責毛澤東「消極怠工」。面對指責，前方的四位領導的意見也有分歧。周恩來、朱德和王稼祥承認錯誤，但是堅持毛澤東已經認識到錯誤並積極改正，而且「澤東積年的經驗多偏於作戰，他的興趣亦在主持戰爭」，必須留在前線，可擔任周恩來的助理或者顧問。毛澤東則據理力爭，兩次通過電台聯繫上海，希望得到蘇聯顧問的支持，但後者故意拖延回覆。[85]由於不能取得中央局的全權信任，毛澤東堅決不同意由他「負主持戰爭全責」。會議決定毛澤東保留軍事顧問一職，同時批准毛澤東「暫時請病假，必要時到前方」。毛澤東將總政治委員一職交給了周恩來，10月12日[86]中共蘇區中央局的命令正式公布了這個消息。寧都會議後，毛澤東前往汀州傅連暲主持的福音醫院，[87]看望即將分娩的妻子。然而博古和洛甫都不滿意會議達成的共識，10月6日(譯註：時間疑有誤)，給蘇區中央去電，拒絕承認寧都會議的決議，批評周恩來態度不明，要求毛澤東不再擔任任何軍事領導工作，調回瑞金後方，只擔任國家主席的工作。同時還要求在黨內開展整風運動，批評毛澤東陣前退縮的態度。博古似乎意圖將毛澤東開除黨籍，但是蘇聯人並不同意。毛澤東知曉後勃然大怒，[88]就病倒了。經診斷，他得了瘧疾，感染了肺結核並有精神抑鬱。此後，每逢政治上不如意的時期，他一直患有精神抑鬱。毛澤東在福建汀州的療養院內休養了四個月。他住在一位西方貴族的別墅內，風景秀麗，木制涼廊充滿異域風情，四周環繞着的橘園和蕉園散發着甜美的芳香。

漸漸遠離權力中心(1932–1934)

從1932年毛澤東失去前線軍事指揮權到1934年紅軍開始長征期間，毛澤東的地位難以準確定義。他確實不再參與黨內決策，從1933年1月起留在瑞金後方，僅負責蘇區中央局工作，但是他也沒有成為反對派。[89]

1945年5月末，六屆七中全會重新確立了毛澤東的領導地位，把這段歷史描述為毛澤東被王明、博古等共產黨左派完全剝奪了權力，毛澤東無須為江西蘇區中央遭逢的巨變負責，從而塑造毛澤東的不敗神話。

在這段時間中，毛澤東確實被逐漸邊緣化，但並未徹底。儘管被剝奪了軍事指揮權，但他在軍隊中仍然有一定影響力。而且作為蘇維埃臨時政府國家主席和人民委員會主席，[90]他仍是民事工作上的領導人，還領導了一場土地政治運動。兩年後，紅軍在第五次反「圍剿」中失利，毛澤東帶領紅軍逃出國民黨的包圍圈，重新掌握了紅軍的領導權。

毛澤東的軍事權力被削弱是顯而易見的。毛澤東作為軍委領導人簽署的最後一道命令是10月12日的人民委員會第30號命令，內容是「現任瑞金駐軍司令劉伯承調任前線，瑞金駐軍司令一職由葉劍英擔任[91]」。胡績溪指出劉伯承1932年8月1日曾撰文批評毛澤東的軍事戰略，[92]這次調任昭示着「共產黨軍事路線的轉變」。[93] 1932年10

月25日，周恩來下令紅軍不必等待敵軍深入，全面出擊，摧毀敵軍戰事籌備基地。[94] 紅軍以此戰略在1933年2月至3月痛擊敵軍，大獲全勝：國民黨的兩個師被殲滅，一個師2月末在宜黃附近大敗而逃。3月末國民黨軍隊邊戰邊撤，損失一萬士兵。這場戰役由周恩來和朱德指揮，大獲全勝，採用的戰術已經不同於毛澤東的戰略。[95] 戰場集中在白區，打破了黎川—廣昌—東韶—永豐一帶的包圍，蘇區中央安全了，不過博古和共產國際定下的奪取贛江下游城市的目標並未達成。這場戰役的勝利一部分要歸因於日軍逐漸逼近熱河，迫使蔣介石從江西調動多支部隊應對東北戰事。但是共產黨的領導把這場勝利歸功於紅軍主動出擊的進攻戰略，一掃毛澤東的悲觀主義和缺乏信心。在1933年4月1日的一篇文章中，周恩來樂觀地計劃在蘇區建造更多的要塞，[96] 招募更多的士兵，紅軍兵力要達到十八萬，大大加強進攻火力。

毛澤東反對的進攻戰略卻在戰場上大獲全勝，此時博古、周恩來、李維漢及任弼時[97] 等人準備發起一場政治運動，以孤立毛澤東。

這場運動從攻擊羅明入手。羅明自1932年起任福建省委代理書記，此前在長汀的福音醫院養病時與毛澤東談論了許久。毛澤東分析了閩西戰略形勢，即指出福建和江西一樣，國民黨軍隊隨時可能反撲，應避免陣地戰，加緊開展廣泛的地方游擊戰爭。1933年1月中旬，博古出發前往瑞金之前，在上海與羅明會面，期間羅明熱情地討論了毛澤東的游擊戰略。[98] 當時毛澤東被剝奪軍事指揮權力的決議尚未公開，由周恩來代替毛澤東職務的決定1933年5月才公布，因此羅明當時尚不知情。1933年1月21日在新泉召開的福建省委會議上，他仍然極力主張開展游擊戰爭。會中還談及當前形勢下群眾工作中的困難。1933年1月上旬，博古抵達瑞金，2月15日，和洛甫一起召開中央政治局會議，決議開展反「羅明路線」鬥爭，指責閩粵贛省委即福建省委「形成了羅明同志為首的機會主義路線」，並宣布撤銷羅明的一切職務。[99]隨後的幾個月，運動聲勢越來越大，指責羅明的游擊隊思想、專制主義、農民思想、保守主義和經驗主義等，這些批評正是共產國際對毛澤東的指責。4月，江西省委召開批判會議，與毛澤東相關的領導幹部被撤銷職務或者派往他處，包括會昌中心縣委書記鄧小平、毛澤東的弟弟毛澤覃、江西蘇維埃政府黨團書記古柏和紅軍獨立第五師師長指揮謝維俊。他們被指責為具有農民思想，與馬克思主義格格不入，而他們則諷刺博古等是從外國來的小主人。上千名共產黨幹部受到牽連，遭到審訊，甚至被斥責免職。博古開始解散毛澤東的人際網絡。[100]這次運動不像反AB團那樣血腥，可能是出於博古的人文主義思想；也可能是由於當時蔣介石正積極籌備第五次「圍剿」戰爭，清洗無疑是自殺行為；亦可能是因為紅軍內部部分人員尚不聽從博古，1934年紅軍將領的爭論正是這種體現。[101]

1933年6月，毛澤東出席在寧都召開的中共中央局會議，對前次寧都會議提出批評，為自己受到不公正待遇提出申訴，[102]但沒有得到博古的支持，後者認為沒有前次寧都會議正確的決定就沒有第四次反「圍剿」戰爭的勝利。

同年夏初，毛澤東離開了葉坪的主要領導人住所。國民黨的空中轟炸日益頻繁，毛澤東和其他重要領導人一起住到16公里以西的沙洲壩，[103]以分散紅軍中央領導層。毛澤東被故意隔離開，失勢顯而易見。大家都避之不及，警衛員汪東興[104]曾聽賀子珍說起毛澤東曾經自嘲道：好像我掉進尿桶渾身散發着臭味似的。這段時間，毛澤東廣泛閱讀，有時和陳毅及朱德談論唐詩，或者建議要在馬克思主義者中推行閱讀曹雪芹的古典名著《紅樓夢》。[105] 1934年1月後，他經常與瞿秋白[106]在圖書館會面，兩人一起沉浸在古典書籍的閱讀中，努力加強人民委員會的教育，而此時蘇區中央的領土由於戰事失利正日益縮小。

在這段時間，毛澤東漸漸形成了半退休的狀態，第一次做起了歷史學家的工作。8月13日，毛澤東以1920年時的筆名「子任」在紅軍機關報《紅星報》上發表〈吉安的佔領〉一文。[107]這是篇簡短而色彩絢麗的軍旅散文。在提到黎明的進攻時，毛澤東這樣寫道：「晚上看不見的紅旗一到東方的紅日湧出來的時候，一齊都看見了……發現了敵人的紅尾巴飛機。」他生動有趣地描述敵人被捉時的狼狽：「像捉豬捉羊一樣」捉住土豪劣紳，「這裏牽了一路，那裏鎖了一串」。毛澤東還在佔領吉安的教訓中提到發現「AB團的陰謀」，對之後的血腥清洗卻一字未提。這場戰役的勝利意義極大，這是紅軍1929年2月11日走出井崗山後取得的首場勝利。毛澤東再次經過當時的戰場大柏地，作了一首詞：「誰持彩練當空舞……當年鏖戰急，彈洞前村壁，裝點此關山，今朝更好看。」[108]

毛澤東不是那種會一直憂鬱抱怨的人。儘管在軍事方面不斷遭受排擠，但他努力使自己政治上的權力保持完整，不受任何影響。因此即使被排除在軍事領導人之外，他仍然在1932年10月中旬至1934年夏末27次提出自己的軍事見解。[109]他還指示撤銷新兵招募。1932年11月25日，他要求軍隊在造路的富農苦役[110]中招募新兵，一個民兵監督五個苦役；多次撰文提及當地武裝和游擊隊力量（11人一班，配備3枝槍，5根矛）。毛澤東還多次請求清洗AB團分子，加強軍隊的鬥爭性。

在第四次和第五次「圍剿」戰爭期間，毛澤東多次頒布法令鼓舞紅軍戰鬥。包括兩篇紀念紅軍烈士的文章，在瑞金樹立一座英雄紀念碑以及兩座紀念第四次反「圍剿」勝利的紀念碑。簽署了一系列政府命令以幫助蘇維埃臨時政府擺脱物資禁運、四面楚歌的困境：1932年12月末，號召百姓提早春耕以應對國民黨的武力入侵；1933年3月至6月曾撰文三篇討論蘇區的饑荒及紅軍糧草問題。由於國民黨的封鎖，物資難以自由流通，投機分子哄抬價格，糧價暴漲四至八倍，政府只能向百姓借谷接濟軍隊。1933年6月6日第42號命令號召軍隊啃樹皮，吃樹葉渡過難關。[111]

在此期間，毛澤東另有15篇通告譴責蔣介石和國民黨的賣國行為。兩篇寫於1934年7月的文章，號召向華北派遣工農紅軍抵抗日本入侵；五篇文章譴責帝國主義在上海主持的停戰調解會議。[112]毛澤東尤其譴責英帝國主義利用西藏勢力奪取中國西康省（現四川西部）和四川省，意圖將中國西部變成英國的殖民地。

在工人階級方面，1934年4月24日，毛澤東發表《中華蘇維埃共和國中央政府「五一」勞動節宣言》。4月16日以中華蘇維埃共和國中央執行委員會主席的名義發表《中華蘇維埃共和國中央政府為援助上海美亞綢廠工人罷工鬥爭宣言》。宣言的措詞誇大了事實，「4月10日法帝國主義與國民黨法西斯對工人進行了大屠殺，罷工工人以血肉之軀奮起抵抗23個小時，100名工人被殺，900人受傷。」而事實上只是上千名罷工工人包圍了工廠23個小時，法租界警察在驅散群眾時造成了二十多名工人受傷。[113]

另外還有五篇關於蘇區地方選舉的公文、五篇紀念南昌和廣州起義的文章，有篇涉及經濟問題的文章(發行蘇區貨幣、發行國庫券和控制貨幣流出等)，關於教育問題的文章僅有一篇(1933年10月列寧師範學校招收600名學生，成立革命文藝團體藍衫團[114])。這些行政公文的真實作者未知，主要參考蘇聯的時政出版物，由毛澤東簽名公布，影響力均不大。

1931年12月起草婚姻法，提出男女平等，毛澤東並未參與討論。1919年，毛澤東曾撰文大力讚揚婦女，[115]當國民黨造謠稱「共匪共妻」時還發動了一場聲勢浩大的輿論運動。此次沉默可能是因為確實沒有新的內容可補充。這部法律肯定了婚姻自由，婦女有自由擇偶和提出離婚的權利，大致上符合毛澤東以往的提議。這部法律與中國數千年的封建傳統截然相悖，實施時困難重重。因此1934年4月18日該法律進行了修訂，增添了一條：軍人的妻子若想離婚，需得到丈夫的同意。這次修訂考慮到了軍隊的士氣。毛澤東對婦女性自由的態度也發生了改變，1933年11月在興國區《長岡鄉調查》[116]中顯示出的態度比1930年的《尋烏調查》[117]溫和了不少。文中專門有一段提到了婦女問題：離婚完全自由。在過去的四年半中，1%的婦女結過3次婚，婚姻法實施之前50%的婦女有情人，當婦女有權離婚時，這個比例跌至10%，她們獲得了土地，也更願意參加革命。

1933年6月後，毛澤東寫了多篇文章探討土地問題，確切地說是關於如何確定農民階級成分的問題，共有16篇，有些篇幅頗長。1933年2月起，博古任命毛澤東負責查田運動。查田運動於1932年2月8日開始，毛澤東從1933年6月2日[118]開始正式負責這場運動。

這個任命頗讓人費解，在蘇區中央，土地問題和軍事問題是兩大核心的問題。博古一方面把毛澤東趕出中央領導層，一方面又把他迎了回來。查田運動中，毛澤東握有絕對權力，但這並不保證他一定會作出正確的抉擇。毛澤東在軍事問題上取得前三次反「圍剿」的勝利，獲得黨內一致贊同，這種一致反而可能成為一種陷阱。其實共產國際想把蘇聯斯大林的反富農化運動直接搬到中國來。在面對李立三時，毛澤東的政治立場是中間偏左，主張保護中農階級。然而作為這次查田運動的負責人，他不得不改變立場，以免被視作「右傾機會主義」分子而失去共產國際的支持。

1933年6月17日，中央蘇區瑞金、會昌、于都、勝利、博生、石城、寧化和長汀八縣區蘇維埃負責人參加查田運動大會開幕式。毛澤東代表臨時中央政府發表演說，指出：查田運動必須按照黨中央的指示，堅持階級路線。[119]「土地分配在蘇區五分之四的地區中都存在問題。根據2月末至今的調查，在一個鄉[120]就有27個地主，富農家庭被劃為中農階級。瑞金縣15個區中，[121]15個鄉的蘇維埃領導人的家庭成分不好，約佔領導人數的8%，其中一半人在革命前是地主或者富農。」毛澤東總結說，「農村階級鬥爭還沒有深入」，土地分配要「通過階級成分」劃分。看來江西農村地區即將面臨一場大動蕩。查田運動的步驟如下：先組織貧農投票列出地主階級與富農的名單。鄉區兩級調查委員會提煉名單，最後交由村民全體會議批准或者修改。查明是地主或富農階級的家庭將被沒收土地，剝奪所有資產。「如果過去通過錯了的……應該推翻原案……如是中農一定要賠他的土地財產……如是富農，現在有賠則賠，如果實在沒有賠，只好將來替他想別種方法。」這樣做的目的是爭取群眾，招募更多的軍人士兵。當時整個蘇區氣氛十分緊張，毛澤東卻十分淡然。這場運動提倡絕對均等，與中國古代農民起義十分相似，而毛澤東從小就對這些農民起義的領導人十分欽佩。7月13日毛澤東給瑞金附近一個區的領導人寫信，談到初步成果：在該區12個鄉中有270戶家庭被重新劃入地主和富農階級，約佔當地戶數的10%。查出10例遺漏的家庭，常年由宗族的族長管理，還借了1,000元高利貸給其他農民。這確實是一項嚴厲的土地政策。

8月末，毛澤東發表〈查田運動的初步總結〉。[122]文中指出，從6月的八縣查田大會後，查田運動已經成了一個廣大的群眾運動，取得了偉大的勝利，但有些地方放棄對查田運動的領導，有些地方竟對地主和富農投降。並着重指出，必須迅速糾正侵犯中農利益的「左」傾錯誤。毛澤東着重論證了這一點。「蘇區農村中瀰漫着恐慌氣氛，人們把查田運動錯誤地理解為剝奪中農階級土地的再分配運動。在興國，我們已經把錯誤沒收的土地還給了中農。」此外，貧農對農村無產階級的態度十分強硬。那些通過勞動或者經商獲得收入的富農被劃入地主階級。1931年一個富農因為經商及「一名親戚是AB團分子」而被處決，沒收一切家產，留下了家裏待養活的17口人。這些錯誤都是極左思想造成的。9月1日，在27號摘要中，毛澤東繼續進行深入分析：現下查田運動的目的不是土地再分配，階級成分調查也不是為了把中農劃入危險的富農階級。確定階級成分，要十分謹慎，要逐一調查，避免錯誤地「貼標簽」。「侵犯中農利益的〔是〕絕對不許可的。」「查田運動中，要堅決執行階級路線，以農村中工人階級為領導：依靠貧農，堅固聯合中農，向着封建半封建勢力作堅決的進攻。」絕對不能搞錯敵人。10月10日，臨時中央政府批准毛澤東起草的〈怎樣分析階級〉[123]一文。文中清楚闡明「地主階級是革命的主要敵人。蘇維埃政權將沒收他們一切家產，堅決消滅地主階級」。至於富農，自己參與勞動，但經常地依靠剝削為其生活來源的一部分，應沒收土地，但不沒收耕牛、耕具和房屋。富農也能分配到土地，但土地質量較次。「聯合中農，是土地革命中作中心的策略。中農的土地未經本人許可不可以再分配，有些中農土地不足也能分到土地。」在10月10日的另一篇文章中，毛澤東細緻地定義了階級：生活相對富裕的農民，「如果依靠剝削獲得的收入不超過15%」，仍然被劃為中農，可保留土地；對於那些家庭成員多，長期患病或遭受災害的家庭，剝削收入的比例不超過30%；對工商業收入還有更複雜的計算方法。從中可以看出毛澤東儘量避免極左的土地政策加重蘇區危機，危害革命基石。

隨後毛澤東在11月18日至26日對蘇區南部的長岡、才溪和石水三鄉進行調查研究。在當地兩三位負責人的陪同下，毛澤東做了仔細的調研，情況堪憂：在長岡鄉，1933年春季一整個月鬧饑荒，80%的人口受災。政府決定從富田和東固購買四大斗大米。「百姓解決了糧食問題，可還面臨缺鹽的問題。」65%的適齡兒童去學校上學。11月份人民選舉產生了55名代表(其中16名婦女)，但是參加選舉的候選人人數不足，其中「有四位代表(其中兩名是女性)愚不可及且辦事不力」。93%的選民投票一致。當時正在「趕製一面50厘米寬的紅旗，全鄉五分之四的人運送旗幟到省會參加一個紀念儀式，而且儀式中的六千個爆竹是由百姓集資購買的」。全鄉1,784名鄉民自1928年起陸續有320名外出打工或者參加了紅軍。在當地招募士兵226名，約佔全鄉人口的13%，其中三分之二的人是當年招募的。毛澤東得出結論道：「根據此次及上次的調查（1932年），蘇區已經沒有地主和富農了。」這個結論同樣表現出毛澤東在土地政策上溫和的立場。事實上，毛澤東在這次運動中的做法和面對「立三路線」時是一樣的：表面上接受「左」傾的土地政治路線，實施時儘量採取溫和的做法，比如在這次階級劃分中認定中農不屬地主或富農階級。然而共產黨的規定要求沒收一切私有財產。自然博古等人會攻擊毛澤東。

當然，1933年秋天實施這項溫和的土地政策，也是戰爭局勢所迫。1933年5月31日，蔣介石向日本妥協，簽訂有利於日軍的塘沽協定，[124]從而能夠抽身對付察哈爾省的民眾抗日同盟軍及共產黨。1933年秋，蔣介石在廬山多次召開國民黨高級將領會議，最終通過了「攘外必先安內」的方針。10月初，國民黨在黎川一帶展開第五次「圍剿」戰爭，五十萬兵力的國民黨軍隊加上三十萬人的輔助人員，修碉築路，穩步推進。共產黨軍隊在兵力和武器配備上都遠不如國民黨。前幾次反「圍剿」的勝利，使朱德、博古和周恩來等人對形勢的估計過於樂觀，決定留在蘇區打陣地戰。共產國際還向紅軍指派一名軍事顧問——德國人李德[125]，他於10月抵達瑞金。同月，朱德指揮紅軍重新奪下黎川，戰事僵持了整整一個月，付出了巨大代價。紅軍運用1932年至1933年冬第四次反「圍剿」戰爭的經驗，採取面對面的進攻戰略，但是這次是一個徹底的失敗。

正當國民黨準備發動第五次「圍剿」戰爭時，駐紮在福建的國民黨第十九路軍發生了兵變。[126]這支粵系軍隊從上海調駐福建「剿共」前線，當地土地貧瘠，稅負又重，1932年孤軍在上海抵抗日本入侵等事件使指揮官普遍對蔣介石不滿。塘沽協定的簽訂徹底激怒了他們。陳銘樞司令、蔣光鼐總指揮與李濟深密謀準備起義。9月，他們頻繁與共產黨接觸，10月26日在瑞金與共產黨簽訂停火協議並達成《反日反蔣的初步協定》。[127] 11月20日，國民黨軍第十九路軍將領蔡廷鍇、陳銘樞[128]、蔣光鼐[129]和國民黨內李濟深[130]等一部分反蔣勢力發動「福建事變」，成立抗日反蔣的「中華共和國人民革命政府」，公開宣布同蔣介石決裂。當時共產黨並不信任「剿共」的十九路軍，他們還深刻地記着1931年與十九路軍交手的情況。毛澤東也有這種偏見，他不信任這種兒戲般匆忙的決定，但是他敏感地覺察到這是軍事上的一個大好時機。1933年12月5日，黨中央就「福建事變」向人民發表聲明，批評此次事變沒有實際行動。[131] 12月20日，黨中央致電「閩變」領導，當時蔣介石已經開始進攻十九路軍，剿滅叛變。電報的基調比較謹慎：當地紅軍在條件許可的情況下與十九路軍共同抵抗蔣介石軍隊。第二封電報於1934年1月13日發出，再次要求十九路軍「武裝群眾」，但對於派遣共產黨軍事力量輔助作戰卻隻字未提。而且當時為時已晚，[132] 十九路軍的大部分指揮官已經叛逃。1月中旬開始，「福建事變」在兩週內即被平息。2月11日，蘇區中央還暗自慶幸沒有掉入「閩變」的陷阱之中。

隨後，第五次「圍剿」戰爭開始了，很快共產黨就陷入了絕境。

毛澤東：輸就是贏

1月15日至18日，在瑞金召開了共產黨六屆五中全會。四中全會在1931年1月召開，批判了「立三路線」，選舉產生了以向忠發為首的黨中央，在向忠發被捕遭殺害後由博古繼任。後黨中央被迫撤離上海，遷往瑞金。經過三年，政治形勢發生了巨大變化，迫切需要重新審視形勢。

五中全會沒有留下原始資料。[133] 1945年的《黨史若干問題決議》一文把這次會議看作第三次「左」傾路線發展的頂點。毛澤東因病沒有出席。據李德回憶，博古當時嘲諷了毛澤東的缺席。會上毛澤東被選為新一屆中央局委員，但沒有被列入政治局常務委員(即秘書處)名單。王明和張國燾缺席進入秘書處。選舉產生了四位主要領導人:博古、洛甫、周恩來和陳雲。當毛澤東需要閱讀存放在洛甫處的中國蘇維埃運動報告一文時竟然遭到拒絕。大會上，陳雲做了白區情況的報告，洛甫做了蘇區情況的報告。1月16日，博古介紹了黨目前的工作形勢和任務並組織討論。[134]全會完全接受共產國際在1932年9月第十二次全體會議上做出的對世界形勢和中國的分析，博古顯得十分樂觀：蘇聯第二個五年計劃獲得成功，資本主義國家陷入1929年的經濟危機中。南京政府統治出現了分裂，「福建事變」就是一個很好的例子。第五次反「圍剿」戰爭的勝利將實現一省或數省的蘇維埃革命首先勝利。第五次「圍剿」戰爭必將像前四次一樣徹底失敗。奇怪的是，大會上竟然沒有詳細地分析和討論當前的軍事形勢。

1月24日，第二次蘇維埃全國代表大會在瑞金召開。大會洋溢着歡欣鼓舞的氣氛，毛澤東致開幕詞，介紹了中央蘇區在經濟領域取得的成就[135]以及五中全會對目前形勢的分析。致詞中還提到查田運動的調查分析。「有些地方不注重農民分配土地的權利，農業生產大幅降低。」毛澤東認為國家在目前階段需要私有經濟部門，不能視之為危險的「右傾機會主義」。經過兩天的討論，毛澤東再次作總結發言。對目前無序的狀態，毛澤東流露出隱隱的擔憂。(1)「有些同志」錯誤地認為我們已經擊碎第五次「圍剿」，事實上決定性的戰役就在眼前。(2)「有些同志」誤以為「福建事變」是革命性的，其實這是反革命的陷阱。(3)「有些同志」認為福建的地主繼續向農民收取地租，整個蘇維埃政權為機會主義者所把持，這不是事實。(這條結論影射反羅明路線運動，在1950年再版時被刪去。)(4)「有些同志」批評新婚姻法給予婦女離婚的便利以及將男女法定結婚年齡推遲到20歲和18歲。這些批評是不正確的，如果丈夫是軍人，則妻子必須得到丈夫同意方能離婚。[136]而且「過去貧農要等到四五十歲方能成婚，而現在他們只需要等上一兩年就行了」。(5)「革命必須在各個方面給百姓帶來好處」，但是有些同志「只講擴大紅軍，擴充運輸隊，收土地税，推銷公債，其他事情呢，不講也不管，甚至一切都不管」。比如在汀州，群眾的問題是沒有柴燒，資本家把鹽藏起來，群眾沒有鹽買，有些群眾沒有房子住，那裏缺米，米價又貴。相反，在江西的長岡，福建的才溪，[137]擴大紅軍容易得很。長岡青年壯年男子百個人中有80個當紅軍去，才溪鄉百個人中有88個當紅軍去。公債也銷得很多，長岡1,500人，每戶銷了3元公債。在興國也是如此，「如果我們從早到晚只是千篇一律地重複『要擴大紅軍，要擴大紅軍』，就像老和尚不停地念『阿彌陀佛，阿彌陀佛』，最後我們得到的只是阿彌陀佛，紅軍士兵一個都招募不到」。

1月29日前方傳來消息，蔣介石兵分三路向中央革命根據地大舉進攻。「二蘇大」主席團決定縮短會期，緊急動員群眾上前線。毛澤東作了大會報告。報告只用了半小時，儘管他不在前線，但是對前方軍事形勢的分析卻十分精彩。他指出，國民黨「大築烏龜殼」，大修堡壘，從三路進攻。東路軍集結於福建沙縣，翻越武夷山進攻瑞金。中路軍由陳誠任總指揮，從黎川進攻建寧，向廣昌推進，是「圍剿」的主力軍。西路軍一個縱隊位於永豐，向蘇區中心的興國推進。毛澤東強調第五次反「圍剿」戰爭決定性的戰役就在眼前，要團結一致粉碎敵人的「圍剿」，就要努力擴大紅軍，推進赤色戒嚴，鎮壓反革命活動，實行堅壁清野，動員運輸隊上前線去，集中糧食保障紅軍供給，使一切蘇維埃工作配合革命戰爭。「我們一定會取得勝利，我們不是三歲小兒，我們有前三次粉碎圍剿的寶貴經驗。」毛澤東在報告中暗暗地提到了他領導的前幾次反「圍剿」戰爭的勝利。

2月1日，毛澤東宣布第二次全國蘇維埃代表大會閉幕。大會選舉毛澤東等175人為中華蘇維埃共和國第二屆中央執行委員會委員，16名候補委員。毛澤東等17人組成主席團，選舉毛澤東為中央執行委員會主席，項英、張國燾為執行委員會副主席。2月3日，第二屆中央執行委員會第一次會議選舉洛甫為人民委員會副主席。毛澤東辭去人民委員會主席職位，由張聞天擔任，蘇區中央政治主動權仍在毛澤東手裏。代表們都對毛澤東的工作印象深刻，認為他是唯一說實話的中央領導人。

然而，軍事形勢日益嚴峻。4月10日打響的廣昌戰役具有決定性意義，廣昌是瑞金最後一道屏障。[138]博古把軍委搬到廣昌，代替周恩來任總政治委員。他把指揮權全權交給李德，後者下令發動反攻，衝殺切割敵人封鎖線，以打破包圍圈。這場戰役紅軍付出慘重代價仍未能保住廣昌。4月28日廣昌失守。

與此同時，博古在洛甫的支持下重新開展查田運動，這次毛澤東沒有參加，但是可能得到他的許可。在嚴峻的戰事下，共產黨對秘密社團和地主護院的活動尤為敏感。而農民已經對各種肅反運動已經十分反感，起義反對革命政府。成千上萬的難民出逃，紅軍戰士大批逃跑，村與村之間相互指責。國民黨軍隊佔領後的大屠殺更加劇了這種恐慌。這種紛紛逃命的情形一直持續到當年秋天戰事結束。國民黨軍隊吸取了前幾次失利的教訓，放棄長驅直入的打法，穩紮穩打，逐步推進，戰事持續了很長時間。

或許是出於策略考慮，或許是政敵故意為之，毛澤東從5月末起便不再參加任何會議。他前往會昌與于都兩縣間地區視察。[139]或許他很清楚紅軍的失敗已經不可避免，最好還是保持距離。李德在《回憶錄》中指控毛澤東故意疏遠中央，意圖分裂黨。但是金沖及的《毛澤東傳》提到5月末毛澤東在會昌一帶十分活躍。[140]他和當地的軍事負責人交談，尤其是井崗山的老戰友何長工。他還親切會見一位剛剛被陳濟棠擊敗撤退至會昌的將軍。毛澤東指出：他們面對的敵人那麼多，現在應把主力抽下來，以小部隊採取游擊戰和帶游擊性的運動戰的打法，牽着敵人的鼻子兜圈子，把它肥的拖瘦，瘦的拖垮；同時還要向陳濟棠的部隊和敵佔區人民開展強大的宣傳攻勢。毛澤東重提自己的軍事戰術，反對奧托．布勞恩(Otto Braun)、周恩來和博古等人的領導團。[141]這也是李德指責毛澤東的原因。在金沖及所著的傳記中還提到毛澤東給當地幹部作報告，討論查田運動，在黨和紅軍內部進行肅反，提高鎢礦開發，擴大蘇區範圍，這些在當時的情形下都是難以實現的。這些看上去有些可笑的言論或許是為了表現他沒有故意疏遠，或許他早在2個月前已經從老朋友何長工處得知撤退的消息，可能連路線也十分清楚。[142]7月末，為了躲避國民黨的轟炸，毛澤東撤出沙洲壩，和賀子珍住在瑞金以西

19公里處的雲石山上的道觀中。[143]四周風景怡人，岩石、瀑布、松林和竹林密布。9月初，毛澤東再次前往于都，心裏十分清楚這裏是紅軍撤退的必經之路。當地一位紅軍將領龔楚在回憶錄中說道，他給毛澤東送去了一隻雞和兩斤豬腳，毛澤東拿幹部特殊津貼付了10塊錢。賀子珍用這些東西做了一桌美味佳肴。晚上9點，龔楚來找毛澤東，兩人喝着米酒，抽着煙，就着豆油燈回憶起在井崗山的艱苦歲月。毛澤東在談到被排擠時還灑下了眼淚。[144]（龔楚的這些描述應該是有些加工的。）儘管喪失了決策權，但毛澤東和王明、洛甫一樣時刻關注着時勢變化。

當時，中共中央的領導核心是李德、周恩來和博古三巨頭領導等人。1934年春天後，共產國際意識到江西蘇區的失敗已經不可避免，建議紅軍撤出根據地，跟張國燾撤出鄂豫皖根據地一樣，進行戰略轉移。[145]秘書處開始着手籌劃，經過長時間醞釀，5月正式做出撤退的決定。3月27日毛澤東獲知轉移的打算，此後就跟其他政治局委員一樣直到最後才得知正式決定。[146]為了突破國民黨的鉗形包圍圈，中央命令紅六軍團一萬餘人，由任弼時和蕭克指揮，8月初撤出江西根據地，前往湘南開展游擊活動。紅六軍成功突破桂東—汝城一帶封鎖線，長途跋涉數月後於10月末在湘西北，川西南的武陵山與賀龍指揮的紅二軍順利會師。[147]紅七軍七千人由方志敏和尋維州指揮，組成北上抗日先遣隊，向浙江方向突圍，減輕國民黨對中央革命根據地的壓力。紅七軍行至閩江，逼近福州，迫使蔣介石火速從江西調離兩個師回防，達成預定目標。然而，11月江西中央蘇區迅速淪陷，蔣介石立刻騰出二十萬兵力全力追堵先遣隊，紅七軍12月14日在安徽南部黃山不遠處幾乎全軍覆滅。[148]在瑞金，李德堅持僅撤離少部分人員，日後再返回江西，而周恩來堅持大部隊轉移，放棄江西根據地，博古支持周恩來的建議。接着他們開始討論參與轉移和留下來堅持鬥爭的人的名單。領導們十分清楚留下來幾乎是必死無疑的。激烈的戰事和江西炎熱的天氣使野戰醫院裏躺滿了傷病員。於是受了重傷的陳毅和重病中的瞿秋白被留了下來。當然根據地還需要有才能的領導組織游擊活動，因此項英也留了下來，[149]這可能是因為他過去是支持李立三的原因。毛澤東也差點留下來，9月末他突發惡性瘧疾在于都病倒，幸虧洛甫迅速派了傅院長給毛澤東治病，在注射了奎寧後，毛澤東總算病愈。數月來的戰鬥使洛甫對博古和李德的無能頗有微詞，轉而對毛澤東的軍事遠見欽佩不已。[150]

1934年10月10日，在中央革命軍事委員會的命令下，紅軍八萬人開始撤出瑞金，向西北轉移。項英和陳毅帶領三萬人留下來，一半人組成了八個獨立團的師部，另一半人組成游擊隊。10月15日，毛澤東剛剛病愈，身形消瘦，在于都召開會議，向留下來的士兵發表講話，指出紅軍的撤離並不意味着革命的失敗。[151] 10月18日，毛澤東帶着警衛班離開于都縣城，穿過贛江上的舊橋與贛江另一端的大部隊會合，踏上長征的路途。賀子珍後來也追上大部隊。她再次懷孕了，生下孩子後不得不把孩子交給當地一名農婦撫養，這個小孩從此以後再也沒能找到。

毛澤東並不是失敗者，他還是政治局委員及蘇維埃共和國臨時政府國家主席。而且他不必承擔戰鬥失利的壓力，因為如果按照他的軍事戰略，失敗可能就能避免。他的政治命運體現的正是「輸就是贏」這個道理。

第八章

毛澤東的報復(1934年10月–1937年9月)

這三年中，長征初期的毛澤東在政治上還是個失敗者，後來被確立為共產黨和國家的主要領導人。幾年後誕生了一個神奇的共產主義政權，開闢了新的道路。這幾年主要可以分為三個階段。[1]

第一階段，1934年10月至1935年10月長征。長征締造了新中國。在第一個階段中，毛澤東重新掌握了自1932年起丟失的權力。

第二階段，毛澤東和張國燾的紅四方面軍會師，同年夏天兩人決裂，毛澤東率領幾萬追隨者抵達陝北。

第三階段大約持續了一年多，國共形成抗日統一戰線，共產黨得到了新生。短短一千多個日子，毛澤東就從一支衣衫襤褸的「土匪」部隊的首領成為全國最大的反對黨領導，共同參與愛國戰爭，聲名遠播海外。

長征還是災難

儘管出發前共產黨召開過多次籌備會議，但長征究竟該走向何處仍未確定：最終目標是從湘南繞行重回江西？還是在湘北與賀龍、任弼時的紅二、紅六軍團會合？抑或是在湘南重新建立根據地？沒有人想到長征最後會走了一萬多公里抵達邊遠的陝西。[2]

紅軍分成三個野戰縱隊開始轉移，[3]主力在于都橫渡贛江。此處贛江江寬一百米，紅軍從一座古石橋以及五座浮橋上經過，水淺處士兵直接涉水而過。隨行有一支運輸隊，由三至五千名僱工（每日領取一元工資）和幾百名前幾次「圍剿」戰鬥期間的苦役組成，部隊綿延八十公里。毛澤東後來向斯諾提起，整個隊伍不像是軍隊行軍，更像是在搬家。這些人負責搬運印刷器材、銀行貨幣模板、無線電與電報機、炮彈彈藥、兵工廠設備、數箱黃金白銀、一台X光機、數千箱檔案、多台發電機設備、兩台克虜伯山炮[4]以及數十發炮彈。

毛澤東穿着粗布上衣，背着兩床鋪蓋，一把傘，一袋書，一件雨衣和一件大衣。沒有背着之前常背的九袋背包。他剛剛病愈，行路困難，由一名護士和一名秘書隨行。剛開始，他還騎着自己的愛馬，後來山路崎嶇，身體疲憊，漸漸騎不動馬，[5]只能躺在擔架上，由四個士兵擔着擔架趕路。擔架上面有一塊蠟布，避免毛澤東遭受日曬雨淋。另一位領導王稼祥在第四次「圍剿」戰爭中身負重傷，彈片卡在腹部取不出來，[6]也只能躺在擔架上，長征途中胃部都插着流管。兩人在路上時而討論唐詩，時而交流對政治和軍事的看法。有時候山路太窄，士兵就把兩人的擔架頭尾兩連，使兩人的討論不被中斷。兩人均不需要對失利負責，轉而深入分析失利的原因，有時候二縱中央工作團共青團總支書記胡耀邦和周恩來的妻子鄧穎超也加入討論，胡耀邦患了瘧疾，鄧穎超患了結核，都躺在擔架上。他們都對博古及李德兩人的盲目樂觀、剛愎自用十分不滿。哈里森．索爾茲伯里（Harrison Salisbury）把這些談話稱作「擔架密謀」。[7]

紅軍8.6萬人從瑞金出發，在崎嶇的小路上趕路，只有35名女性，都是重要領導人的妻子。其中二十多人充當護士，協助6名醫生工作。傷重難愈的士兵只能留在農民家裏，部隊留下幾塊錢買藥以及一名所謂的醫生。大部分留下的人都被追兵俘虜，槍斃。

由於大雨如注，很快大家都裹上了一層泥漿。這八萬六千人中有約四萬多名士兵，剩下的是幹部、後勤和機關人員。[8]這支部隊成為後來的紅色政權的核心，幾乎所有蘇維埃政權的幹部都在其中，包括國家主席和黨的總書記。

紅軍一萬多公里的長征異常艱苦，路上行軍368天，其中235天在白天趕路，18天夜間行路，以躲避國民黨軍隊空襲。幾乎每天都有一到兩次武裝衝突，大的戰役有整整15天。整個行軍中只休息了100天(其中56天在四川西北部)。隊伍中主要是負得了重、趕得了長路、做得了粗活的農民。他們平均每天在崎嶇小路上趕路39公里，有時候甚至需要開闢道路前行；突擊隊有時一天要走80公里路。大部隊經常需要在4天中行軍200公里。在剛開始的幾個星期後，幾乎所有馱物的牲口都不見了，腳力也逃的逃，溜的溜，最後都是士兵用扁擔把這些物資挑到陝西的。要知道他們本身已經有三十公斤的配備：一枝槍、兩顆手榴彈、五十發子彈、五斤大米、鹽、乾蔬菜和辣椒、水壺和碗、另有一條鋪蓋、一套冬衣、三雙厚底布鞋(鞋尖和鞋跟還包了鐵)。每個士兵還有一把油紙傘和一根拐杖。兩盒木棒插在綁腿內，紅星八角帽內還插着一根針。很快帽子就換成大大的竹葉帽，藍色棉織軍服也破損了，跟普通農民沒兩樣。這身衣服幫助掉隊的士兵迅速逃入村莊隱蔽起來，但是士兵想逃跑也更加容易了，尤其是在長征初期。這支英雄的部隊越來越像

《水滸傳》中的人物，而非20世紀的部隊。他們與太平天國和中國歷代農民起義部隊無異了。

毛澤東要比博古、洛甫等從國外歸來的知識分子更了解這支隊伍，他的影響力隨着部隊深入內陸與日俱增：長征的線路就像畫在中國傳統封閉的西部地區上的一個括弧，兩端是江西和陝西，弧頂是貴州；與之相對的是近代開放的太平洋沿岸，從廣東到北京，以上海為弧頂的另一個括弧。這支無產階級的革命隊伍轉移到了中國最古老的地域。在那裏我們找到了毛澤東征服中國，克服挫折和失敗，獲得成功的秘密。

突破封鎖

國民黨軍隊集結大量兵力，組成了四道封鎖線。為了突破封鎖，博古、李德和周恩來4月初派潘漢年與何長工[9]喬裝打扮，與粵系軍閥陳濟棠秘密協商。陳濟棠素來與蔣介石不合，在第五次「圍剿」中負責防堵紅軍南下，十分擔心南京政府會借機消滅自己的勢力。陳濟棠根本不願意與紅軍交戰，而且早與贛南紅軍定有物資流通與購買的秘密協議。老謀深算的他深知與紅軍作戰將導致蔣介石的中央軍進入廣東，從而使他失去自己的地盤。而且何鍵[10]的湘系軍隊已經沿湘江而下，集結在粵湘邊境。因此陳濟棠決定和共產黨簽訂秘密協議，雙方停火並給紅軍讓出十幾公里的通道。[11]這使紅軍10月21日晚輕易地突破信豐一帶的第一道封鎖線進入廣東境內，並在11月2日順利突破粵北城口一帶的第二道封鎖線。

但是當紅軍部隊繼續南下至大庾山一帶時，先頭部隊遭到陳濟棠軍隊的頑強阻攔，全力攔截紅軍進入廣東腹地。紅軍於是向西行軍，復向北，輕而易舉地突破湘南的第三道封鎖線，抵達藍山後才休整兩天。過了好幾天，蔣介石才明白紅軍突圍旨在離開江西不再打算返回，11月12日蔣任命何鍵為「追剿」總司令，薛岳協助「追剿」殲滅紅軍。蔣介石認為在這個季節湘江河水不深，紅軍可能在全州和興安[12]一帶涉水渡江，與賀龍的部隊在湘北會合。於是何鍵率領湘軍和中央軍12個師，在全州—灌陽—興安一線50公里內集結軍隊，意圖將紅軍殲滅於湘江。國民黨軍隊此次調遣使得紅軍輕易地突破了第三道封鎖線。

張戎和哈利戴從何鍵的態度中得出以下結論：紅軍能夠突破國民黨的封鎖實際上是蔣介石暗中計劃好的。[13]主要原因有兩個：其一是他計劃把紅軍趕進黔滇川，利用「追剿」中共之際進入西南三省。這三省面積約是法國的兩倍大，人口一億多，仍由軍閥統治，不服從蔣介石的統治，處於半獨立狀態。因此在紅軍未進入此三省前尚不能將之消滅，以免錯失良機。其二是蔣介石長子、蔣氏的親生骨肉蔣經國被蘇聯人扣為人質。1925年11月，年僅15歲的蔣經國被國民黨要員邵力子送往莫斯科學習。早年蔣介石對邵力子十分信任，後來才證明邵其實是共產黨。此後蔣經國被迫在1927年「四一二事變」後公開指責其父，1931年與被俘的兩名蘇聯代表交換才得以回國，[14]從中也可以看出蔣經國當時被挾持。蔣介石為了愛子不得不想方設法營救困境中的共產黨。[15]這個父愛的觀點十分感人，但是依照當時的情形，這種觀點難以令人信服。

確實，11月15日紅軍輕易地在湘南汶河一帶突破何鍵的第三道封鎖線，但其中緣由並非如張戎與哈利戴所陳述的那樣。相反，何鍵在兩日後被蔣介石任命為紅軍「追剿」總司令，並不是為了嘉獎他出色地完成任務，而是為了給共產黨拉開一張「追剿」大網。在共產黨意欲渡過湘江，突破第四道封鎖線時，何鍵給了紅軍致命的打擊。11月27日，紅軍先頭部隊紅一、紅九軍團已經開始搶渡湘江。桂系軍閥白崇禧和粵系軍閥陳濟棠一樣不歡迎何鍵率領湘軍到來，故意給紅軍留出40公里的通道。至當日晚，先頭部隊已經渡過湘江，控制了湘江兩岸。如果輕裝急行軍，一天即可趕到。可是，軍委縱隊携帶着從蘇區運出的大量物資，行動遲緩，距湘江渡河點還有八十多公里，需要花上四天才能到達。這同時拖慢了擔任保護任務的第二縱隊（紅三、紅九軍團）和殿後的紅五軍的進度。11月28日，何鍵率十幾個師抵達全州，向正在徒步涉水過江的紅軍發起猛烈攻勢。空軍飛機從天上瘋狂掃射，整個戰役持續了三天，到12月1日晚上才結束。聶榮臻在回憶錄中提到這是紅軍長征途中最慘烈的一役。紅軍共損失一萬五千人：林彪的紅一軍團和彭德懷的紅三軍團為了保住渡口損失慘重；紅九軍團和紅五軍團則為了保護軍委縱隊渡江而被全殲，幾乎所有的物資裝備都丟棄了。此役過後，從江西出發的八萬六千人僅剩下了三萬多人。渡江後，紅軍放棄直接北上，轉而西行，利用廣西北部複雜的地形掩護，躲避國民黨的「追剿」，避免被全殲的命運。[16]紅軍疲憊不堪，士氣低落，像一支逃亡的部隊，上千士兵逃跑。博古和李德的處境更加困窘，毛澤東則在暗暗地等待機會的到來：他越來越像紅軍最後的救世主。無論怎樣，紅軍此時的狀態只適合打游擊戰，任何與敵軍的正面交戰都無異於自尋死路。

張戎和哈利戴曾經對這種分析提出異議。[17]他們認為何鍵了解蔣介石的真實意圖，故意退讓，尤其是讓紅軍參謀部在數日內渡過湘江，然後裝模作樣地在12月1日向殿後部隊發起進攻。整場戰役只有三千人犧牲，[18]共產黨的傷亡主要來自士兵出逃、重傷未愈或者脫水而死。然後何鍵利用「追剿」之際順利控制了貴州、雲南和四川三省。這種觀點的問題在於當時共產黨領導原本未計劃要向西挺進，他們起初的計劃一直是到湖南西北與賀龍領導的紅二方面軍會合，湘江戰役遭受慘重損失後才決定向西而行，因此這個決定是偶然的。何鍵既不可能知道最高統帥的內心願望，也不可能事先預知共產黨的決策。

在這幾週中，毛澤東和其他人一樣經歷着殊死戰鬥。他從一片絕望的形勢中看到了一線轉機。「三巨頭」博古等人的領導方式是不適用的，而且已經走到了盡頭，入春以來連番遭受軍事失利是一系列決策錯誤所導致的。博古和李德堅持北上與紅二軍會合，但是在北上的道路上蔣介石已經設置三十萬精兵布防，準備像湘江戰役一般殲滅紅軍。所有的將領和士兵都不願意走這條路。毛澤東在王稼祥和洛甫的支持下，力挽狂瀾。周恩來感覺到了部隊中緊張對立的氣氛，在湖南通道縣一個封閉的農莊中緊急召開政治局會議。[19]通道縣位於湖南西南，雙江江邊，地處湘黔桂三省交界處。會議一直開到晚上，毛澤東起先比較謹慎。博古和李德不顧湘江戰役的慘烈教訓，堅持北上與紅二軍會合。毛澤東從敵軍重兵阻攔紅軍主力北上這一情況出發，力主向西，向敵人兵力薄弱的貴州進軍。貴州的士兵只有「兩根桿」——槍桿和煙桿，易於紅軍躲避「追剿」。在這次政治局會議後紅軍方才確定了長征的路線。周恩來同意毛澤東的看法，命令部隊第二日向西行進。這也是毛澤東自1932年寧都會議後，他的戰略路線第一次被採納。15日，紅軍進入通道以西50公里的貴州黎平縣。國民黨追軍還在湘西的大山裏徒勞地搜尋。紅軍暫時擺脱追兵，能夠在這裏好好休整幾日。18日在黎平縣召開政治局會議。毛澤東的主張得到了洛甫、王稼祥的支持，周恩來保持緘默。會議決定放棄與賀龍部隊會合，以遵義為核心，在黔北大婁山一帶建立新的根據地。隨後，召開政治局擴大會議。會議只是對離開江西以來紅軍遭受的損失感到悲痛不已，對第五次反「圍剿」失利原因的探討卻十分含糊，甚至還不適時地論證游擊戰的危害，這應該是周恩來發起的對毛澤東的攻擊。20日，部隊整裝出發，擊退了黔軍的阻攔，後抵達貴州的商業中心猴場(現草塘)。

1934年12月31日至1935年1月1日，中央政治局會議召開，重申毛澤東的主張：建立川黔根據地。李德指出，國民黨三個「追剿」師正以迅猛速度接近紅軍。他是為自己的主張作最後的努力，但是沒有得到支持。決議指出要抓住反攻的有利時機，並不失時機地力求在運動戰中各個擊破敵人，必須避免大規模的陣地戰。由此，毛澤東的軍事戰術自1932年為周恩來博古等人所摒棄後重新被接納。會上，周恩來通過決議，撤銷李德軍事顧問的職務。顯然，這是為了在召開遵義政治局擴大會議前找一個替罪羊來承擔一切軍事錯誤。

遵義轉折

1月2日，紅軍用蘆葦和竹子搭木筏架起浮橋強渡烏江。渡過烏江後，貴州省唯一的一條石路，連接了貴陽、遵義和四川。相對之前經過的地方，這裏地勢相對平坦，物資豐富。唯一的阻礙就是天險烏江，河床由玄武岩構成，河流湍急，每秒達到1.8米，水深好幾米，江面寬250米，江上僅有12艘渡船，每艘船上有一個營的士兵把守。遵義城中還駐有一個營的守軍。城內有居民八萬，主要商業為鴉片生意，而且離著名的高粱白酒之鄉茅台不遠。然而面對紅軍的逼近，所有士兵都跟着守將[20]一起不戰而逃了。

1月7日，紅軍順利佔領黔北重鎮遵義，兩天後舉行了慶祝勝利的閱兵式。共產黨的領導都住進了原黔軍貴族的漂亮宅邸中。毛澤東同洛甫、王稼祥住在一棟三層紅磚別墅中，有一個漂亮的陽台。博古和李德住得較遠，在一個天主教教堂的對面，教堂後來改為野戰醫院。15日，朱德召開簡短會議，紀念1919年在柏林被殺害的革命烈士卡爾·李卜克內西和羅莎·盧森堡。女眷們都住在第三中學，賀子珍已經懷孕八個月。朱德、周恩來和軍委被安置在不遠處的一座方形兩層灰磚小樓內。大屋高牆垂門，方形客廳十分寬敞，鋪着胡桃色地板，有25張不成對的椅子和幾張彎腿桌子。室內有一盞油燈照明，僅有一個鐵做的小火盆取暖。屋子的原主人是一個富有的銀行家，已經逃往貴陽。

1月15日傍晚到17日，在這座小樓裏召開了中央政治局擴大會議，[21]會議原定於12月中旬召開的。17日下午，前線戰事吃緊，會議中斷，經18名委員討論和投票的兩項決議尚未來得及通過（決議經過秘書處修過，直到數週後的2月8日才正式發布）。當時，紅三軍和國民黨軍隊在遵義以南30公里處的刀把水古鎮展開交鋒，同時薛岳率領軍隊開始橫渡烏江。與會的紅軍將領決定立刻休會，當日傍晚迅速回歸戰鬥崗位，指揮作戰。1月19日清晨，紅軍撤出遵義。

參加遵義會議的有20人。其中6名政治局委員：博古、洛甫、周恩來、陳雲、朱德和毛澤東；4名候補委員：王稼祥、何克全(又名凱豐)、劉少奇和鄧發；7位軍事將領：劉伯承、李富春、林彪、聶榮臻、彭德懷、楊尚昆和李卓然。[22]還有共產國際特派員李德。鄧小平擔任中央秘書長，李德的翻譯伍修權也一同參加了會議。王稼祥和聶榮臻在湘江戰役中受了腳傷，躺在擔架上開會。這次中央政治局擴大會議幾乎所有的政治局委員都出席了。張國燾、陳毅、任弼時和項英等人缺席。2月中旬，中央致電通知缺席委員遵義會議的決定，這一決定同時在紅軍和黨內領導層[23]中發布，李德稱「遵義會議是毛澤東奪取紅軍和黨內權力的第一步，也是最重要的一步」。[24]這一觀點是不足信的。大會由博古主持，他首先以中央政治局名義作總結報告，深刻分析了第五次「圍剿」戰爭和紅軍撤出江西根據地的形勢。博古的演講沒有準備講稿，但十分流利，他把失利歸咎於「客觀因素」：兩軍軍事實力存在巨大差異，帝國主義大力支持南京政府等等。接着，周恩來從主觀角度分析了戰略戰術及軍事指揮上的錯誤，如為應對國民黨軍隊封鎖包圍築造的防禦工事毫無作用，但對於他本人支持的過度防守戰略以及造成的後果他卻隻字未提。在他看來，戰事失利的主要責任人是李德。洛甫第三個發言，批評了博古的分析。

之後毛澤東作了重要發言，一小時的發言數度被掌聲打斷。與前幾位領導人不同，毛澤東說了實話，也說出了大夥內心真正所想的。他嚴厲批評了軍事上的保守主義和單純的防禦路線，這種防禦路線使紅軍在敵軍猛烈的火力和空襲下極易被發現、被摧毀，李德所謂「短促突擊」的戰術原則，使紅軍被敵人以持久戰和堡壘戰術擊潰；指責長征開始向西行進的路線是逃兵思想。會上王稼祥宣布取消李德和博古的軍事指揮權，改由毛澤東負責。陳雲和劉少奇都發言支持毛澤東。只有凱豐為博古辯護。聶榮臻在回憶錄中提到，凱豐數次打斷毛澤東，批評道：「你根本不聽從馬克思列寧主義，你所讀的只是孫子兵法。」[25]彭德懷、聶榮臻和劉伯承等將領都批評李德。由於伍修權因會議上激烈的氣氛而感到不適，無法進行翻譯，李德難以跟進會議。他長時間一言不發，低着頭，在客廳一角不停地抽煙。朱德和周恩來給了致命的一擊。這一次，周恩來痛擊了博古。

2月8日遵義會議決議獲得通過，重申了毛澤東的主張。對毛澤東而言，這個勝利顯然是重要的，但是還不足以決定日後他成就的偉業。會議增選毛澤東為政治局常委。毛澤東成為五位中央領導人之一。儘管當時他的朋友們仍然沿用蘇維埃共和國時期的稱呼「主席」，但是毛澤東還不是共產黨黨首，也非黨內第一號人物。遵義會議取消了博古、李德的最高軍事指揮權，決定仍然由中央軍委主要負責人朱德、周恩來指揮軍事，毛澤東為周恩來在軍事指揮上的幫助者。博古被孤立，對此氣惱不已，於2月5日辭去共產黨總書記職務，由洛甫代替。當時洛甫在軍事上沒有建樹，長征的路線主要由周恩來、朱德、毛澤東和劉伯承四人決定。3月4日，毛澤東恢復寧都會議前的前敵政委職務。這次官復原職有一定的偶然性：周恩來和朱德在前幾次戰役中指揮不當，洛甫和劉少奇沒有軍事指揮經歷，項英和張國燾沒有隨軍長征，陳雲2月初出發前往莫斯科與王明會合，軍中只剩下毛澤東可擔此重任。

會議主要根據毛澤東發言的內容，委託洛甫起草《中央關於反對敵人五次「圍剿」的總結的決議》，於2月8日經政治局會議通過後印發。決議主要有兩篇文稿。第一篇一萬五千字，評價了第五次反

「圍剿」以來紅軍的作戰；另一篇僅三千字，總結了經驗教訓。決議批評了博古「右傾機會主義」路線，但仍然指出其總路線是正確的，肯定了其在江西招募十萬士兵的成績。[26]第五次反「圍剿」失利是主觀原因導致的：低估國民黨的兵力，高估紅軍的戰鬥力。李德在會議後期加入了討論，根據陳雲回憶，他認為第五次反「圍剿」並沒有失敗，畢竟紅軍主力突破了「圍剿」，保存了實力。李德本人的陳述也證實了陳雲的觀點：「遵義會議並不認為第五次圍剿是國民黨的勝利，紅軍主力不僅突破了國民黨的封鎖，而且在川黔滇湘等地廣泛開展游擊活動，發展壯大。蔣介石自身兵力也因一年半曠日持久的圍剿戰事而大大減弱」。[27]如果不是紅軍自身指揮不當，第五次反「圍剿」戰鬥一定會像前四次一樣粉碎「圍剿」的。大會重新肯定了毛澤東靈活進攻的戰略路線，快速進攻，快速撤退，集中兵力殲滅敵人，避免持久戰。黨內各級會議中都批評了李德錯誤的軍事指揮，而對博古的批評主要集中在團級以上的幹部。

這一局毛澤東大獲全勝。從此以後，他是否能成為共產黨的一號人物，只取決於在他領導下與國民黨軍隊戰鬥的輸贏情況了。而這一點目前還不能確定。

不安定的九個月

經過十天休整，[28]紅一方面軍約三萬五千人重整士氣，整裝上路，每個士兵收到軍餉兩元，穿上了新鞋和襯絨厚衣，有些還穿上了上蠟的皮鞋。毛澤東騎着白馬，和周恩來、洛甫一起走在軍隊的最前面。他們對長征的目的地已經十分清晰。1月18日決議的第一條指出：遵義政治局擴大會議一致決定改變黎平會議以黔北為中心建議蘇區根據地的決議，改為渡過長江，在成都西南或西北建立蘇區根據地。西康省的政治、經濟、軍事條件都比貴州成熟，而且駐紮的敵軍兵力較弱，也方便與紅四方面軍會合。[29]

張國燾領導的紅四方面軍已經在四川西北部高地，以萬源為中心建立了根據地。1933年後，總兵力達到八萬人，徐向前[30]任總指揮，根據地內老百姓有五百萬人。1934年後川陝根據地陷入了困境，四川軍閥劉湘為擊敗其他軍閥而與蔣介石聯手，四十萬裝備精良的士兵向川陝根據地發起進攻。1935年1月20日，中革軍委致電紅四軍策應北進入川的紅一軍。張國燾是當時根據地唯一的政治局委員，決定退出川陝根據地，首先向陝西南部繞行。3月末，紅四軍強渡嘉陵江，擺脱追兵向西而行。5月15日宣布在邛崃山[31]以北茂縣和理縣成立中華西北蘇維埃政府。四川省有六大軍閥，擁兵六十萬，相互厮殺，1912年至1933年總共爆發了470場戰鬥，苛捐雜稅導致當地三分之一的人口外逃，當地連年饑荒，百姓民不聊生，故而軍隊實力不強，這些都是革命因素。張國燾計劃在西康、青海甚至新疆建立新根據地，在這一帶，蘇聯的影響力極大。

其實張國燾和毛澤東心裏的盤算是一樣的：如何既能在川北建立新根據地，又能保持自身在近期作戰中積累起來的權勢？一個軍事實力強大，另一個擁有政治上的合法性，相同的是兩個人都野心勃勃。

會師

1935年1月末至4月末，有兩支隊伍進行了長征：紅四方面軍向北轉移，行程較短，一路上平安無事；紅一方面軍向南長途跋涉，一路上打了許多惡仗。

張戎和哈利戴[32]認為這段期間，毛澤東想盡辦法拖延時間，不與張國燾的部隊會合，甚至導致土城戰鬥失利。這種看法不足信，張國燾首先力圖擺脱追剿，對會合一事也是不急不慢的。況且面對這樣一位擁兵自重的對手，毛澤東何必要故意吃敗仗喪失自己的威信呢？毛澤東的當務之急是克服長江天險，這也解釋了紅一軍在1935年5月前，奇特的長征路線。

強渡長江剛開始很不順利。毛澤東決定兵分三路，沿着遵義至四川荒廢的古代官道，越過黔北咽喉的婁山關後，沿着湍急的赤水河岸邊的峭壁行進，穿過赤水市復向北，預備在瀘州一帶渡船過長江。當時在這兩個城鎮已經出現小型蒸汽渡輪。

1月26日，林彪的先頭部隊順利抵達赤水，很快便遭到阻截。敵人佔領附近的小山丘上的制高點，火力極強。林彪的部隊沒有大炮，幾次衝鋒不果，只得後撤。毛澤東起初沒有重視這場失利，令彭德懷率軍埋伏，圍殲尾追的敵軍。紅軍1月28日向土城發起猛攻，毛澤東站在遠處的岬角上，持着望遠鏡注視着戰場，他在等候佳機派出精鋭部隊一舉殲滅敵軍。這種戰術在前幾次的戰鬥中都獲得了勝利，然而這一次卻失敗了。戰前，毛澤東從戰俘口中得知敵軍番號，預判是四千人左右，實力較弱的黔軍。然而當彭德懷貿然出擊時，面對的是一萬人裝備精良的川軍。很快紅軍陷入了苦戰，午後，毛澤東派林彪前去支援，亦未能解困，最後不得不把所有兵力都投入了戰場。戰鬥一直持續到晚上，紅軍得以利用夜幕撤退，搭浮橋橫渡赤水向西而行。1月29日，紅軍穿過四川，達到雲南西北的扎西(現威信)。蔣介石判斷紅軍可能北渡長江，在江邊嚴防以待，沒有乘勝追擊。土城一役，紅軍四千士兵陣亡，士氣更加低落。毛澤東的決定卻十分出人意料：鑒於前往四川之路已斷，他下令原路返回，突襲婁山關，擊敗國民黨兩個師的守軍，繳獲一千枝槍，擊斃三千士兵，另俘虜了二千人，其中五分之四的俘虜都加入了紅軍。2月28日，紅軍再次佔領遵義。

很快紅軍又撤出遵義，兩個月的時間內，毛澤東率軍在以遵義為中心，500至600米的半徑內打轉，四渡赤水。此役毛澤東一直引以為豪，他成功地混淆蔣介石的判斷，帶領紅軍巧渡長江。[33]當時的媒體也印證了這一說法，《中國每週評論》4月13日報道稱讚「紅軍隊伍中有天才存在」。一個國民黨的將領也說「老蔣被共產黨牽着鼻子走」。[34]張戎和哈利戴堅持認為蔣介石不是軍事才能棋差一着，只是故意放紅軍一馬。我們注意到當時雲南軍閥龍雲故意給紅軍留出一條通道，使紅軍迅速離開雲南。當地的彝族提供物資幫助紅軍。但是他們也趁火打劫紅軍的掉隊者和傷員。3月30日，紅軍兵臨貴陽城下。4月29日，林彪率領的前鋒逼近雲南昆明。蔣介石連忙飛抵成都，復抵貴陽，坐鎮督「剿」。老蔣一再遭到共產黨的愚弄，不時急調精銳部隊馳援，致使長江上游雲南四川境內的金沙江兩岸布防出現大片空虛。5月1日至9日，紅軍迅速渡過金沙江，沒有遇到任何阻攔。當時紅軍僱用了36個船員，以每天一銀元和五盎司的鴉片作獎勵，分七艘大船，每船容納五十多名士兵，橫渡金沙江。每次渡江需要三至四分鐘，金沙江江面布滿暗礁和漩渦，只能在白天渡江。兩岸峽谷地勢險峻，國民黨的空軍飛機無法偵查，地面軍隊估計不足，加之山路難行，被紅軍甩在了後面。5月10日，紅軍抵達四川南部會理城下，只剩下二萬五千人。紅軍欲借助竹梯攻城，被擊退。

5月12日，中央政治局擴大會議(18人)在會理城郊召開，當時氣氛十分緊張。與會者認為毛澤東兜大圈子的方針，一方面確實迷惑了敵人，另一方面也使紅軍自身筋疲力盡。賀子珍的經歷正是大部隊的遭遇最好的反映。土城失利前夜，她產下一名女嬰，由於戰事，她不得不把第四個孩子交給當地一戶農民撫養，以後再也沒能找到這名女嬰。兩個月後的一次空襲中，她差點被炮彈擊中，此後長征一路上她都一直躺在擔架上，意識不清，一生都沒有真正恢復健康。而且由於連戰不利，[35]博古勢力重新抬頭。黨內開始出現對毛澤東的批評：負責黨務的洛甫打算撤銷毛澤東的軍事指揮權。4月25日晚10點，林彪和聶榮臻致電朱德，要求立即改變策略。[36]朱德不同意兩人的要求，還告知了毛澤東。劉少奇和楊尚昆建議紅軍稍作休息，等待賀龍部隊前來會合，紅二軍已經從湘北出發開始長征。這些爭論一直到紅軍幸運地渡過長江才停息：人們重新燃起希望，包括李德在內的中共領導人一致同意紅一軍繼續原有路線，渡過長江右岸的支流大渡河。在這種危急的情形下沒有人敢反對毛澤東的權威。於是他借機嚴厲地批評了反對者。他以異常尖鋭的聲音批評林彪道，「你只是個小孩，甚麼都不懂，現在必須要走弧線繞大圈，避免走直線。」林彪後悔不已，一言不發。彭德懷被批為「右傾機會主義」，做自我批評。其他人都不敢發表意見，只有洛甫放下之前的成見，主動支持毛澤東。[37]當老虎怒嘯時，其他動物都沉默了。這幾個月中，他性格中的「猴氣」顯露了出來，像猴子一般狡猾，靈活迷人，略帶欺騙的這種性格起了重要作用。

2月5日，當紅軍通過雞鳴三省村[38]時，毛澤東有計劃地派遣潘漢年前往莫斯科，向共產國際彙報職務變化。潘漢年直至8月末才到莫斯科，此時共產國際七大已經落幕，王明在莫斯科當地招募中國代表團參加了會議，並彙報了中國革命的情形。潘漢年[39]首先坐船，然後坐火車穿過西伯利亞前往莫斯科，途中遇到另一位中央代表、政治局常委陳雲。紅軍抵達大渡河時，毛澤東令陳雲前往莫斯科，報告中國工農紅軍長征和遵義會議的情況。政治局擴大會議決定撤銷博古的領導職務，增選毛澤東為政治局常委，確立了以毛澤東為代表的新的中央領導。陳雲指出：「毛澤東已經以實際行動證明了這一決定。」[40]蘇聯《真理報》12月13日刊登了〈中國人民偉大領袖毛澤東〉一文，着重介紹了毛澤東富有傳奇色彩的生平，這說明共產國際已經承認了毛澤東的地位。毛澤東確實棋高一着，[41]這幫助他日後在與王明的爭鬥中佔得先機。

此乃後話，眼下最重要的是毛澤東如何率領紅軍渡過大渡河。紅軍繼續向北行進了500公里（直線距離約為300公里），沿着35公里的山間小徑，一個接一個魚貫前進。為躲避國民黨的空襲，紅軍在夜間行軍，一切都十分順利。

然而，5月24日當部隊抵達安順場時，許多將士開始心生不安，尤其是朱德。[42]大渡河由喜馬拉雅山積雪融化而成，水流湍急。四分之三個世紀前，正是在這個地方，太平天國的石達開被大渡河堵住去路，陷入清軍重圍，全軍覆沒。紅軍只找到3艘渡船，每艘僅能容納80人，需要8天才能全部渡過大渡河。尤其此處地勢開闊，敵人可以輕易地從飛機上轟炸掃射。毛澤東決定改向西北，沿一條小徑迅速抵達130公里以外的瀘定橋渡河點。這條小徑其實是岸邊峭壁側面突出的一塊狹窄台地。瀘定橋是一座著名的鐵索橋，橋長100多米，由13根碗口粗的鐵索組成，1701年建造，是從北京至成都—康定—拉薩一線的重要通道，也是該地區唯一的渡河通道橋。為了贏得先機，紅軍日夜兼程，以強行軍的速度一天行軍100公里，於5月29日傍晚大敗橋頭守軍，奪取了瀘定橋。[43]瀘定地區兩面峽谷不利於飛機偵察，紅軍大部在之後幾天順利渡過大渡河。這時離張國燾的紅四軍直線距離只剩下160公里。毛澤東再次選取一條出人意料的線路：避開商隊常走的人煙稠密區，翻越人跡罕至的夾金山。所經夾金山海拔3,437米，山口海拔也有1,300米，大渡河以東部分的大雪山海拔7,556米，終年積雪。這個季節大雪山異常寒冷，許多士兵耐不了嚴寒，或者筋疲力盡，有些戰士吃慣了大米，消化不了藏族的糧食糍粑，上千名戰士倒在了雪山裏。在大雪山上，無線電不通，兩支紅軍隊伍只能摸索接近。

紅四方面軍抵邛崍山的理縣後，從農民處得知紅一方面軍的踪跡。李先念奉軍部命令率偵察兵策應紅一軍。6月9日，李先念抵達位於夾金山出口的達維鎮。12日，兩支部隊的巡邏兵在懋功(現小金)附近短暫交火，後從軍號中認出對方，兩支部隊終於會合了，士兵們激動地擁抱在一起。15日，中央政治局和中國工農紅軍革命軍事委員會會議在達維召開。達維鎮是一個僅有106戶農戶的小鎮，以喇嘛寺院和農民集市為中心建造。三分之一的土地貧瘠，只能種植罌粟。6月14日，紅軍在市集召開慶祝會，士兵們還跳起了舞，周恩來、毛澤東和朱德向會師的兩支隊伍講話。6月15日，毛澤東接見了李先念，同日召開會議通過聯合聲明：中華蘇維埃共和國臨時中央政府主席毛澤東和副主席項英、張國燾，中共工農紅軍革命軍事委員會主席朱德和副主席周恩來、王稼祥共同發表《為反對日本併吞華北和蔣介石賣國宣言》。[44]宣言號召全國工人、農民、海陸空軍以及一切愛國志士，革命民眾聯合起來，反對日本帝國主義佔領華北，反對蔣賊等賣國，消滅藍衣社。[45]毛澤東讓李德也參加會議，表現出共產國際對自己的支持。6月16日，朱德、毛澤東、周恩來、洛甫致電張國燾，指出「今後我一、四方面軍總的方針應是佔領川、陜、甘三省，建立三省蘇維埃政權」，強調紅軍「向着岷、嘉兩江之間發展……消滅松潘地區的敵軍，打通前往甘肅的通道」。6月18日再次致電張國燾，大意與前封電報相同，並指出「向雅、名、邛、大南出，即一時得手，亦少繼進前途」。毛澤東和其他紅軍領導害怕在川北重蹈當年反「圍剿」撤出江西時的覆轍。6月25日，張國燾衣衫鮮亮，騎着匹好馬，抵達兩河口，毛澤東、周恩來和朱德三人迎接。後三人均是身形消瘦，衣衫也破破爛爛，眼睛裏露出激動的情緒。在一萬士兵的歡呼下，四位領導親切擁抱。毛澤東發表簡短演說，歡迎張國燾到來，後者則對中央紅軍的現狀感到悲痛。

當時的中央紅軍只剩下一萬五千人，人困馬乏，軍容不整；而張國燾率領的紅四軍軍容整齊，有四萬五千人。[46]他自恃兵力強盛，能夠挾持會師後的紅軍和黨中央。在他眼裏，毛澤東只是在遵義會議後獲得了政治上的合法性，其實不堪一擊。在兩軍會師之前，張國燾就有意識地奪取紅軍和黨內的重要職位。在屢次取得軍事勝利後，他在軍中也樹立了威望，甚至宣揚自己有天神相助。

在這種情形下，6月25日至6月28日在兩河口，周恩來主持召開了三天的政治局會議，[47]討論紅一、紅四方面軍會師後的戰略方針問題。張毛兩人為西進還是北上爭論不休，這一次還是毛澤東北上奪取松潘地區的主張獲得了支持。毛澤東再一次顯示出他的務實和對地理、對戰局的了如指掌：紅軍應該沿古代商隊路線北上，前往已經漢化的甘肅地區；而西藏的藏民對漢族懷有敵意，不宜西進。自3月2日蔣介石飛抵成都後，國民黨中央軍加強了對四川的控制，南下成都和四川盆地已無望。東面胡宗南部130個團已經集結完畢，但是北面他的20個團還沒有完成布防。這場「兄弟間」的討論氣氛仍然比較友善，最後也沒有進行投票。毛澤東的論點鮮明有力，張國燾被任命為中央軍委副主席後，勉強接受了毛澤東的主張。[48] 6月29日朱德召開中共中央政治局黨委會議，大部分的將領都支持毛澤東的主張。

中央軍委會議分裂

然而，這種共識並沒有持續很久。毛澤東率軍迅速北上挺進到毛兒蓋，向松潘地區發起進攻未果。而張國燾藉故拖延時間，慢吞吞地沿岷江北上，一天只推進一兩公里，借此表達如果沒有他的支持，紅軍就一事無成。毛澤東不得不撤軍，並在蘆花（現黑水）重新召開政治局會議，任命張國燾為總政治委員，以四方面軍總指揮部為紅軍前敵總指揮部，張國燾麾下兩員大將徐向前和陳昌浩[49]分別兼任總指揮和政治委員。周恩來當時得了肝炎，和劉伯承一起以大局為重，主動退讓。張國燾選擇首先控制軍隊，輕視了黨中央和政府的作用。而毛澤東則相反，在政治領域他寸步不讓，當洛甫主動提議讓位，由張國燾擔任總書記時，毛澤東嚴厲拒絕。他知道，紅一軍近期連續征戰獲勝，對紅四軍將領把持紅軍的做法早已心生不滿。8月4日至6日，毛澤東在毛兒蓋附近的沙窩再次召開中央政治局會議，批評張國燾按兵不動，貽誤攻佔松潘地區的戰機。而張國燾反駁丟掉江西中央蘇區根據地的人沒資格教訓別人。會議後，紅軍重新確定北上抗日的路線，將軍事指揮權交給張國燾把持下的前敵指揮部，爭論終於平息。

兵分兩路

左路軍四萬五千人，由張國燾和朱德指揮，主力是紅四方面軍與前敵指揮部並攜帶所有軍事物資(包括譯碼員和無線電設備)，在兩河口附近的卓克其集結完畢後向北行進抵達阿壩，向東迂回，穿過西川北部的高原草地後，在甘肅邊界與右路軍會合。

右路軍一萬五千人，以紅一方面軍為主，還有紅四軍的幾個團和黨中央，由徐向前和陳昌浩指揮，[50] 葉劍英任參謀長。毛澤東、林彪和彭德懷都跟隨右路軍北進。右路軍從毛兒蓋出發，穿過大草地抵達巴西。兩支隊伍如此繞行完全是因為沒能一舉攻下松潘地區，喪失了先機。鑒於兩支隊伍穿過大草地有一定困難，毛澤東於8月20日在毛兒蓋主持召開政治局會議。張國燾和朱德準備北進之事缺席會議，彭德懷和楊尚昆也由於其他軍事事務缺席。周恩來一直病着，躺在擔架上出席會議。會上投票肯定了6月28日紅軍北上的戰略方針，認為張國燾關於紅軍主力西進的主張是危險的。決議還提出要「表現出布爾什維克赤化川陝甘地區的決心」。根據最新的中國資料[51]顯示，會議投票通過一項關於張國燾的決議，但這項決議僅在紅軍和黨內高層發布：「張國燾採取的西進方針是錯誤的，是一個危險的退卻方針。這個方針之政治的來源是畏懼敵人，誇大敵人力量，失去對自己的力量及勝利的信心，是右傾機會主義。」毛澤東順利地在張國燾頭上安上了達摩克利斯之劍，又是漂亮的一招。

接下去的一週，悲劇掩蓋了緊張的政治爭鬥氣氛。毛澤東的右路軍面臨穿過65公里的松潘草地的考驗。松潘草地海拔3,300米，其實是覆蓋有植被的沼澤。戰士只能沿着一條模模糊糊，有一半已經淹沒的小徑行進，花了6天才走出草地。三四千名紅軍戰士在過草地時付出了生命的代價，有的被淤泥吞沒，有的被毒蛇咬到，有的高燒不退，還有的筋疲力盡而亡。[52]右路軍穿過草地抵達巴西地區前，還擊潰了15公里以東突然出現的國民黨一個團，並殲滅匆忙趕來的國民黨一個師，本身也遭受了重大損失。[53] 9月2日，毛澤東召開政治局會議：右路軍一共五千士兵陣亡，必須儘快休息，整理部隊，然後向甘肅進發，胡宗南的部隊已經在南部和東部集結。此時，張國燾率左路軍從巴西以西100公里的阿壩出發穿過松潘草地，然而8月30日至9月2日大雨，葛曲河水大漲，毛澤東在過葛曲河時河水尚淺，但等張國燾抵達河邊時已經難以徒步涉水渡河，而且也無法造橋過河。張國燾致電黨中央，表明軍糧不夠，需趕回阿壩。[54]電報中張國燾再次批評毛澤東的路線，建議兩軍合併乘勝回擊松潘。此時毛澤東的先頭部隊在林彪的指揮下已經抵達甘肅境內的俄界，大部仍留在巴西。張國燾開始撤退，在巴西與阿壩兩地，雙方頻繁致電。彭德懷對當前形勢擔心不已，生怕張國燾部兵變，派了精鋭部隊保護軍委。9月9日，張國燾致電中央政治局，堅持南下直擊敵軍，並要求毛澤東率部儘快前來會合。政治局聯名回電，措詞嚴厲，中央認為，北上方針絕對不應該改變，左路軍應迅速北上，在東出不利時，可以西渡黃河。之後張國燾是不是秘密電令徐向前和陳昌浩率部要挾毛澤東的部隊南下，甚至如遇抵抗以武力抗之？出於軍人的天性，徐和陳兩人決定聽從指揮部的命令，回到阿壩，而非政治局的命令。葉劍英在得知這份電報後，立即通知了毛澤東。

9月9日至10日夜間，毛澤東在巴西秘密召開政治局常委會議，與洛甫、博古、周恩來和王稼祥緊急磋商，當時王稼祥和周恩來仍然躺在擔架上。毛澤東後來向斯諾證實道：「這是一生中最糟糕的時刻，紅軍當時命懸一線。」[55] 毛澤東命令林彪停止前進，原地待命。葉劍英帶領軍委趕來會合。10日凌晨2點，中央政治局致電張國燾，命令儘快北上在巴西會合，不得違抗命令。同時，彭德懷指揮紅一軍從巴西向北秘密行進，不點任何燈火。陳昌浩命令彭德懷立刻調頭返回，彭德懷也通知了毛澤東。陳昌浩還命令徐向前阻截北上者，遭到拒絕，徐向前認為「紅軍不能向紅軍開火」。一個剛從莫斯科回來的大學生騎馬追趕而至，大聲命令隊伍服從指揮部的命令。這次是李德挺身而出，一把把他從馬上扯下。巴西地區的紅四軍仍然拒絕北上，毛澤東淡然接受：我們不能強迫一對新人結婚。那些想北上的就北上，想留在原地的就留在原地吧。

經過兩天行軍，毛澤東率部隊於9月11日抵達甘肅南部的俄界，紅軍鋭減至八千至一萬士兵；但是幾乎全體政治局委員（除了兩名）、黨中央、大部分的政治事務委員會委員以及紅軍最優秀的四名將軍都跟隨着毛澤東。故12日毛澤東召開政治局擴大會議，譴責張國燾的分裂行為，再次致電張國燾，指出紅軍將趁夜色秘密離開巴西，正面與敵軍衝突，為張國燾部隊北上創造條件。會議作出〈關於張國燾同志的錯誤的決定〉，指出張國燾喪失在抗日前線的中國西北部創造新蘇區的信心，意圖分裂黨，分裂紅軍，有軍閥主義、漢族沙文主義和機會主義傾向，並威脅開除張國燾黨籍。不過，這項決定只傳達到中央委員：達摩克利斯之劍已經搖搖欲墜。

長征的結束

後來毛澤東告訴彭德懷，在這場危機中，他也差點動搖：如果紅四方面軍以武力阻攔的話，他只能跟着張國燾南下。[56]

事實上，他的命運再一次跌入谷底：胡宗南和薛岳三十萬人的部隊集結在紅軍的東面、東北面、東南面和北面，在甘肅和陝西的道路上都設置了重兵。紅軍大部跟隨着張國燾，9月13日和14日在阿壩發表聲明，譴責毛澤東「對革命缺乏信心，具有逃跑主義傾向」。朱德仍然站在毛澤東一邊。15日，張國燾宣稱「大舉南下，打到天全蘆山吃大米」，麾下有八萬士兵和三萬官員幹部。他深信自己必將勝利。

相反，毛澤東在俄界報告中指出的前景則比較灰暗。他歷數了目前的困境，甚至提出一個驚人的建議：改變長征目的地，放棄在陝北建立根據地的機會，盡可能靠近蘇聯建立根據地。如在新疆建立根據地，利用甘肅絲綢之路的通道向東發展，「作為共產國際在中國的分支得到一定幫助」[57]並避免「瓮中捉鱉」。毛澤東、周恩來、王稼祥、彭德懷和林彪五人共同協商決定長征目的地，任命李德負責「重組委員會」，以增進和共產國際的聯繫。毛澤東希望陳雲在此期間已經安然抵達莫斯科。彭德懷負責將第一、第三軍和軍委縱隊改編為中國工農紅軍陝甘支隊，由四個團組成，每個團下轄四個營，總人數六至七千人。

9月17日，紅軍突破臘子口天險。臘子口位於白龍穀隘口，只有三十多米寬。兩邊是千丈懸崖峭壁，河上架有一座木橋，橋頭築有兩個碉堡。紅軍一支突擊隊，沿峭壁攀藤而上，悄悄爬上石岩峭壁的後坡，似神兵天降一般對敵發起攻擊，敵人措手不及，在兩面夾擊下狼狽逃穿。[58]北上的通道完全打開了。毛澤東命令部隊在哈達鋪(白龍)休整兩日。聶榮臻從當地的一份報紙中得知國民黨正在「圍剿」「共匪」劉志丹帶領下的陝北紅軍。[59]這時候毛澤東才知道陝西革命根據地的存在，也是在這時候才確定陝西根據地的大致位置。對於這支打了一路惡仗、筋疲力盡的部隊而言，這是最後的一根救命稻草。毛澤東精神振奮，立刻抓住這一機會，召開黨和紅軍幹部會議。在會上他首先批評了張國燾選擇南下是右傾機會主義，只有北上才有出路。「兩人到底誰才是右傾機會主義？」然後他宣布紅軍要與劉志丹的部隊會合，建立陝北根據地，好似這個臨時做出的決定是一開始就想好了的。他說，我們確實人數不多，「但是敵人以為我們人數更少，無論如何我們都比井崗山時期強大了」。

國民黨在天水—蘭州設立封鎖網，以保護肥沃的渭河河谷地區。9月27日，紅軍毫不費力地突破封鎖線。28日，毛澤東再次向將領強調長征的新目的地是陝北——放棄了在中蘇邊境交界處建立根據地的設想。[60] 3個星期內紅軍行軍500里，擊退了一小股騎兵和當地一些武裝，一路上幾乎沒有遇到任何阻攔。翻過六盤山後，紅軍抵達陝北的黃土高原。這個高原因赭石土壤顏色命名，植被稀疏，狹窄的河谷分布在黃河支流兩岸。10月14日，高崗和劉志丹派出的紅十五軍偵察兵與紅一方面軍會合。10月20日，毛澤東作〈六言詩・給彭德懷同志〉。[61]10月22日，在吳起鎮會見紅十五軍前來聯繫的同志並召開中央政治局會議，總結離開巴西後的戰鬥情況，通過在陝北建立新根據地的提議。10月27日，在政治局常委會議上重新分配職務：毛澤東負責軍事，博古負責建立蘇維埃根據地，周恩來負責協調與後勤。長征結束了。毛澤東幾週前曾高興地作詞（〈清平樂・六盤山〉）：[62]

天高雲淡，望斷南飛雁。
不到長城非好漢，屈指行程二萬。
六盤山上高峰，紅旗漫捲西風。
今日長纓在手，何時縛住蒼龍？

詩中的「蒼龍」可能指他畢生的敵人蔣介石，確實一年後蔣介石在西安事變中被俘虜。但是當時，「蒼龍」指的是另一頭怪物——日本帝國主義。這個比喻還體現出在這塊世界盡頭的乾旱之地上，中國共產黨和毛澤東本人都獲得了新生。

命運的力量(1935年秋–1936年秋)

從1935年秋天開始，中國共產黨和毛澤東本人的處境仍然十分危險，受到三方面的威脅：張國燾、蔣介石和日本人。當時紅軍人數處於歷史最低階段，還不到一萬人，任何一方的威脅都可能是致命的。然而，毛澤東憑藉戰略戰術和運氣的幫助終於戰勝了命運。

悲慘的革命根據地

紅軍長征結束，抵達陝北瓦窰堡(現子長)與保安(現志丹)一帶，這裏是當時中國最貧窮的地方。1932年後在這片黃土地上已經建立起一些小型蘇區。面積大約為兩萬三千平方公里，人口二十五萬，平均每平方公里的人口密度五至二十人。由深厚黃土沉積形成的黃土高原綿延上百米，植被稀疏，夏季7–8月雨水集中，水量豐富，侵蝕出許多深谷，而在其他時候只剩下涓涓細流。當地生態環境遭到人類極大的破壞，只有沿河岸邊6%的土地和一些侵蝕還不嚴重的斜坡可供耕作。畜牧方面，人們養羊，但只有一半的農戶有驢。農業產量極低，耕具只有犁和鋤，耕畜嚴重不足，還不夠拉犁；婦人和小孩經常要幫忙拉犁。通常春天土地肥沃時種植小麥，也種植黍類，製成紅漿飲用。[63]當地人住在地下的窰洞。1860至1870年穆斯林運動期間，當地人大量出逃，現主要居住族群為回族。[64] 1929至1931年爆發大饑荒。張學良退出東北後，在陝西駐軍二十萬人，發展軍事，意圖重新恢復該地區昔日的繁榮。

因此陝北的情形與江西蘇區十分不同：如果說這裏存在大地主

的話，數量也極少，一個村莊只有一兩個，主要是些富農。大部分農民都是小土地者，甚至是佃農。他們租借6–8公頃土地耕種，從地主那裏獲得種子和住房，但是要上交大部分的收成，還要義務做許多勞役：巡邏、挑水、抬轎、打掃院子、打猛禽等。在革命者眼裏，這些全部都是封建殘餘。事實上，當地人民生活在高利貸和重稅的剝削之下。高利貸形式多樣，有糧食尚未收成時半價出售，或者每5天提高利息10%，並需要以土地、農莊、耕畜甚至是活人做抵押。借錢者還必須義務幹活。普通的農民都有負債。當地的富人正是依靠土地抵押而發家的。[65]

陝西地處中國西部腹地，古稱關中，是秦漢兩代的搖籃，公元前3世紀就在這裏建立起了大秦帝國。始皇陵就在長安附近(現西安)。從西安到延安的途中有中國人的始祖黃帝的陵墓，受人崇敬。長安還是著名的絲綢之路的起點(或終點)，古代商人從這裏出發，翻過喜馬拉雅山，穿過中東的沙漠，最後抵達地中海沿岸的安條克城。悠久的歷史，深厚的底蘊以及曾經活躍在這裏的民國先烈的經歷(如反清鬥士劉師培[66])深深地震撼着毛澤東，他的許多詩詞都反映出這種情感。

鞏固根據地

1936年12月後，毛澤東完全掌握了陝北革命根據地。起先，紅二十六軍的兩位將領劉志丹[67]和高崗[68]出身名門，很有威望。跟隨者主要是參加過1930至1935年70次兵變的西北軍士兵。他們沒有軍餉，平時生活在兵營中，受馮玉祥的影響很深。這位「基督將軍」

1920至1927年統領部隊時，士兵們接受了精神教育和愛國教育，這是當時其他軍閥部隊中所沒有的。因此兵變後，士兵們不願加入土匪，反而跟隨一些對共產黨有好感的大學生加入了共產黨，由此誕生了中國工農紅軍第二十六軍。二十六軍有兵力二至四千人，全盛時期控制了瓦窑堡以西二十個地區九十萬人口。後來張學良，楊虎城在西北「剿共」，山西軍閥閻錫山從東面進攻，部隊人數降到二千人，根據地面積也日益縮小，劉志丹和高崗決定尋求徐海東[69]指揮的紅二十五軍的支援。張國燾率領紅四軍撤出鄂豫皖根據地後，部分兵力留下來組成紅二十五軍，在湖北北部和安徽北部山區組織游擊戰。1935年9月18日，紅二十五軍四千人進入陝西南部的秦嶺山脈，與劉志丹的紅二十六軍會合。兩支隊伍合編為紅軍第十五軍團，徐海東任軍團長，劉志丹為副團長，高崗任政治部主任。兩支隊伍會師後卻發生了政治鬥爭，戰鬥力大大削弱，最後竟然演化為一場血腥的清洗。1935年8月，徐海東發起肅反運動，以「右傾傾向」逮捕了劉志丹、高崗和其他300名幹部。1935年夏天毛澤東抵達陝北時，立刻釋放了這些「政治犯」，並順利和他們結成聯盟。老虎再一次變成猴子，毛澤東很好地利用了自己的領袖魅力以及徐海東在政治上的天真。徐海東是位軍事幹將，就像水滸中英雄一般，他的熱忱雖然有些不識事宜，但也可以原諒。而且他還反過來向撤銷自己職務的人表示感謝。

11月3日，西北革命軍事委員會成立，毛澤東任主席，周恩來和彭德懷為副主席。毛澤東同時兼任蘇維埃政府主席，博古和洛甫任副主席。11月21日，紅十五軍團執行毛澤東誘敵深入的方針，殲滅國民黨一個師。[70]毛澤東的威望更高了。

就在這個時候，全國政治形勢風雲突變。塘沽協定簽署後，日本在中國華北地區挑起各種軍事爭端，策劃內蒙古和華北地區自治(包括察哈爾省、綏遠、熱河，即現在的內蒙古和河北)，而中國軍隊奉行不抵抗政策，步步後撤。1935年12月9日至12日，北京(北平)上千名大學生和有識之士走上街頭，抗議喪權辱國的投降條約，要求一致抗日。[71]共產黨儘管人數不多，但在這場學生運動中卻起了重要作用。事實上，共產黨自身的態度也歷經變化：起初，共產黨認為若要抗日，則首先要趕走「史上最大的賣國賊」[72]蔣介石；但是在1935年8月1日通過的《八一宣言》中，共產黨的態度已經發生改變。這份宣言實際上由王明起草，在莫斯科發表。共產國際鑒於德國共產黨事業在納粹的統治下遭受巨大失敗，努力推動中國共產黨態度的轉變。宣言提出，只要國民黨停止第六次「圍剿」，中國共產黨願意與國民黨合作聯合抗日，並提出抗日救國十大綱領和一些不甚詳細的改革措施。宣言使用了中華蘇維埃中央政府和中共中央名義，實際上，共產黨的領導人起初並不知曉，到11月10日，中共駐共產國際代表團所派代表張浩(林育英)才從莫斯科來瓦窑堡，[73]帶來共產國際第七次代表大會精神和《八一宣言》的內容。[74]毛澤東同意新的方針路線，於11月26日致信國民黨的一位將領，陳述紅軍願意休戰，與國軍携手抗擊日軍。[75] 11月28日發表《中華蘇維埃共和國中央政府，中共工農紅軍革命軍事委員會抗日救國宣言》，[76]這是共產黨戰略轉折的開端。宣言提出：蔣介石是「最大的叛國賊」，他的政策將會「亡國滅種」。「不論任何政治派別，任何武裝隊伍，任何社會團體，任何個人類別，只要他們願意抗日反蔣者，我們不但願意同他們訂立抗日反蔣的作戰協定……」[77] 12月1日，毛澤東致信洛甫，提出「為了形成抗日反蔣統一戰線」，要改變對富農的政策，富農可與貧農、中農分得同等土地。[78]同時優待戰俘，不再槍斃被俘的國民黨將領。

1935年12月17日至25日，中央政治局會議在瓦窰堡召開，[79]大會通過三項決議。根據洛甫的報告做出《中央關於目前政治形勢與黨的任務決議》，批評共產黨之前採取的關門主義，提議紅軍數量要達到一百萬，抗日反蔣戰線要聯合小地主、富農和民族資產階級。根據毛澤東的提議，通過《中央關於軍事戰略問題的決議》：儘快擴充紅軍。紅一軍的人數要達到二十萬人，和游擊隊共同抗日（毛澤東利用這個機會再次重申了江西時期的戰略方針）。「打通蘇聯」以便獲得重型武器援助。鞏固蘇區並向西向北擴大。27日，毛澤東根據會議精神，在黨的活動分子會議上做了〈論反對日本帝國主義的策略〉的報告。[80]報告的語氣簡單具體，毫不空洞；對社會階級的分析簡明扼要，很好地鼓舞了民心。蔣介石身後是大土豪、大劣紳、大軍閥、大官僚、大買辦們的利益集團（1927年〈論湖南農民運動〉中提到土豪劣紳），他們是帝國主義的走狗，站在了人民的對立面。關於民族資產階級，這個階級曾經參加過1924年至1927年的革命，隨後又被這個革命的火焰嚇壞，站到人民的敵人即蔣介石集團那一方去了。現在他們開始猶豫不決，蔡廷鍇等人領導的十九路軍代表的正是民族資產階級。他們同紅軍打過死仗，後來又同紅軍建立了抗日反蔣同盟。[81]毛澤東還批評了教條的「關門主義」，堅持關門主義策略的人們認為只有《聖經》上載了的才是對的。毛澤東認為這是一種幼稚病，「革命的道路，同世界上一切事物活動的道路一樣，總是曲折的，不是筆直的」。關門主義者是「為淵驅魚，為叢驅雀」。分析完敵方的陣營後，毛澤東還對中國民族革命營壘裏的情形進行了清醒的分析：「在轉移中，紅軍本身又有很大的削弱⋯⋯敵人是得到了暫時的部分的勝利，我們是遭遇了暫時的部分的失敗」。張國燾誇大了中央紅軍的失敗是片面的看法，就好像個「蝦蟆坐在井裏說：『天有一個井大』」。[82]「敵人在一個方面（佔領我軍原有陣地的方面[83]）說來是勝利了，在另一個方面（實現『圍剿』、『追剿』計劃的方面）說來是失敗了。這樣說才是恰當的，因為我們完成了長征。」毛澤東還詩人般說道：「從盤古[84]開天闢地，三皇五帝到於今，歷史上曾經有過我們這樣的長征嗎？」

這個時候，其他幾支紅軍也從1934年起開始長征，最後的命運卻各不相同。儘管毛澤東在1935年12月份得到中央政治局的支持，但他仍然必須克服張國燾以及西進的紅四軍帶來的難題。

張國燾的潰敗

1935年9月11日，毛澤東率右路軍趁夜色偷偷離開巴西駐地北上，立刻激怒了張國燾。張國燾隨即帶領部隊離開阿壩南下，隨軍同行的還有朱德和劉伯承。10月5日，張國燾譴責毛澤東不戰而逃，宣布另立中共中央，[85]開除毛澤東、周恩來、博古、洛甫中央委員及黨籍，並下令通緝他們。12月5日，張國燾致電黨中央，宣布成立「第二中央」，包括政治局和中央軍委，要求「你們應稱北方局」[86]。朱德、劉伯承、李先念和徐向前似乎都同意這一決定，尤其朱德和劉伯承兩人還先於張國燾進入中央政治局。張國燾對自己八萬人的兵力過於自信，除了這招虛張聲勢的做法外沒有尋求其他政治合法性。一開始他就出現了失誤。

11月19日後，張國燾的部隊屢遭挫折，損失嚴重：國民黨大批部隊尾隨紅軍長征抵達四川，紅四軍在南下成都時意外遭到劉湘軍隊的猛烈抵抗，一萬士兵陣亡；同月月末，遭遇薛岳率十萬大軍，攜飛機和重型武器圍堵攔截，再損失六千人。張國燾不得不退入川藏交界處的深山。1936年6月起，兩廣獨立牽制了南京國民政府，[87]紅四軍得到幾個月的短暫休整。然而入秋後，國民黨大軍再次逼近，張國燾不得不違背初衷，率領四萬人重新北上。抵達西藏的爐霍（甘孜）時，紅四軍已經完全陷入了困境。儘管他多番努力，包括1936年1月在四川召開建立根據地籌備會議，但始終無法建立起區別於毛澤東的陝北根據地的穩定而有影響力的革命根據地。

第二個錯誤表現在政治上：張國燾之前的虛張聲勢沒有達到效果。面對挑釁，毛澤東沉着冷靜，靈活應對。1936年1月22日，在中央政治局會議上通過〈關於張國燾同志成立第二「中央」的決定〉。決定言詞謹慎但立場堅定，嚴厲批評了張國燾的分裂行為，命令立即取消他的一切「中央」，並決定在黨內公布〈1935年9月12日中央政治局在俄界的決定〉。前決定得到政治局幾乎所有委員的支持。林育英和彭德懷剛剛進入政治局，在這場衝突中當起了調解員。張國燾也明白自己所面臨的威脅：1936年1月28日，他無條件支持《八一宣言》和共產國際七大作出的建立統一戰線的決議。他提議在中央代表團的領導下成立兩個政治局，即毛澤東領導下的西北局和自己領導下的西南局。顯然，他已經意識到自己在政治上的合法性問題，態度有所轉變，不再氣勢凌人，比較謹慎。而毛澤東繼續保持低姿態。1936年5月20日，依照中央政治局的聲明，致電張國燾和解[88](至少表面如此)：

> 弟等與國燾同志之間，現在已經沒有政治上和戰略上的分歧。過去的分歧不必談，唯一任務是全黨全軍團結一致，反對日帝與蔣介石。弟等對於兄等及二、四兩方面軍全體同志之艱苦奮鬥表示無限敬意，對於採取北上方針一致歡迎，中央與四方面軍的關係可如燾兄之意暫時採用協商方式。總之，為求革命勝利，應改變過去一切不適合的觀點與關係，拋棄任何成見，而以和協團結努力奮鬥為目標。

獲勝者通常都是比較平和的，這次毛澤東贏了：6月6日，迫於軍中兩位政治局委員朱德和劉伯承以及徐向前將軍的壓力，張國燾被迫在爐霍宣布撤銷「第二中央」。

與此同時，1935年10月，陳誠率130個團的兵力進攻湘西北部根據地，賀龍率領的紅二軍和任弼時的紅六軍撤出根據地，[89]南下長征。1936年4月，為了支援困境中的紅四軍，紅二軍在雲南北部渡過金沙江，於6月底到達雅礱江邊的雅江縣，此間離士氣低落的紅四軍只有一百多米。[90] 7月初，兩支隊伍會合一同北上，7月末抵達阿壩。[91]

這是張國燾犯的第三個錯誤：賀龍和任弼時都支持毛澤東領導。張國燾被迫取消「第二中央」，接受北上。中央批准紅二、紅四方面軍組成西北局，張國燾任書記，朱德、賀龍和徐向前任副書記。兩支隊伍兵分三隊北上，很快抵達甘肅會合。賀龍希望能在甘肅與紅一軍會師，此時彭德懷正率軍執行「西征計劃」，進入甘肅東部迎接紅四方面軍。張國燾再也無法阻止四支紅軍隊伍10月中旬在會寧會師，尤其當時國民黨剛結束南方叛亂，迅速派遣三十萬兵力入駐山西南部。1936年12月7日，中央革命軍事委員會主席團轉發中華蘇維埃中央政府關於擴大中央革命軍事委員會組織的命令：以毛澤東為中央革命軍事委員會主席，朱德、張國燾為副主席。至此，共產黨的政治軍事力量均集中在中國西北。

張國燾卻不是輕易認輸的人。會師後的紅軍總共將近六萬一千人，其中紅一方面軍兩萬人，紅二和紅六方面軍一萬人，紅四方面軍三萬一千人。這個人數已經大大超出陝北土地的負荷。1936年10月11日，張國燾提出「寧夏戰役計劃」——紅四方面軍兩萬一千人向西在甘肅建立一個新的革命根據地，得到毛澤東的同意。張國燾本人沒有參與西征，反而率領一萬人前往保安。他希望通過這次合法的途徑，能夠主持一個獨立於陝北的新根據地，實現自己的政治抱負。也許他計劃在甘肅新疆一帶建立根據地，是鑒於新疆軍閥盛世才已經投降，他能夠通過新疆直接獲取蘇聯的軍事物資和顧問的援助。然而「寧夏戰役計劃」並不順利，西征軍與彭德懷的溝通協調不良；黃河突然水漲，使四方面軍主力未能全部渡過黃河，尤其是12月12日至25日的西安事變後，毛澤東擔心蔣介石會向西北增軍，命令西路軍向東返回。軍委命令屢有變更，致使隊伍在大約十多天的日子中進退不得，陷入絕境。[92] 1937年1月中旬，[93] 西路軍在甘肅通道高台地區部遭到馬步芳和馬步青兄弟的襲擊，三分之一的兵力被滅。2月末，劉伯承率援軍支援，可惜才到半路，西路軍已經全軍覆亡。1937年9月，倖存者陸陸續續回到陝北，李先念率領一千多人也是在這個時候回到陝北的。張國燾儘管沒有經歷這場災難，但是他從此失去了軍隊。1937年3月31日，中央政治局會議嚴厲批評了他的錯誤，安排他離開延安前往漢口工作，最後張國燾於1938年4月投降國民黨。[94]

戰爭的命運幫助毛澤東擺脱了一位強大又不幸的對手，他被捲入這件糟糕的事件中，卻在其中扮演了一個漂亮的角色。[95]

埃德加·斯諾與毛澤東傳奇的開始

經過具有決定性意義的幾個月的艱苦奮鬥，毛澤東漸漸鞏固了陝北根據地：至1936年年末，蘇區面積擴大到30個區，老百姓人口達到一百五十萬，紅軍人數增長了兩萬。此時毛澤東擔心在陝西一隅之地，共產黨可能被邊緣化，他決心要在國內政治活動的核心領域有所作為，而且要讓在全世界都知道中國共產黨。

從1935年12月到1936年4月初，統一戰線更像是一種口號。在瓦窑堡的政治局會議上，共產黨就對共產國際七大制定的這個戰略重點缺乏熱情，只停留在「抗日反蔣」的簡短口號上。這一點可以從共產黨各級領導公開發表的講話[96]中看出。然而從1月起，共產黨開始與國民黨南京政府代表[97]以及張學良頻繁接觸。國民黨一方的連絡人是陳立夫和另一位中央委員會委員，另一方是共產黨人王牧師（董健吾）和潘漢年。2月19日，張學良支持雙方在瓦窑堡會面。

在前線指揮作戰的毛澤東得知情況後，立即致電王牧師，更改5月4日電報並致張學良，提出紅軍準備在三個條件下停止國共內戰：(1)國民黨立即停止進攻蘇區。(2)所有中國軍隊進駐河北，抵禦日寇邁進。(3) 南京政府容許人民政治自由。3月27日，毛澤東向政治局解釋這一政治轉變，任命周恩來與張學良談判，在上次秘密會談達成的基礎上推進南京與瓦窑堡之間的合作事宜。毛澤東希望能夠在敵軍陣營製造分歧，以分化瓦解蔣介石的力量。

從1936年2月27日起，毛澤東率領「中國人民抗日先鋒軍[98]」一萬五千人，渡過黃河直入山西，抵達平遙附近，闖入汾河河谷地區，前鋒逼近太原。但是紅軍沒有靠近日軍300米以內，其主要目的還是打擊山西軍閥閻錫山和蔣介石急調入晉的10個師的兵力。從軍事角度看，這次「東征」並沒有取得完勝，紅軍兩千名戰士陣亡。[99] 但另一方面，紅軍從山西的地主和富商那裏搜得四十萬銀元，還新招募了七千名士兵，總的來看還是取得一定成績的。短期看來，「東征」達到了極好的宣傳效果：5月5日，毛澤東發出通電，[100] 指出：「雖在山西取得了許多勝利，然仍將人民抗日先鋒軍撤回黃河西岸」，因為「國難當前，雙方決戰，不論勝負屬誰，都是中國國防力量的損失，而為日本帝國主義所稱快」。5月14日，指示彭德懷率領兩萬人的「西路軍」打通寧夏和甘肅東部，消滅「威脅抗日大後方的叛徒」。從西征中紅軍也獲得不少錢財和生力軍，而毛澤東在其他各種場合一再呼籲國共停火，建立統一戰線，聯合抗日。

4月9日，毛澤東從前線致洛甫的電文同樣指出，「中心口號在停止內戰」，「發布主張內戰的討蔣令，在今天是不適當的」。[101] 為了實現擴大抗日陣線這一目標，毛澤東決定謹慎對待富農和民族資產階級。7月15日，[102] 毛澤東以中央政府名義向在陝西—山西一帶很有影響的秘密社團哥老會發表宣言，[103] 指出：「哥老會和我們一樣長期受到官府、軍閥和官僚的鎮壓，成員被誣衊為匪徒。中華蘇維埃人民共和國代表所有受壓迫者，允許哥老會光明正大的存在，我們歡迎各地各山堂的哥老會山主大爺，四路好漢弟兄都派代表來或親來與我們共同商討救國大計。」

在這種情形下，毛澤東邀請美國記者埃德加·斯諾(Edgar Snow)訪問西北紅區。斯諾是英美幾家報社駐華記者、通訊員，[104]對中國人民的抗日革命抱同情態度，批評國民黨的所作所為。[105]斯諾當年31歲，他出生於美國密蘇里州的堪薩斯城，從密蘇里新聞學院畢業後已經在校友本傑明·鮑威爾(Benjamin Powell)主編的《中國每週評論》上發表過不少文章。1932年12月，與海倫·福斯特(Helen Foster)在上海結婚。海倫是來自猶他州的清教徒，一直以筆名尼姆·威爾斯(Nym Wales)寫作，夢想成為一名作家。兩人都是自由的美國人民，與國民黨左派孫中山遺孀宋慶齡來往密切。在宋慶齡處，斯諾結識了艾格尼絲·史沫特萊(Agnes Smedley)、哈羅德·伊薩克斯(Harold Isaacs)和魯迅等人，從他們那裏知道了中國共產黨。[106]1933年3月後，斯諾在北京安家，開始學習中文。他勉強能說中文，但是不會讀寫。在北京他認識了其他一些了解中國、熱愛中國、具有獨立意識的外國人，如費正清(John Fairbank)、歐文·拉鐵摩爾(Owen Lattimore)、泰亞爾·德·夏爾丹神父(le père Teilhard de Chardin)、埃文斯·卡爾遜(Evans Carlson)、[107]詹姆斯·貝特蘭(James Bertram)和小說家賽珍珠(Pearl Buck)。當時賽珍珠正在翻譯《水滸傳》(英譯名《四海之內皆兄弟》)，經常高聲朗讀。斯諾還在司徒雷登的燕京大學中兼職教授新聞學，與中國學生私交甚密，其中黃華(真名為王汝海)、俞大衛(俞啟威)和姚依林都是共產黨地下黨員。[108]1935年「一二·九」運動爆發時，斯諾夫婦十分活躍，通過大量文字和照片資料幫助全世界了解這場聲勢浩大的學生運動。1934年3月，報社預付750美元，請斯諾基於之前的報道寫一本關於中國共產黨的書籍。但是蔣介石剿滅了江西蘇區，計劃暫時擱淺。1936年，新東家蘭登書屋重新提出這一計劃，斯諾也希望做出轟動世界的獨家報道，於是成為「第一個採訪紅區的西方記者」。

1936年5月初，經過多方撮合（俞大衛曾在天津與劉少奇會面，宋慶齡幫忙牽線，可能還得到了北大的俄語教師柏烈偉〔Serge Polevoi〕[109]的幫助），斯諾應共產黨的邀請前往陝甘寧邊區訪問。托馬斯・康蓬（Thomas Kampen）[110]證實1936年5月中央局為斯諾的來訪專門召開會議，對可能提出的問題以及答覆都作了詳細討論。大會由洛甫主持，王稼祥負責整理問題並將報告交大會討論，吳亮平（翻譯），洛甫、博古和毛澤東都參加了會議：當時的中共仍然是集體領導，毛澤東尚未獨攬大權。

6月，斯諾抵達西安，當時西安局勢十分緊張，鄧發和藍衣社的人都盯着張學良。埃德加・斯諾和喬治・海德姆（Georges Hatem）醫生在西安期間的經歷堪比一部間諜片，[111] 7月初他們坐上張學良軍隊的卡車抵達延安，當時延安仍然在張學良的東北軍手中。抵達延安後，斯諾在一個嚮導的帶領下，牽着驢走了兩天，直到眼前的景色成了一望無際的黃土。一臉鬍鬚的周恩來在一個小村莊裏迎接斯諾。之後的兩天中，周恩來用艱澀的英語向斯諾介紹了共產黨的政治形勢。他的言語中對蔣介石有明顯的敵意。考慮到這與當時統一戰線的政治形勢不符，斯諾沒有在書中如實寫出。之後一行人騎着馬，在20個紅軍士兵的護送下繼續出發。

7月13日，中央政治局所有成員在保安迎接斯諾，儀式十分隆重：軍號、旗幟、領導發言等。毛澤東正在睡覺，沒有出席儀式。歡迎晚宴十分傳統，由於服用過量安眠藥，毛澤東中途離席，回屋睡覺。神態不甚靈活，身材消瘦的毛澤東令斯諾十分震驚，他腦海中立刻浮現出了亞伯拉罕・林肯的形象。毛澤東對傳統束縛的藐視也深得斯諾之心：毛澤東經常穿着襯褲與斯諾交談，還當着他的面毫不遮掩地撓癢捉虱子。他的作息習慣十分奇特：早上睡到11點，中午吃早飯，晚上工作到深夜，凌晨吃了安眠藥才入睡。他曾和斯諾一起在午夜吃簡餐。毛澤東住在三個簡陋的窑洞中，窑洞外有一個庭院，窗戶是用油紙糊的，靠蠟燭照明。15、16、18、19、23日採訪時的翻譯是吳亮平，他精通英語和俄語，跟隨紅軍一起長征。黃華後來才來到保安，陪同斯諾參觀蘇區，並擔任9月23日那天的翻譯。毛澤東回答了斯諾的問題，很多時候都在敘述自己的生平，這些敘述後來成為共產黨撰寫黨史的最初資料。所有的採訪筆記都先由黃華翻譯成中文，經毛澤東審查和修改後，再譯回英語。[112]斯諾還採訪了毛澤東身邊的幾十位共產黨幹部和戰士。1936年10月12日，斯諾帶着大量採訪筆記和多卷膠捲離開保安。他回到北京後數次召開新聞招待會，[113]1936年12月12日至25日西安事變突然爆發，斯諾採訪的意義迅速被擴大：人們十分好奇這些掌握着中國命運的「共匪」究竟是誰。1937年3月《紅星照耀中國》的初稿《外國記者西北印象記》[114]一書在倫敦出版，獲得巨大成功：幾週內銷量達到十萬冊。次年2月在紐約出版，銷量一般，初版只銷售了2.35萬冊，1944年再版銷售了2.7萬冊。1938年11月，中文譯本《西行漫記》誕生(《紅星照耀中國》的又一譯名)，再版過四次。

此後，毛澤東和中國共產黨孤膽英雄的形象在英語讀者當中深入人心，這是一群能行人所不能(飛奪瀘定橋)，能為自己奮鬥的事業獻身，致力於拯救國家脱離苦海的人。毛澤東在採訪中堅持共產黨是「一個為解放全中國而奮鬥的政黨，不能代表俄國人説話」，並表示對1927年共產國際和斯大林的做法持保留態度，這些觀點西方人十分讚賞。當然西方共產黨和蘇聯就沒有好臉色了，僅以《中國英雄人民》為名出版了該書的幾個選段。書中毛澤東只在附錄中的一頁出現，一位名為阿林的作者寫了前言，稱讚「斯大林是天才」，批評斯諾「小資產階級的粗俗思想」。

在這些反對聲中，[115]一部著名的專著誕生了，它記錄了長征的偉大功績，集合了一名尋求獨家報道[116]的美國記者[117]的新聞才能和毛澤東高超的交流藝術。隨着《紅星照耀中國》的出版，毛澤東1935年10月所作的〈長征〉[118]一詩在上海和北京廣泛流傳：

紅軍不怕遠征難，萬水千山只等閑。
五嶺逶迤騰細浪，烏蒙磅礴走泥丸。
金沙水拍雲崖暖，大渡橋橫鐵索寒。
更喜岷山千里雪，三軍過後盡開顏。

西安事變與第二次國共合作的開始

塘沽協定簽署後，日軍繼續向華北進逼，成立河北、綏遠、熱河和察哈爾等省自治政府，威脅扶植德王成立蒙古國，計劃把蒙古變成第二個溥儀的偽滿洲國。[119]面對日軍的入侵行為，群眾抗日激情日益高漲。1935年「一二·九」運動從北京擴大到上海及其他重要城市。

這種情形下，國共兩黨以及張學良各自態度不一，毛澤東在中間靈活處理，運籌帷幄，成功充當了事件仲裁者，中國共產黨最初的弱勢地位一去不復返了。

(1)蔣介石堅持先「剿共」，後「抗日」，國民黨內部矛盾加劇。蔣介石主要看國際輿論，尤其是美國人的態度，對日軍日益猖狂的野心十分憂心。另一方面，他也清楚國民黨軍隊不足以抵抗日軍，故態度前後不一，看上去怯弱怕戰。

(2)張學良和駐紮在西安的東北軍的態度不同於蔣介石。他們希望早日打回東北，收復故鄉失土，但是沒有南京政府的支持，他們無法與日軍抵抗。張學良本人反共，尊敬蔣介石，但是在某些情況下，也不是沒有取而代之的可能。

(3)最後是共產黨的態度。一年多來，共產黨一直承受着來自共產國際的壓力，後者敦促其儘快結束國共內戰，故而不再把反蔣和抗日並提。第三國際鏟除托派勢力後，斯大林認為蘇聯的命運和世界局勢緊密相連。他希望中國在亞洲能夠牽制日本的野心，不願看到中國陷入內戰。因此斯大林慢慢與蔣介石親近。蔣介石親信陳立夫與蘇聯大使鮑格莫洛夫(Dimitri Bogomalov)商討簽訂中蘇互不侵犯條約。若蔣介石被推翻，國民黨群龍無首，緩和的局勢可能戛然而止，而國民黨內部親日派就會掌握大權。中國共產黨這邊勢力弱小，急需蘇聯援助：[120] 1936年春天，毛澤東派鄧發前往莫斯科，尋求獲得蘇聯方面重型武器、飛機、浮橋、無線電及防空武器的援助，以便更好地應對國民黨的「圍剿」和日後在西北對日作戰。然而，斯大林卻認為援助國民黨的中央軍更符合蘇聯的戰略方針。另一方面，中國共產黨與共產國際的無線電聯繫自1934年秋天中斷後於1936年7月6日重新連上，斯大林能夠直接向中共下達命令，將共產國際和中國共產黨一起納入自己的指揮。

統一戰線形成過程

從7月13日至12月初，國共兩派對合作一事始終猶豫不決，時而關係緊張，時而秘密磋商。

7月13日，蔣介石在國民黨五屆二中大會上發表聲明，拒絕承認日本在華北成立的任何傀儡政府，「最後關頭一到，我們只有犧牲到底」。[121] 此番聲明令毛澤東既驚訝又欣慰。他利用斯諾來紅區採訪之際，重申聯合抗日的呼籲，指出日本帝國主義不僅是中國人民的敵人，而且是全世界所有愛好和平的人民的敵人，尤其在亞太地區。[122] 18日，他斷言「蔣介石即將參與反日抗戰，不然他將被不願變為日本奴隸的手下推翻」。7月27日，他大膽地在政治局會議上預測不久之後時勢將發生劇變，國共之間將有新的關係，「現在蔣介石也在談合作了，可能成立國民防衛政府」。「『抗日必須反蔣』的口號，現在已不適合，要在統一戰線下反對賣國賊。」蔣介石不再是叛徒了？8月末洛甫的聲明中，對蔣介石的稱呼已經恢復為北伐時期和第一次國共合作時期的「最高統帥」。毛澤東估計「共產黨的敵人原本約為中國人口的10%，現在只有5%」這一態度的改變讓共產國際比較滿意，後者之前對共產黨遲遲未在中國執行新的政策感到十分不滿。格奧爾基・季米特洛夫（Georgi Dimitrov）於7月23日的報告中，認為共產黨「儘管對國民黨的作戰中表現十分英勇，但是比起對手蔣介石而言，政治成熟度還有兩至三年的差距」。8月15日，共產國際致電中國共產黨，批評後者還在執行之前的政策，認為將「蔣介石和日軍並列」的做法在今時今日是十分不合適的。毛澤東於8月25日在政治局會議上呼籲停止內戰，並派遣潘漢年到南京與陳立夫會面，共產國際這才滿意。毛澤東指出：「抗日」和「反蔣」在當前形勢下是不能共存的，應該轉變為「逼蔣抗日」。在9月15日和16日的中央政治局會議上，他將目前的革命形勢與1925至1927年革命作對比，提出國共再次合作是有可能的。9月23日毛澤東接受斯諾採訪時再次提及這個觀點，但是他同樣指出：「如果蔣介石發動內戰，我將直搗南京。」這句話的威脅意義十分強烈，最後沒有寫入書中。9月18日，與宋慶齡交流時，毛澤東對蔣介石的態度仍然十分悲觀。在政治局會議上，毛澤東還提及1927年民族資產階級背叛了革命，堅持「民主共和國是資產階級性質的，但不是國民黨所說的西方現代國家，它是在共產黨領導下有資產階級參加的工人農民的國家」。10月5日，毛澤東致信張學良，建議紅軍與東北軍停止衝突，並希望其促成蔣介石與共產黨停戰談判。

然而10月中旬後，蔣介石順利結束兩廣事變，再次把注意力轉到「剿共」上。10月17日，毛澤東吸取了之前的教訓，致電朱德和張國燾，通報會談遭遇困難，指出「與南京談判有急轉直下勢」。10月末，蔣介石視察西安，得知張學良和周恩來秘密接觸，覺察到東北軍和共產黨在前線停戰對峙，立刻召集將領，堅定地說：「抗日必須先剿共，共產黨是最大的叛國賊，不剿共等同於不抗戰。」11月10日，陳立夫在上海公共租界的一家飯店與潘漢年會面，提出必須取消對立的政權和軍隊，紅軍可保留三千人，師長以上領導一律解職出洋，半年後按才錄用，並要周恩來出來談判。[123]南京政府毫不掩飾自己的企圖，要求共產黨投降。11月12日，毛澤東立即阻止周恩來前往南京談判。12月1日，毛澤東以黨中央的名義致信蔣介石說：「徘徊歧途，將國為之毀，身為之奴，失通國之人心，遭千秋之辱罵……而願天下後世之人，視先生為能及時改過[124]救國救民之豪傑」。11月27日張學良主動請纓，率東北軍赴綏遠抗日。毛澤東得知後再次致信蔣介石，聲稱共產黨和張學良想法一致，「中國人不打中國人，東北軍與紅軍之間不開火」。12月10日，毛澤東致電張學良，告知潘漢年與陳立夫談判情況，重申紅軍僅可在抗日救亡之前提下承諾改換抗日番號，服從抗日指揮，不能減少一兵一卒，並須擴充之。「我們願以戰爭求和平，絕對不作無原則讓步。」[125]同時，蔣介石在上海逮捕「七君子」，[126] 12月4日，下令張學良和楊虎城配合第六次「圍剿」，全力進攻陝北紅軍，否則將張、楊部隊調至南方。

雙十二事變（1936年12月12日–25日）

蔣介石親自飛抵西安督戰。12月12日清晨，蔣介石設立在西安附近臨潼[127]的軍部突然被東北軍少壯派和士兵包圍。護衛隊頑強抵抗，蔣介石趁機逃脫，但最終還是被活捉。當時蔣介石穿着睡衣，躲在一塊大石頭後，凍得直發抖，連假牙都沒帶。這是他一生都無法忘記的恥辱。兵變後，張學良和楊虎城立即致電南京政府，通報全國「蔣委員長介公受群小包圍，棄絕民眾，誤國咎深……日昨西安學生舉行救國運動，竟嗾使警察槍殺愛國幼童。……因對介公為最後之評諫，保其安全，促其反省」，[128]並提出救國八項主張，簡而言之：停止一切內戰，驅逐親日派，開放民眾愛國運動，改組南京政府，容納各黨各派，共同負責救國。通電的表達十分奇特，表現出地方軍閥通過武力解決問題的習慣做法。這八項主張與月前共產黨向東北軍提出的要求十分相似，而且東北軍對此十分贊同。

南京方面，親日的軍政部長何應欽故意置蔣介石的安危於不顧，要求立刻出兵討伐張、楊二氏，救出最高統帥。而宋美齡和宋子文極力主張和平營救，然而他們可斡旋的時間並不多。12月16日，國民黨飛機從洛陽起飛轟炸西安，同時中央軍開始向西安集結，內戰一觸即發。

兵諫當日，張學良當即致電毛澤東和周恩來。毛澤東當日一反常態，清晨時分已經起床，好似已經在等待電報。[129]當時他十分激動。[130]當即召集中央政治局會議，討論西安事變問題。會上毛澤東發言，要求將「大叛國賊」蔣介石交給人民審判，言下之意顯然是宣判蔣介石死刑。根據張國燾的回憶，毛澤東十分清楚此事最終決定權在張學良。[131]然而，當時張學良聲明決不危害蔣介石，而且共產國際也迫切希望國共停止內戰，堅持確保蔣介石的安全。因此不難理解周恩來會在12月17日致電張學良要求處死蔣介石，以表明他加入共產黨的堅定決心。[132]在毛澤東最初發給共產國際的急電中也有相似請求：毛澤東懇請共產國際批准「罷免蔣介石，交人民公審」。[133]12月15日前，共產黨的所有聲明都未對外公布。事實上，毛澤東在起初對蔣介石被俘感到歡欣鼓舞，隨後立刻把個人情感放在一邊，冷靜思索應對之法。12月13日在中央政治局會議上，毛澤東指出兵變是「革命性的」，「有積極意義」。他制定出方針：「我們應以西安為中心來領導全國，控制南京，以西北為抗日前線，影響全國，形成抗日戰線的中心。」「對英美應很好聯絡，使它們對西安事變在輿論上表示贊助。」「我們的政治口號：召集救國大會。其他口號都是附屬在這一口號下。」這個口號體現出了輕重緩急，「抗日和揭露蔣介石的罪惡」。隨後與會者發言，其中朱德和張國燾都希望處決蔣介石。最後，毛澤東作結論說：現在處在一個歷史事變新的階段，前面擺着很多道路，也有許多困難。為了爭取群眾，我們對西安事變不輕易發言。我們不是正面反蔣，而是具體指出蔣介石個人的錯誤，不把反蔣抗日並列，應該突出抗日援綏的旗幟。

12月13日中午至15日期間的多封電報可以幫助我們更好地了解當時的情形。毛澤東和周恩來致電張學良，除了表達對扣押蔣介石的贊同，要求將其送審外，還提醒少帥採取措施，抵制中央軍的進攻，更告知胡宗南若南下，紅軍決從其側後堅決消滅之。12月14日，毛澤東指示彭德懷採取行動，以鼓舞「提心吊膽的」東北軍和十七路軍的士氣。15日，毛澤東致電提出組成西北抗日援綏聯軍，張學良為總司令，楊虎城和朱德為副；鞏固內部，去除親蔣分子。同日，毛澤東以紅軍軍委主席名義向國民黨和南京政府致電，稱蔣介石被俘是「突發事件」，是蔣氏錯誤政策所導致。[134]共產黨支持張學良13日提出的救國八項主張，敦促南京政府切勿讓日本人有機可乘，「鷸蚌相爭，漁翁得利；螳螂捕蟬，黃雀在後」。毛澤東清楚地指出何應欽和親日派的武力討伐目的不在救蔣，而在取而代之後投降日本。他還提到「不宜再起內戰，自速覆亡」，同時表示如國民黨答應張、楊二氏主張，共產黨願意「投入二十萬兵力，與國民黨軍隊聯合抗日」。毛澤東的主張十分鮮明：和平解決危機。電報結尾，毛澤東還請求「國民黨內愛國分子」驅逐親日派，停止正在發動的內戰，罷免蔣氏，交付國人裁判。毛澤東提出的統一戰線是沒有蔣介石的國共合作，他和斯大林的意見仍有分歧，後者堅持認為國共合作離不開蔣介石。

16日，毛澤東開始轉變立場，他在致電閻錫山時指出，時局應和平解決，萬不宜再起內戰，自速覆亡，並要求釋放蔣介石。同日，周恩來騎騾從保安出發，沿着坑坑窪窪的小路，17日筋疲力盡地抵達延安。同日，毛澤東再次致電少帥，確認胡宗南和湯恩伯率領的中央軍人數不多，不足為懼，並請求張學良派三萬人奇襲隴海—京漢鐵路[135]一線，此舉旨在威懾南京並可能取得決定性的勝利。為了鼓舞士氣，毛澤東還指出：正如13日承諾的，中共已數度聯繫莫斯科，至今未有消息，如若莫斯科認為此舉並非簡單的兵變，而是民心所向，相信他們會同情的。如出於國際外交考慮，蘇聯也有可能不再公開支持中共等。「恩來已抵延安，速令城開放行。」張學良心急如焚，立刻派專機前往延安接周恩來。18日，內戰一觸即發之夜，周恩來從西安發電說：南京親日派的目的在造成內戰，不在救蔣。當日，毛澤東與洛甫和博古討論，征得兩人同意後，決定推進釋放蔣介石，迫使其達成幾項條件，以挫敗親日派的陰謀。在這種人心惶惶的情形下，考慮到毛澤東事先制定的策略，共產黨做出這樣的決策也絕非偶然。[136]

12月19日，洛甫主持召開中央政治局會議。毛澤東做報告，[137]指出「目前問題主要是抗日問題，不是對蔣個人的問題……日本說蘇聯造成，蘇聯說日本造成，雙方對於事實的實質都有抹煞……我們準備根據這樣的立場發表通電，國際指示還未到，或者要隔兩天再發」。12月14日的《真理報》與《消息報》指出張學良和楊虎城兩人受日本指使，「在南京政府準備抗日時發動兵變，意在除去最高統帥蔣介石」。[138]因此毛澤東再次強調「停止內戰，共同抗日」。他的建議巧妙地將共產黨從西安事變的同盟轉變為調解者：對於「用軍事手段」扣押「軍事政治最高領導人」蔣介石一事感到遺憾，提出南京與西安之間對立，任何擴大內戰的可能都會「形成抗日聯合的阻礙」。這與剛開始將西安事變定義為革命性的舉動相去甚遠。毛澤東指出西安事變有兩個前途，要麼內戰，南京的親日派力量將從中獲利；要麼結束國民黨對共產黨的鎮壓，聯合抗日。共產黨顯然會選擇後者，和平解決事端，形成抗日聯盟。毛澤東說：「我們對張、楊是同情的」，一旦何應欽討伐張、楊，紅軍要打好保衛戰。隨後，毛澤東分別致電陳立夫和張學良，提出雙方終止對立，由南京立即召集和平會議，各黨各派各界各軍包括共產黨和蘇維埃政府參加，商討聯合抗日，共赴國仇和處置蔣介石事宜。同日，致電潘漢年：「請向南京接洽和平解決西安事變之可能性，及其最低限度條件，避免亡國慘禍。」覆電周恩來，指出紅軍將開赴西安，與東北軍共同抵抗中央軍從洛陽的進攻。毛澤東確實對各種可能性都考慮周全了。

只有一項例外：12月20日，共產國際關於西安事變的指示終於抵達保安。[139]指示由季米特洛夫起草，斯大林簽字同意，[140]指出共產國際始終堅持西安事變完全不利於「形成抗日統一戰線」，建議中國共產黨在下列條件基礎上想辦法和平解決：(1)用吸收幾個反日運動的代表即贊成中國統一和獨立的分子參加政府的方法來改組政府。(2)保障人民的民主權利。[141] (3)停止消滅紅軍政策，並與紅軍聯合抗日。(4)與同情中國人民反抗日本進攻的國家建立合作關係。這項指示沒有任何新的內容，也沒有白紙黑字地寫明釋放蔣介石。12月18日後共產黨所有的決定都是由毛澤東和中共其他領導自己分析得出的。[142]據悉，毛澤東讀完電報後，氣得直頓足，破口大罵。[143]在場的許多人，包括斯諾在內，第一次見到毛澤東在公共場合表達對斯大林的不滿，而此後兩人的嫌隙越來越大。我認為這些事情在時間順序上可能存在問題。毛澤東生氣可能是出於其他原因：季米特洛夫的指示沒有任何新的想法，他建議毛澤東和共產黨聽命於張學良與南京政府，令毛澤東十分反感，而且手把手地教怎麼做，這讓他感到很惱火。

毛澤東的怒火沒有持續太久：12月21日起，毛澤東電示潘漢年，下達的指示完全符合共產國際的四點建議。「在上述條件有相當保證時，勸告西安恢復蔣介石先生之自由，並贊助他團結全國一致對日。」12月22日，毛澤東致信閻錫山：「願與我公及全國各方調停於寧、陝之間，誠以非如此則損失盡屬國家，而所得則盡在日本。」西安事變終於有望和平解決。

危機小結

之後事件在幾天內圓滿解決了。12月16日，東北軍與中央軍發生軍事衝突。22日，張學良要求東北軍停火，並邀請宋子文和宋美齡飛抵西安。23日和24日，張學良、楊虎城、周恩來、宋子文緊密磋商釋放蔣介石事宜，宋美齡隨後加入。條件細節尚未談妥之際，蔣介石同意12月25日上午在房內會見周恩來。[144]當時宋子文和宋美齡也在場：蔣介石口頭答應停止剿共，聯共抗日，邀請周恩來赴南京直接談判。蔣介石只是做出稍微讓步，對共產黨而言卻是巨大成功，僅僅幾週，共產黨就不再是被圍剿的法外分子，南京政府承認了它的合法性。

25日下午，蔣介石乘飛機離開西安，張學良親自陪同，當日抵洛陽。在機場，蔣介石十分含蓄地提醒張學良和不在場的楊虎城，稱西安事變是共產黨的反動陰謀。[145]飛機返回南京，張學良自願被扣留，以表達對統帥所做一切的悔意。蔣介石安然返回南京的消息一出，在上海及其他一些大城市中，人們燃放煙花爆竹熱烈慶祝：蔣介石從未如此受到人民擁戴。也許在一片熱鬧的情形下，人們慶祝的是內戰終於有望結束。護送一事，張學良事前沒有告知楊虎城，他擔心東北軍中有些人不願釋放蔣介石。周恩來也不知曉，毛澤東曾令其務必拿到蔣介石停止內戰全力抗日的書面簽字。12月31日，張學良被軍事法庭判處有期徒刑十年，剝奪所有民事權利。[146]楊虎城拒絕投降，1937年1月5日被南京政府撤職，29日抵抗失敗，[147]流亡歐美。[148]

一場政治危機戲劇性地結束了，如同變戲法一般，原來的囚徒後來成為獄卒，而之前的獄卒卻淪為囚徒。表面上一切都歸於平靜：蔣介石回到故鄉浙江奉化休養，黨內實權交予何應欽，宋子文失寵。親日派獲得了勝利，蔣介石12月25日向周恩來做出的承諾再無人提起。

艱難地建立第二次國共合作

當日午夜，毛澤東致電紅軍統帥，慎重又清醒地指出在五個條件下「恢復蔣之自由……是我們提出的……但他們今日已經釋放蔣介石，依情勢看，放蔣是有利的，是否達成有利，當待證實後告」。[149]他指示野戰軍儘快佔領渭河平原的咸陽和三原，兩座城市均離西安不遠。幾週後，紅軍趁東北軍與中央軍作戰士氣低落之際，佔領潼關[150]要塞，一些部隊駐紮在華山附近以及秦嶺山脈，直接威脅隴海鐵路。1937年1月13日是農曆新年，紅軍有秩序地進入延安。延安城中等規模，高處有一個八層白塔，市內有大型的集市。此後，延安就成為共產黨的革命聖地，氣派自然不可與簡陋的保安同日而語。[151] 1月27日，毛澤東向政治局會議作報告，[152]總結了當前良好的政治形勢。「西安事變促進了國共合作，是劃時代的轉變，是新階段的開始，抗日是遲早的事。」

之後六個月，毛澤東一邊不停地敦促國民黨兑現承諾，一邊繼續佔領閻錫山和蔣介石撤離軍隊後留下的北部山區村鎮。莫斯科對此十分恐慌，1月19日和20日兩次致電，批評共產黨「錯誤的做法危害到了西安事變達成的和平協議」。1月24日政治局會議上，毛澤東指出根據共產國際的指示，共產黨自12月15日後轉變了對蔣介石的態度……似乎毛澤東已經完全忘記了斯大林的電報曾經惹得他勃然大怒。2月15日，國民黨三中全會召開，會上重提內戰時期的反共言語，並譴責中共協助策劃了西安事變。毛澤東的態度仍然十分樂觀，表示如果國民黨遵守承諾，共產黨將做出巨大讓步：蘇區成為中華民國一個特區，不再沒收地主土地，紅軍更改番號，聽從國民革命委員會指揮。3月1日在接受艾格尼絲·史沫特萊[153]的採訪時，毛澤東指出，「共產黨人決不將自己觀點束縛於一階級與一時的利益上面，而是十分熱情地關心全國全民族的利害」，「共產黨倡導的是民族戰線。這種民族戰線比起法國或西班牙的人民陣線來範圍廣大許多」。此時，周恩來正與蔣介石的特使會面商討和談之事。[154] 3月末，周恩來飛抵杭州同蔣介石進行談判。蔣介石態度有所好轉，願意了解共產黨人愛國之心並且同意將共產黨三個師五萬人編入國民革命軍，共同抗日。但堅持必須由南京政府領導共產黨蘇區和紅軍，拒絕任何兩黨間共同政治綱領。4月7日至20日的共產黨中央政治局會議經過艱苦討論，同意毛澤東的提議，任命周恩來起草國民聯合政府計劃並擬在下次談判時呈交蔣介石。5月3日至7日，毛澤東在延安出席中國共產黨全體代表會議，[155]發言指出，共產黨進入了新的時期，「從一九三五年十二月九日開始的中國革命新時期的第一階段，至一九三七年二月國民黨三中全會……這一階段的革命基本任務，是爭取國內和平……這就需要我們和全國人民更大地發展抗日和民主的運動，進一步地批評，推動和督促國民黨……目前的階段，是新時期的第二個階段……這一階段的任務主要是爭取民主」。「爭取和平和民主」這句話體現了共產黨的合法化。毛澤東還強調，「我們是為着社會主義而鬥爭。我們是革命轉變論者，主張民主革命轉變到社會主義方向去，主張經過民主共和國一切必要的階段，到達於社會主義」。顯然，毛澤東借用了列寧的理論，反對托洛茨基直接進入社會主義革命的理論。5月15日接受尼姆・威爾斯採訪時毛澤東對此番觀點重新作了闡述，將這一分析傳播到盎格魯—撒克遜世界。5月24日，周恩來準備再次與蔣介石談判，毛澤東致電強調蘇區作為特別行政區必須由共產黨人林伯渠領導，並且朱德必須領導軍委並具有一定實權。[156]

然而，周恩來6月4日和蔣介石廬山會談的結果令人十分失望：

蔣介石不同意《關於禦侮救亡復興中國的民族統一綱領(草案)》中提出的建議，而提出要建立「國民革命同盟會」，國共雙方各派相同數量的幹部參加，負責與共產國際和蘇聯聯絡。蔣介石還要毛澤東、朱德離開紅軍出國留洋。但是毛澤東堅持自己的態度，周恩來7月7日又飛抵上海，把新的方案呈交蔣介石，之後得知七七盧溝橋事變爆發。南京政府堅定的抗戰立場證實了毛澤東的預計：革命進入了新的階段。面對日本人的步步緊逼，面對西安事變後民眾高漲的情緒，蔣介石已經無路可退，儘管害怕也只能頑強抵抗。

1937年夏的這場政治鬥爭中，三方都表現出同等的睿智。日本人希望在美國人插手前實際控制中國，進而確立在亞太地區的優勢。蔣介石知道若不停止內戰，便無法應對日軍。但是與昔日對手結成聯盟，意味着重新接納共產黨，十年來的努力付諸東流。故他希望利用艱難的時局儘量控制共產黨的軍隊，降低風險。而毛澤東必須參加抗日戰爭，證明共產黨新的地位——領導國家的主要力量之一，同時又要儘量保持紅軍軍隊的獨立性。[157]

7月8日，毛澤東、朱德和彭德懷聯名致電蔣介石，「紅軍將士願在委員長領導之下為國家效命，與敵周旋，以達保地衛國之目的」，黨中央表達了同樣的態度。

7月14日，毛澤東指出，蔣介石和國民黨徹底轉變政治立場的關鍵時刻已經到來。

7月15日，周恩來在廬山與蔣介石舉行第三次談判，建議國共發表合作宣言。宣言中，共產黨表示支持孫中山三民主義，全力支持民主革命，國民黨承諾堅定抗日，重建民主(即將共產黨合法化)。

7月17日，蔣介石宣布決不放棄尺寸土地和主權，宣布對日抗戰。

7月20日，毛澤東開始對蔣介石遲遲不回覆周恩來的提議感到些許不耐煩。

7月23日，重申抗日救國八項主張。

7月28日，致信國民黨，下達最後通牒：8月20日，紅軍將主動抗日，無論是否得到南京政府的允許。

7月29日，北平淪陷。7月30日，天津失守。隨後幾週，日軍沿京綏鐵路向戈壁灘進軍，沿京漢鐵路和津浦鐵路(直指南京)挺進黃河。國民黨軍隊奮起抵抗，損失慘重，被迫撤退。

7月31日，因組織抗日活動被囚蘇州的「七君子」被釋放。

8月4日，毛澤東向紅軍將領建議「總的戰略方針暫時是攻勢防禦」，「紅軍擔負以獨立自主的游擊運動戰，鉗制敵人大部，消滅敵人一部的任務……我們事實上只宜作側面戰，不宜作正面戰」，紅軍出三分之一的兵力，其他兵力保衛革命根據地。

8月5日，毛澤東指出紅軍擔任一方面作戰任務，但不是「獨當一面」。紅軍必須保持獨立自主的指揮，同時接受紅軍投入一半兵力，甚至三分之二的兵力，但是「陝、甘是我們的唯一可靠後方(蔣介石在陝，甘則尚有十個師)」。紅軍既要謹慎又要守信。

8月9日，日軍在上海虹橋機場附近故意挑釁，一時間局勢劍拔弩張。

13日，淞滬戰役打響，國民黨投入三十萬精銳部隊，日本派遣了二十萬人。1937年11月12日國軍撤退，上海淪陷，淞滬會戰結束。戰況極其慘烈，國民黨死傷士兵二十七萬人，三分之一為青年士官，而日軍傷亡僅為六分之一。

13日，毛澤東再次會見美國記者尼姆・威爾斯，表示認可中央軍的抗日行為，但指出國民黨尚未動員一切力量，政治犯也沒有全部釋放。毛澤東還承認共產黨在軍事指揮上保持了獨立自主。

8月13日至15日，日軍進攻長三角，直逼南京，蔣介石派特使轉告周恩來，希望共產黨將所有軍隊投入戰鬥。

18日，毛澤東向共產黨主要領導人解釋說國民黨希望共產黨派出所有部隊參戰，以借機摧毀革命根據地。

21日，工農紅軍改編成「國民革命第八路軍」，軍政部長何應欽任命朱德、彭德懷任正、副總指揮，任弼時為政治部主任，葉劍英為參謀長。八路軍下轄三個師。

同日，中蘇簽訂互不侵犯協議。蘇聯派了數百名飛行員參加空戰，很快就扭轉了日軍的空中優勢。

8月22日至25日，中央政治局會議在洛川召開。洛川會議並不著名，但是具有重要意義。[158]會上毛澤東和朱德、彭德懷的建議產生分歧。後兩位認為紅軍眼下應該投入全部兵力全力抗戰，而毛澤東認為抗日戰爭是場「持久戰」，應堅持游擊戰，反對將部隊集中，並重申共產黨在統一戰線中堅持獨立自主的原則。會議通過抗日救國十大綱領，毛澤東強調要動員一切力量爭取抗戰勝利，關鍵在於國民黨發動民眾和改革政治的問題。

8月27日至9月1日期間，毛澤東發表多項宣言，指出無產階級在統一戰線中的決定性作用。共產黨提出「資產階級追隨無產階級，還是無產階級追隨資產階級」的問題。

9月7日，毛澤東寫下〈反對自由主義〉[159]一文，指出自由主義是種個人和自私的行為。反對教條主義，提倡黨紀黨規：似乎共產黨黨內爆發了一場政治運動。

此時，日軍分三路合圍進攻，西路挺進黃河，東路逼近山東，淞滬戰場上的局勢也越來越不利於國軍。9月22日，國民黨決定發表《中共中央為公布國共合作宣言》，9月23日，蔣介石發表講話。宣言成為第二次國共合作的基礎。宣言提出兩黨合作的總目標：(1) 爭取中華民族之獨立自由與解放。首先須切實迅速地準備發動民族革命抗戰，以收復失地和恢復領土主權之完整。(2) 實現民權政治，召開國民大會，以制定憲法與規定救國方針。(3) 實現中國人民之幸福與愉快的生活。首先須切實救濟災荒，安定民生，發展國防經濟，解除人民痛苦與改善人民生活。

中共中央再次鄭重向全國作出四項承諾：(1) 孫中山先生的三民主義為中國今日之必需，本黨願為其徹底的實現而奮鬥。(2) 取消一切推翻國民黨政權的暴動政策及赤化運動，停止以暴力沒收地主土地的政策。(3) 取消現在的蘇維埃政府，實行民權政治，以期全國政權之統一。(4) 取消紅軍名義及番號，改編為國民革命軍，受國民政府軍事委員會之統轄，並待命出動，擔任抗日前線之職責。

9月29日，毛澤東談到蔣介石的決定時態度仍然有所保留：[160] 在這場戰爭中，人民還沒有全部動員起來，因為國民黨一直沒有接受共產黨8月25日提出的十大綱領，真正符合「馬克思主義和三民主義」的綱領。國民黨掌握着國家權力，並且決定和共產黨建立抗日統一戰線，共同抗日。「然而他們還繼續着舊的政治，始終沒能下定決心改革國家政治制度。」[161] 從9月12日至29日，毛澤東在不同的場合中曾經六次跟紅軍將領強調紅軍必須保持獨立自主的指揮權，不集中打仗，堅持游擊戰爭的基本原則。10月1日，毛澤東跟葉劍英、博古和潘漢年強調，八路軍一一五師在林彪的帶領下大勝日軍，取得平型關大捷一事，有助於鞏固與閻錫山的關係，但是這場戰役死傷四百名戰士，其中三名高級官員戰死，代價太大，不可重蹈覆轍，並且應加大宣傳，讓全國人民都知道共產黨軍隊參加了這場戰役。

這一年秋天，毛澤東意識到在與蔣介石九個月的較量中自己勝利了，並用兩年的時間走到權力之巔。這個勝利應歸功於日本人吞併中國的野心，蔣介石只能在屈辱投降和危險抵抗之間選其一。毛澤東被推到了領導抗日的最前線，他的事跡傳到了海外。早在1936年2月毛澤東登上山西積雪的山脈時，他就想着國家的命運。儘管當時處境還很不穩定，但他腦海中浮現的是稱雄這個平原的古代霸者，秦始皇在這裏出生，成吉思汗最後在這裏離世，〈沁園春．雪〉[162]正是這種心境的體現。

作為列寧思想的繼承者，毛澤東深知每個共產黨領導人都必須了解馬列主義。然而當時留蘇的統帥口中說的都是權威的術語，毛澤東不能靈活自如地使用，倍感壓力。1936年11月至1937年7月，毛澤東努力彌補這個缺點，整宿地閱讀馬克思主義中國化的先驅李達和艾思奇的著作以及珍貴的蘇聯馬列理論的中譯本，邊閱讀邊做大量筆記。[163]基於這些閱讀，毛澤東從1937年春天起在延安抗大講課，8月初日軍進攻上海後講課停止。課程安排在每週二和週四上午，每次四小時，下午是師生討論，總共110課時。毛澤東計劃編寫名為《辯證唯物主義》的教材：初稿寫了3章16個部分，共61,000字。[164]然而這本著作沒能完成，11月起，教材內容和各種油印工作文件混在一起。在《毛澤東選集》中，我們只看到其中兩個章節：第一章「實踐論」，第二章「矛盾論」。[165]今天我們再閱讀這些著作時，其單調的風格仍然讓我們很驚訝，文中透露出些許厭煩的情緒，完全不同於毛澤東早期政論性的文章，如著名的〈湖南農民運動考察報告〉。大部分文章都是簡單地照搬蘇聯文章。從古希臘到法國啟蒙運動，再到德國黑格爾哲學中的唯心主義與唯物主義之爭，已經是二手甚至是三手的文章了。我們難免會想到列寧或者斯大林的哲學思想：同樣的內容最後得出簡略的結論。儘管文中有些格言毛澤東還不能靈活運用，但他努力學習，做閱讀筆記，讓秘書抄小卡片幫助他每天背誦。他對其中兩個話題產生了興趣。一方面在重新閱讀1930年的著作《反對本本主義》時，毛澤東想起了自己的從政經歷，得出必須實事求是的結論。這條理論日後成為反對博古和王明支持者的有力武器。另一方面是矛盾論和人的主觀能動性。如果置身於當時的環境，我們就能明白毛澤東因此收穫的威望。在黃土高原的兵營中，在內陸只有農民行走的小徑上，知識分子的生活平凡乏味，能聽到費爾巴哈、黑格爾、恩格斯、馬克思這些外國人名字時是多麼令人興奮。在他們眼裏，這些名字代表了外國的理念，對於實質內容是否精彩，是否照搬抄襲，他們毫不在乎。而毛澤東也許希望能達到古代文人的高峰，模仿他所崇敬的王夫之的文風撰寫筆記。

沒有人懷疑毛澤東自離開江西這幾年中發生的巨大轉變，他本人也體會到了。他知道從此以後他掌握了這個國家的命運，這是以前不敢想像的。他也知道多虧這幾手本領，他能夠領導其他人，他的命運與國家命運緊密相連，他非常渴望權力。然而共產黨的領導還是集體制，毛澤東還沒能成為黨內第一人，面對反對時還不得不做出妥協和讓步。

第九章

毛澤東思想的誕生（1937–1941）

1937年秋天，毛澤東已經是中國共產黨的主要領導，但他仍然和德高望重的前輩們一樣，無法防範可能出現的挫折。共產黨成立後的前15年內，黨的歷屆領導人陳獨秀、瞿秋白、博古、李立三先後下台。

四年後，毛澤東有了更大的抱負。在這幾年艱難的歲月中，政治風雲變幻，共產黨和國民黨之間的合作岌岌可危，而蔣介石投降日本概率增大，這些都促使毛澤東去結束這種不確定的狀態。毛澤東實現了馬克思主義的中國化，從而挑戰了斯大林的最高權威，共產黨人在高山峻嶺間建立了自己的基地，毛澤東成為第二位以革命的名義建立個人獨裁的共產黨領導人。

毛澤東的新生

從1937年冬天開始，毛澤東發生了根本的變化，雖然他的外表幾乎沒有改變。他一米八的個子，仍然年輕瘦削：照片上，他的額頭寬闊，留着濃密的黑頭髮，幾乎不打理，比站在他身邊的人高出一個頭。他不刷牙，牙齒給煙草熏黑了。藍色或灰色的厚棉襖式樣簡單，打着補丁。他依然土氣，甚至粗魯：當眾捉虱子，穿着短褲散步，像趕大車的人那樣説粗話，有時候發起火來讓人害怕。這個地方所有的男人和女人都留短髮，他留着長髮，是中國傳統農民和狂狷的文人的混合體。儘管美麗的女演員吳麗麗[1]給他上過中文課，但他帶着湖南口音的演講經常讓人難以理解。

他對飲食仍然不注意，嗜好紅辣椒和肥豬肉，幸好他喜歡新鮮蔬菜和淡水魚。他晚上熬夜，半夜吃夜宵，抽美國煙，依賴安眠藥才能睡個安穩覺，從黎明一直睡到中午。他最重要的文字都是在深夜寫的，與周恩來或朱德工整的字跡不同，他的字強勁有力又潦草。所有這些特點在「北伐」時期已經很明顯了。

然而，每一天，另一個毛澤東都在誕生。衣服穿在他身上不再空蕩蕩的了，他的臉圓潤了一點。以前他很瘦，現在，他只是有點單薄而已。

在保安時，毛澤東住在兩個沒有任何起居用品的窑洞裏。在瓦窑堡，他在抗大發表演講，大學設在一個道觀裏，只有一間小房間，領導和紅軍將領坐在413號標準油的空箱子上[2]記筆記。

自從將紅色首都設在延安之後，中央撥了一間逃跑富商的住所給毛澤東，位於城郊的鳳凰山上。他有了一個接待室和一個堆滿了舊書的大辦公桌。在北方，磚頭是上了釉的，用來辟邪和抵禦最寒冷的風。和中國北方地區的所有村莊一樣，人們靠炕取暖。但毛澤東是唯一有木澡盆的領導，他的警衛提着水桶從井裏汲水。

毛澤東不喜歡睡在炕上，很快他便獲得了一張木床，和他在湖南時的床一樣，牆上也裝了暖氣。後來日本的炸彈掉進了他的庭院，1938年11月20日，毛澤東搬到距離延安城五公里的楊家嶺，住在一個狹窄的山谷裏，日本飛機不敢貿然前來。雖然這間窑洞不如原來的住所寬敞，但從土黃色的山崖內挖出來幾間房間，比較舒適，門口種着榆樹、柏樹和柳樹。[3]他在這裏一直住到1942年。

毛澤東的日常生活有了改善，但他的家庭生活出現了問題。事實上，賀子珍在長征中失去了三個孩子，其中兩個被送了人。1936年她生下了一個女兒李敏(乳名嬌嬌)，但長征期間受的傷並沒有痊愈。賀子珍無法忍受丈夫和來延安的漂亮外國女人調情。

1938年春，賀子珍吃醋大鬧了幾次，[4]初夏吳麗麗和艾格妮絲·史沫特萊離開延安。1937年8月下旬，賀子珍又懷孕了，她告訴毛澤東要離開他，儘管丈夫的懇求或多或少有些真誠，她還是於1938年春到達莫斯科。在那裏，她做手術取出了讓她疼痛難忍的炸彈碎片並生下了一個兒子，她的第五個孩子，她給兒子起了個俄語名字柳瓦。但是1940年年初，這個孩子死於肺炎。毛澤東對於孩子的出生和去世都沒有任何回應。從此，賀子珍，這個被棄在蘇聯卻依然鍾情於丈夫的妻子患上了抑鬱症，1943年她甚至被強行關進精神病院。

此外，毛澤東和楊開慧有三個孩子，此時還有兩個活着，[5]他想起後讓人找回來。自從母親被害之後，這兩個孩子在上海的日子過得很淒慘。1937年康生負責帶他們離開中國，經過馬賽去莫斯科。1939年8月26日，毛澤東寫信給他們，敦促他們努力學習。他曾委託林伯渠帶書給他們，要求他們念這些書。[6]1940年年底，兩個兒子給他寫信彙報他們已經結束了國際兒童院的學習。1941年農曆新年正月二十一，[7]毛澤東以一個傳統的父親的口吻給他們寫了回信。他對於他們在寫作上取得的進步感到十分高興，並建議他們趁着年紀尚輕，多學習自然科學，少談些政治，「只有科學是真學問」，然後他還補充了一句自己的狀況：「我的身體今年差些，自己不滿意自己。」

他這一席話是在隱射自己婚姻生活中的暴風雨嗎？幾個月前，他對賀子珍說要休了她再婚：他已經無法忍受她的所作所為！其實1937年8月下旬，毛澤東認識了一個年輕漂亮的姑娘，是井岡山一位老戰友的妻子介紹的。秋初時節，這個姑娘已是魯迅藝術學院的學員。她參加毛澤東主持的會議，坐在第一排。這個姑娘名叫江青，[8]藝名「藍蘋」，在上海演過話劇，拍過幾部電影。毛澤東很快就注意到了她：她名聲不好，但是漂亮而優雅——曾經有過兩段婚姻外加兩次公開的同居，她與延安嚴肅的氣氛格格不入。會間，她向毛澤東提了幾個政治問題，並設法在會後與他繼續攀談。幾個星期後，她的一場京劇表演深深打動了毛澤東。表演結束後，毛澤東親自祝賀她演出成功，還把自己的外套披在她的肩上為她遮擋風寒。第二天，江青把外套還給毛澤東，並在他那邊過夜。1938年10月底，毛澤東不顧老部下的反對，公開和年輕的情人在一起。現在看起來，文化大革命時期領導高層的內部鬥爭可追溯到這一時期。1937年11月，江青的老鄉康生從莫斯科回來後，擔任中共中央書記處書記。他向毛澤東表明了對革命的赤誠和忠心，無疑為毛澤東和江青的會面創造了有利條件。1938年11月，毛澤東向政治局報告已與江青結婚，[9]1939年他告知賀子珍反對她回國。賀子珍的行為讓他感到不舒服，而能幹的江青則不然。作為毛澤東的配偶，她做事謹慎小心，殷勤地照顧他，按照他的喜好燉煮口味偏辣的菜。1939年年初，江青出發去南泥灣，在這個延安城南的荒蕪小鎮參加艱苦的軍墾，當時這片軍事用地歸王震旅長管轄。儘管懷有身孕，她仍然在那個艱苦的環境下生活了六個月之久。1940年8月3日，江青回到延安，生下一女，取名為李訥。當時謹慎小心的她不參與任何政治活動。她不再化妝，連吳麗麗的口紅也失寵了，她的穿着打扮更像一個農家婦女。流言慢慢平息，這一切證實了毛澤東的地位正在不斷上升，他可以不遵守法則，而別人至少表面上還是要遵守這些法則的。此時江青默默忍受着黨內主要領導對她的冷漠，30年後，她會將這一切連本帶利討回來。

毛澤東在延安生活，這個地方礦藏豐富，好似一個綠色的小島，嵌在藍色的天空下。毛澤東在這裏閱讀、思考、寫作，同各種學者探討，接見外國記者。[10] 1937年秋，年輕的馬克思主義理論家艾思奇[11]離開上海，前往延安。他在上海時曾受到周揚很深的（錯誤的？）影響：艾思奇每週舉辦一次內部討論會，給毛澤東上一些關於辯證唯物主義和歷史唯物主義的特別課程。毛澤東任命陳伯達[12]做他的特別秘書。陳伯達也是討論會成員之一，為他翻譯列寧、斯大林以及其他蘇維埃意識形態的俄語書籍。與江西時期的造反者不同，毛澤東慢慢地成了隱退山間的賢人。1936年秋，丁玲[13]被國民黨特務機關綁架，經共產黨營救釋放後來到延安，毛澤東在大窑洞裏為她舉辦了歡迎會，「壁上紅旗飄落照」。同年11月，毛澤東作了一首詞送給丁玲，將她的文筆與「三千枝毛瑟槍」相媲美。1938年1月初，毛澤東接見了新儒家代表人物梁漱溟，與後者的會談引起毛澤東深思，就好像他在1月12日寫給艾思奇的信中所言：「梁漱溟到此，他的《鄉村運動理論》有許多怪議論，可去找他談談。」[14]對於梁漱溟提出反對階級鬥爭，回到理想化的合作式農業社會的建議，毛澤東對此表示難得的寬容。[15]1938年5月14日，毛澤東抽空寫信給林彪，以老師的口吻指正其5月2日在抗日軍政大學的講話。[16]但是，這個學生都已經是紅軍將領中最出色的將領了。

此外，毛澤東繼續致力於探索中國哲學思想，尤其是孔子[17]和墨子的思想：1939年2月1日，他寫信給陳伯達，評論了陳伯達之前寫的關於墨子的一篇文章。[18]文章認為墨子是「中國的赫拉克利特」，並用不容置疑的語氣斷言「墨子學派是辯證唯物主義」。當時陳伯達的《孔子哲學》即將出版。2月20日，毛澤東給洛甫寄了一封信，建議他讓陳伯達修正《孔子哲學》中對於「唯心主義的表述」。2月22日，毛澤東寫信給洛甫，就自己對這本書的保留意見做了解釋：他認為陳伯達談及孔子教育普及化的功績時引述了郭沫若的話，孔子的功績僅有教育普及這一點不符合事實，與文章內容衝突，此外他還認為陳伯達在文章中過多地引述了章炳麟、梁啟超、胡適和馮友蘭[19]的話。「他們的思想和我們是有基本上區別的，梁基本上是觀念論與形而上學，胡是庸俗唯物論與相對主義」。在此問題上，毛澤東擺出自己才是正確的姿態，更令人出乎意料的是，他很早已經自以為權威，介入藝術和文學領域。1938年4月28日在魯迅藝術學院的講話中，[20]他以徐志摩[21]的藝術為例批評藝術至上主義：儘管全面抗日需要統一戰線，但「我們在藝術論上是馬克思主義者，不是藝術至上主義者。我們主張藝術上的現實主義，但這並不是那種一味模仿自然的記流水帳式的『寫實』主義者，因為藝術不能只是自然的簡單再現。至於藝術上的浪漫主義，並不是完全沒有道理的。它有各種不同的情況，有積極的，革命的浪漫主義」。事實上，我們需要的是富有豐富生活經驗的作者塑造一些「愛國英雄」。毛澤東以法捷耶夫的《毀滅》[22]和他最喜歡的小說曹雪芹的《紅樓夢》為例。對於前者，毛澤東認為這位蘇維埃作家「描寫調馬之術寫得很內行」。對於後者，毛澤東這樣評述：文藝工作者就如同這部作品中的兩位主角，「現在你們的『大觀園』是全中國……要切實地在這個大觀園中生活一番，考察一番。……單單採取新聞記者的方法是不行的」。毛澤東尤其要求那些藝術工作者搜集民謠，「夏天的晚上，農夫們乘涼，坐在長凳子上，手執大芭蕉扇，講起故事來」。從毛澤東的這些建議中，我們體會到某種政治介入文學創作的意願，這種意願或多或少與政治宣傳混淆在一起。毛澤東在一篇文章中寫道：中國需要一種新型的學者，這種人才對於世界的認識是具體的而非書本的，主要通過無線電傳播自己的學識。[23]

顯然，毛澤東介入最多的是這些年中他最熟悉的領域：戰爭藝術。1937年11月12日，毛澤東在延安黨的積極分子會議上作〈上海太原失陷以後抗日戰爭的形勢和任務〉的報告，全面闡述了對統一戰線和國共關係的意見，分析了上海和太原失陷以後抗日戰爭的形勢和任務。[24]

第二天，毛澤東接受英國記者詹姆斯．貝特蘭（James Bertram）的採訪，再次確認了自己先前的論斷。在《解放日報》的報道中，他說：「我們必須從抗日戰爭中汲取革命精神，採用獨立自主的游擊戰，打一場人民戰爭。」[25]猶豫了一段時間之後，[26]毛澤東意識到陣地戰的變化，將自己的論斷系統化。1938年5月26日至6月3日，毛澤東在延安抗日戰爭研究會上發表了兩篇演說，演說稿收錄於7月7日出版的一本小冊子中。[27]毛澤東的文章內容新穎，在他之前，沒有人曾在游擊戰中扮演過這樣的角色，也從來沒有人像他這樣如此細緻入微地分析游擊戰的各種細節。從另一方面來説，除了列寧以外，在他之前很少有領導人如此清晰地理解「戰爭是政治以另一種方式的繼續」：這句名言出自毛澤東在1938年春讀到的普魯士軍事家卡爾・馮・克勞塞維茨（Carl von Clausewitz）的《戰爭論》。毛澤東的思想慢慢趨於成熟：要追溯其思想脈絡，我們可以研究他在游擊戰中對紅軍主要指揮官反復重申的命令，以及戰爭前9個月他發表的文章。[28]毛澤東不僅認清了形勢，甚至還預知了各種事件，着實令人信服。由此，毛澤東的聲望與日俱增。繼上海、太原相繼失守之後，毛澤東總結出這樣一個重要觀點：運動戰中日本會贏。在戰爭的第一階段，國民黨改編自紅軍的八路軍部隊扮演了重要角色，而共產黨游擊部隊扮演次要角色，起到了戰術上而非戰略上的作用。毛澤東將抗日戰爭的第一階段概括為「敵之戰略進攻，我之戰略防禦的時期」。這一階段還會持續一段時間，不過馬上就要進入到第二階段了。毛澤東把這一階段概括為「敵之戰略保守，我之準備反攻的時期」。他指出這一階段是十分困難的階段，國民黨方面隨時準備投降，必要的人員流動缺乏支援。而國共之間的關係比第一個階段更緊張，共產黨方面必須隨時做好獨立行動的準備。事實上，在這一階段，游擊戰的重要性慢慢顯現出來，也就是説共產黨的角色越來越重要。因而最初的形勢完全逆轉：游擊戰馬上就要承擔起戰略主導性的角色。游擊隊員通過拉長與敵軍交鋒的戰線，利用持久疲勞戰拖垮敵軍。在關於游擊戰的講話中，毛澤東一再強調游擊戰對於解決衝突的重要性，稱這一戰術能體現出中國人的獨創性。對其他國家來説正規的戰爭才是最重要的，游擊戰只起到輔助效果而已。

對於小國而言如此，對於像蘇聯這樣的大國亦是如此。蘇聯是一個強大的國家，它有能力在遼闊的疆土上以現代武器與敵軍抗衡。然而中國卻不同，「敵人雖強，但是小國，中國雖弱，但是大國」。只在這種情況下，游擊戰不僅起到戰術性的作用，更起到戰略性的作用。毛澤東隨後分析了游擊戰實施的利弊：這種形式的戰爭非常適用於山區，並且已經在山區發展起來，同時它也適用於湖泊地帶，如淮河、中部平原上（安徽）的湖泊、洪澤湖、江蘇省北部的高郵以及南部的太湖地區。自1938年春起，毛澤東開始籌劃擴張。項英、葉挺和陳毅帶領新四軍建立新的根據地。在這場農民戰爭中，民兵必須和人民保持魚水關係，只有在人數上佔優，確保突擊一定能制勝的情況下才發動進攻。游擊戰的前提是人民大眾的支持：我們很清楚地看到國民黨在江西是如何清除共產黨的。近一年來，我們體驗了日本人對付中國村民的各種恐嚇方式。游擊戰需要做大量的動員和解釋工作。隨後我們進入到持久戰的第三也是最後一個階段，這一階段是「我之戰略反攻，敵之戰略退卻」的時期，日方軍隊最後撤至鴨綠江：此時游擊戰就不再是主導的戰爭形式了。在這一階段，共產黨人必須有能力接受新的挑戰，恢復運動戰的作戰模式。抗日戰爭被毛澤東視為反法西斯戰爭中不可避免的一戰。這將是解放全世界人民的最後一戰，「我們的子孫將永遠擺脱戰爭」。我們注意到毛澤東的這兩篇文章成了中國軍事傳統經典的補充，強調特殊的作戰藝術。與此同時，他開始提倡中國革命的特殊性以及馬克思主義中國化的必要性。

毛澤東進入了一生中決定性的轉折點。在這段艱苦的歲月裏，他遭遇到兩次政治危機。第一次危機是在黨內，由王明的回國引起。這次危機歷經了持久戰的第一階段及運動戰時期。第二次危機出現在戰爭的第二階段——陣地戰期間，前線相對穩定，但國共兩黨之間的關係產生了危機，這次危機不斷加重直至1941年1月。

王明右傾的十個月（1937年11月29日–1938年10月14日）

1937年11月29日，一架蘇制軍用飛機降落在延安機場。這架飛機11月14日從莫斯科起飛，途經新疆迪化（今烏魯木齊）及甘肅蘭州。毛澤東協同政治局全體成員到機場迎接第一批共產國際派駐中共中央的人員。這批人員包括王明、康生、三個較為次要的幹部，以及從迪化登機的陳雲。儘管毛澤東自稱十分歡迎王明等人回國，但是他很清楚王明、陳雲和康生以及之後從安徽到訪的項英加入政治局後，將會改變政治局內部的權力關係，並朝着不利於他的方向轉變。事實的確如此，在十個月的時間裏，王明與毛澤東幾乎勢均力敵地進行着較量。從12月9日到14日的第一次全體大會開始，政治局就出現了雙方僵持的狀態。[29]王明是共產國際派駐中共中央的代表，11月11日他與斯大林和季米特洛夫會面後，聲名日盛。他作了一次長篇報告，在報告中他依仗自己的威望要求共產黨加強與國民黨的合作。他批判毛澤東懷疑蔣介石在統一戰線這個問題上的誠意——毛澤東在8月的洛川會議上提出蔣介石不可信，並在11月12日的報告中再次重申他的懷疑。王明獲得了大部分與會人員的支持或默許：共產國際的權威不容置疑。毛澤東避開風頭，成功地阻止了一場改變路線的政治表決。他必須接受從莫斯科回來的3位政治局成員進入書記處和由25位成員組成的籌辦共產黨七大的委員會。25人委員會由毛澤東負責，王明、康生、陳雲和洛甫協助。此後，毛澤東在書記處成了少數派，他唯一能夠信賴的只有洛甫，他的領導地位很有可能只是別人所設的圈套。最終，王明被任命為統一戰線工作負責人，成為領導核心。由此我們可以看到在黨的七大召開的時候，王明在黨內的地位與毛澤東不相上下，甚至晉升為黨內頭號人物。儘管如此，季米特洛夫還是勸誡王明不要排擠毛澤東，[30]斯大林對毛澤東的軍事能力及在紅軍將領中的聲譽印象深刻。這位格魯吉亞人為了保護蘇聯，必須讓日本人戰敗，毛澤東可以成為一劑良藥，刺激鬥志始終猶豫不決的蔣介石抗戰到底，而王明則不行。而且，毛澤東繼續學習馬列主義的蘇維埃理論，他在西安事變中所採取的政策符合克林姆林宮的意願。

王明取得了第一階段的勝利，毛澤東看起來鬥志薄弱。12月18日王明安心地趕赴武漢會見蔣介石。他在武漢與周恩來、博古、董必武一同設立了共產黨的中央辦公室——長江局，長江局很快成為黨的第二個中心，王明為書記。黨的第一個中心在延安，由毛澤東、洛甫和任弼時掌管，負責紅軍的基層工作、軍事問題及日常事務。擅長政治謀略的毛澤東讓共產黨通過了一項決議，所有的政治決策都必須由書記處或者政治局半數以上成員的同意方可通過，以此來抗衡黨內王明的勢力。因為毛澤東知道，除了洛甫對自己無條件支持以外，善於察言觀色見風使舵的康生[31]很快會站在自己這邊，而陳雲則是一個對於領導層內部鬥爭漠不關心的人。與毛澤東不同，王明主張在蔣介石的領導下進行全民防守，共產黨員全力參與，就像他在12月27日在漢口所發表的聲明那樣：「一切服從統一戰線！」[32]事實上，他打算依賴大城市工人階級的戰鬥力以及愛國動員「把武漢打造成第二個馬德里」，並由此提高他在黨內的聲譽。共產黨授予他在武漢出版發行《新華日報》的權力並開設徵兵處，這對王明來説是一個吉兆。日本人無法經過此地。

事實上前線狀況堪憂。在日軍登陸杭州灣之後，中方那些流動性比較小的部隊受到敵軍的包圍，導致上海失守。國民黨方面因將士大量死亡以及士氣不足，一步步敗退。[33] 12月13日，首都南京淪陷。在兩個多星期裏，日軍在此地燒殺搶掠姦淫。[34]與此同時，另一支日本部隊攻佔太原，一路向南，途經汾河直至與黃河的交匯處，西安城岌岌可危。第三支日軍部隊自12月底跨過黃河，次年5月2日攻佔戰略鐵路樞紐徐州。期間，中方僅在4月份由李宗仁指揮獲得台兒莊戰役的短暫勝利。6月初，中國部隊以數十萬農民的性命為代價，炸開鄭州花園口堤壩，使黃河改道，隔斷了日軍的去路。至此黃河流向改至山東南部，帶有大量淤泥的河水同淮河交匯，形成了一個巨大的半湖泊流域，不久之後，就有游擊隊員在這片流域戰鬥。從6月12日開始，日本的左翼部隊沿長江往新的臨時首都武漢的方向推進。由於軍事補給僅來源於廣東，10月中旬武漢在日軍的攻擊面前顯得不堪一擊。10月25日，廣東淪陷，武漢部隊撤退。10月27日，日本部隊進入武漢城。國民政府在四川天然要塞的庇護下撤至重慶。直至1944年，戰線一直保持不變。

戰爭局勢風雲變幻，對共產黨內部的政治討論產生了直接的影響。1938年2月27日至3月1日的會議[35]上，王明的影響力達到了頂峰：徐州周圍地區都保住了。王明在討論會上致了開幕詞。[36]他的語氣總體上是樂觀的，他重申了在12月所表明的立場：必須加強統一戰線，兩黨在保持各自獨立性的前提下結成一個民族革命聯盟，該聯盟的行動必須無條件得到獲准。但同時也需要「統一的軍隊，統一的代表團，統一的指揮，統一的戰略」。由過去紅軍改編的八路軍將聽命於蔣介石的最高領導和指揮。所有新的紅軍根據地必須獲得國民黨的批准審核，並終止沒收地主與富農的土地充公，除非他們當了漢奸。必須選舉出一個國民參政會，並得到各群眾組織的贊同。戰爭必須以運動戰為主，配合陣地戰，游擊戰只能起到輔助作用，用以干擾敵我的交鋒。

第一天保持沉默的毛澤東在28日[37]發表了自己對於形勢的看法：他的語氣顯然要比王明悲觀許多。在他看來，國民黨太過於腐化，無法擔此大任。正因為共產黨不能獨立打贏戰爭，而日本也永遠無法征服整個中國，侵略者最終將「陷入人民群眾的汪洋大海」。戰爭必定會耗費很長時間，因而要將自己的力量合理安排，將部隊撤退至農村。浪費兵力，試圖在城市防守是無用的。毛澤東的言下之意是，對付日軍的方法其實就是在江西對付蔣介石第一次「圍剿」時的方法：任由敵軍不斷攻城略地，從側翼干擾，當戰線拉很長的時候再予以回擊。但至少在表面上，他接受了王明提出的共產國際的路線方針，在之後的辯論中才提出自己的觀點。由於在政治局勢單力薄，他再一次排除了對於一項不利政策進行表決的危險。2月2日，王明在武漢以毛澤東的名義發表〈毛澤東先生與延安新中華報記者其光先生的談話〉，談話中記者問毛澤東統一戰線的好處之一是否是「為了捍衛整個民族，確保各黨派間的言論自由」。不久之後，毛澤東義正詞嚴地聲明，經過這幾個月，「他的權力被極大地束縛於自己的窑洞中」[38]。而李維漢在他的回憶錄中也寫道：「這六個月來，毛澤東一直處於少數派的位置。」[39]1945年共產黨的七大上，毛澤東聲明「從1937年12月會議以來，直至1938年10月，右傾主義路線在黨內又重新抬頭」[40]，而這篇報道直至1986年才公布於世。

為了打破僵局，保持團結，政治局決定3月1日派遣中共中央軍委總政治局主任任弼時赴莫斯科，與共產國際探討處理國共兩黨關係的策略及戰爭的導向。[41]眾所周知，黨在延安和武漢有兩個中心這一棘手的問題將借此機會解決。在此期間，為了平息對手的怒火，同時使國民黨和蘇維埃方面放心，毛澤東咬牙忍耐，再次證明了他的穩重和謹慎。在2月15日寫給《大公報》記者范長江[42]的一封信中，毛澤東提出統一戰線幹部提議的民主革命和未來的社會主義革命之間有一個和平過渡時期，「在此期間，共產黨要避免流血犧牲」。1938年4月1日，在培養國家幹部的陝北公學開學典禮上，毛澤東對1,500名學生說「國民黨愈強大愈好」，並祝願「國民黨有一千萬黨員，而共產黨有一百萬黨員」。[43] 5月4日，毛澤東認為國共兩黨自1927年以來一直忍受着分裂的痛苦。5月13日，毛澤東否認徐州戰敗已成定局，並迫切要求做好準備保衛武漢。[44] 5月15日，毛澤東在為陝甘寧邊區政府起草的布告[45]中提到，敵人「企圖製造內部糾紛，破壞統一戰線」。所有這些聲明本來應該由王明簽署的。

事實上，5月9日徐州的淪陷證實了毛澤東的擔憂，也為毛澤東開闢了前程。5月14日、5月22日，[46]毛澤東領導的中共中央書記處向新四軍、[47]江蘇黨的負責人、武漢華中黨組織發布了多項指示：從今以後，以上各相關單位要全力深入農村，發展游擊隊及根據地。那些湧向武漢的志願兵和共產黨部隊必須深入農村。6月15日，因扒開黃河堤壩取得效果而重拾信心，王明、周恩來和博古等人與毛澤東的意見相反，把武漢視為「新馬德里」，主張在安徽的平原開戰以阻止敵軍抵達武漢，八路軍負責留守敵軍後方以切斷敵軍的軍事補給。為配合這場戰鬥，共產黨進行了一場全民動員。[48]共產黨的政治行動讓國民黨回想起1925年至1927年的形勢，8月5日國民黨對民眾組織進行了一場嚴格的控管。8月17日，國民黨當局將共產黨在武漢的書記處所在地貼上封條，戴笠領導的軍統又開始殺害共產黨及相關人員。王明想要將革命重心轉至城市的夢想破滅了。和不久之前的上海一樣，武漢也不再是新的彼得格勒了。10月25日，棄守武漢證明了王明右傾政策的失敗。

相反，毛澤東在夏天轉入了反攻，中國在運動戰上的失敗日益顯著，他從6月開始提出持久戰理論。為了謹慎起見，毛澤東常常拒絕讓自己陷入與國民黨的聯盟，以免失去自由。1938年6月3日，國民黨中央監察委員會決議恢復毛澤東的國民黨黨籍，毛澤東以國共合作形式尚不明朗，擔心1924年的歷史重演為由拒絕了這項決議。[49]7月5日，蔣介石設立國民參政會，並將其視為社會制度民主化的第一步，任命毛澤東和其他六位共產黨為參政會成員，毛澤東對此表示感謝。由於任務繁重，毛澤東沒有出席國民參政會成立大會。[50]8月6日，在由毛澤東的老部下和政治局的新盟友洛甫、陳雲、王稼祥、劉少奇和康生記錄，致長江局各負責人王明、周恩來和博古等人的關於軍事行動的電報中，毛澤東寫道，「保衛武漢重在發動民眾」，「至事實不可守時，不惜斷然放棄之」。實際上，「在抗戰過程中，鞏固蔣之地位，堅持抗戰，堅持打擊投降派，應是我們的總方針。而軍隊力量之保存，是執行此方針之基礎」。之後的指示都旨在根據毛澤東5月提出的框架發展游擊隊，尤其是在那些國民黨慘敗後放棄的城市中。[51]

毛澤東對王明發起了他的「莫斯科保衛戰」。任弼時到達莫斯科後就接替王稼祥成為中共中央駐共產國際代表：事實上王稼祥一直想回國，回國之後，他就補了任弼時留下的空缺，成為中共中央軍委總政治部主任。或許王稼祥是想要逃避在莫斯科盛行的恐怖氛圍吧。當時斯大林製造了一系列打擊其對手或臆想對手的訴訟案件，許多革命時期的老兵都被判了死刑，從1936年夏的基諾維耶夫開始，到1937年12月的圖哈切夫斯基，至1938年對布哈林和李可夫的批判達到頂峰。[52]任弼時和王稼祥對於蘇聯的認識是一致的，他們早年都在莫斯科求學，很早就與王明結識，1934至1935年又都歸毛澤東直接領導。王明離開中國太久，可能已經忽視了他們的政治演變。1938年4月14日，任弼時向共產國際執委會主席團彙報了當前中國的形勢，確認了毛澤東的正確路線。1938年1月底蘇聯總參謀部安德利亞諾夫（V. V. Andrianov）秘密前來延安會見了毛澤東，帶給毛澤東三百萬美金和一份紅軍參與抗擊日軍的偉大計劃。[53]自此毛澤東在共產國際中更有發言權。這一舉動在當時並不令人意外，斯大林曾希望看到紅軍從3個師變成30個師，[54]還曾在上海戰役中派了2,000名蘇維埃飛行員前去支援當時幾乎快被消滅的國民黨的青年飛行員。[55]

中國軍事形勢的變化無疑加強了斯大林對毛澤東的賞識：毛澤東是具有軍事才華的。而對王明，斯大林也許會喊：「王明，你有多少部隊？」1938年6月11日，共產國際關於中國問題的一項決議重申了對統一戰線政策的支持，並批判看似針對張國燾，[56]實則指涉王明的「右傾投降主義」。同一天，季米特洛夫會見了王稼祥和任弼時，並向他們口頭傳達了共產國際對於共產黨內部領導團體情況的指示。斯大林十分賞識毛澤東。1938年8月初王稼祥回到延安，馬上向毛澤東彙報此事，後者隨即於9月14日至27日在延安召開政治局會議，並要求武漢中央的負責人務必出席。9月10日前後，他在城南門外親自迎接王明。王明無視任弼時此項任務的成果，要求在武漢召開會議未果。周恩來、博古和徐特立隨後從西安趕來。[57] 14日會議一開始，王稼祥便向政治局傳達了季米特洛夫的指示：

共產黨建立抗日民族統一戰線已有一年了。政治路線是正確的。中共在複雜的環境和困難的條件下真正運用了馬克思列寧主義。在中共中央領導機關中要以毛澤東為首解決統一領導問題。中央領導機關要親密團結。[58]

毛澤東充分利用了這次勝利。[59] 9月24日，他在會上作長篇發言，共講了五個問題，肯定了「共產國際的指示對於這次政治局會議的成功至關重要，它同時也確定了黨的六屆六中全會和黨的七大的領導方針：而共產國際最主要的指示是加強黨內團結」。毛澤東隨後分析了軍事形勢，認為日益臨近的武漢淪陷「將開啟抗日戰爭的新階段」，這一新的形勢會對統一戰線產生影響：隨着運動戰的結束，國共兩黨間的緊張關係無疑會變得更激烈。9月26日，毛澤東受黨內委託，將在黨的六屆六中全會上作政治報告，為黨的七大做準備。

9月29日，共產黨六屆六中全會擴大會議開幕，毛澤東的勝利得到確認。這次會議共有52位中央委員出席，持續時間很長，直至11月6日才結束。的確，自1934年1月在瑞金召開黨的五中全會以來，發生了許多重大事件，是時候認清形勢了。會議由毛澤東主持，首先委員會通過了一封準備10月4日由周恩來親自遞交給蔣介石的信。[60]這封在形式上十分恭敬的信預言了抗日戰爭的「光明前景」，並解釋了持久戰的概念，毛澤東借此含沙射影地教訓了蔣介石。毛澤東終止了所有關於共產黨在統一戰線中扮演角色的討論，並又一次讓蘇維埃方面對共產黨的政策放了心。之後毛澤東就聽憑事態自然發展。大約兩週以後，辯論陷入僵局，毛澤東才作了發言。他的發言持續了三天，或者說是三個下午一個晚上，10月12日、13日、14日下午以及14日的晚上，委員會配合他的生活節奏[61]開會，足見他的巨大影響力。他那八個部分組成的長篇報告[62]平息了所有的爭議。第一部分對自五中全會以來的歷史作了簡短回顧，指出形勢發生了重大變化，尤其強調了被共產國際認可的統一戰線。第二部分概括了15個月以來的抗戰情況，並重提1936年7月16日埃德加・斯諾對他的採訪，以及關於持久戰的分析：「悲觀主義是沒有根據的。」在第三至第六部分，毛澤東對戰爭即將開始的新階段提出了自己的看法。第二階段要比第一階段更加困難，因為戰爭進入了僵持階段，投降的傾向將會增強。據毛澤東估計，在這一階段，游擊戰將起到戰略性的作用。毛澤東還提到1938年8月蘇日之間的張鼓峰事件，[63]當時人們認為即將爆發的蘇日戰爭將終結中國面對強大敵人孤立無援的狀況。從中我們可以看到毛澤東對蘇聯有一種隱晦的批判。大家再次肯定戰火會更集中，形勢更緊張的戰區在歐洲，因而毛澤東關於持久戰的預見是有道理的。在軍事陷入僵局的這幾年，「抗日戰爭的進行與抗日民族統一戰線的組成中，國民黨居於領導與基礎的地位。……只要在堅持抗戰與堅持統一戰線的大前提之下，可以預斷，國民黨的前途是光明的」。[64]毛澤東仍然將共產黨屈居於統一戰線的第二位，他的言下之意是：政治生活需要民主化。共產黨已做好準備為全面實現三民主義而戰，為此國民黨必須成為抗日建國的民族聯盟，「容納全國愛國黨派與愛國志士於一個偉大組織之中」。共產黨員將全力參與，並把參加成員名單交給國民黨。另一種可能性是形成一個國民聯合會，蔣介石為最高領導人。否則，共產黨就維持現狀，出現問題的時候再進行討論。接下來毛澤東對世界範圍內反法西斯運動的概括做了描述，認為慕尼黑協定將對冒險主義有利，而內維爾・張伯倫(Neville Chamberlain)和皮埃爾・埃蒂安・弗朗丹(Pierre-étienne Flandin)「搬起石頭打自己的腳」。在第七部分，毛澤東說明了共產黨在國內戰爭中所扮演的角色。他粗略地描述了1927年8月至五中全會之前共產黨的歷史，以及反對右傾機會主義(陳獨秀)和「左」傾機會主義(李立三)的抗爭。這一切是為了對長征開始以來出現的機會主義進行新的抗擊做鋪墊：遵義會議糾正了在第五次反「圍剿」鬥爭中所犯的「左」傾機會主義性質的嚴重的原則錯誤，這一錯誤導致了蘇維埃在江西的敗北；之後，克服了張國燾的退卻路線、軍閥主義與反黨行為。這次抗爭是為了繼續加強黨內團結和紀律。毛澤東轉而進入了他報告中最引起爭議的部分：[65]必須要全面學習馬克思、恩格斯、列寧、斯大林的理論，它們是「放之四海而皆準」的理論。「不是把它們的理論當作教條看，而是當作行動的指南。」事實上：

> 共產黨員是國際主義的馬克思主義者，但馬克思主義必須通過民族形式才能實現。沒有抽象的馬克思主義，只有具體的馬克思主義。所謂具體的馬克思主義，就是通過民族形式的馬克思主義，就是把馬克思主義應用到中國具體環境的具體鬥爭中去，而不是抽象地應用它。成為偉大中華民族之一部

分而與這個民族血肉相連的共產黨員，離開中國特點來談馬克思主義，只是抽象的空洞的馬克思主義。……洋八股必須廢止，空洞抽象的調頭必須少唱，教條主義必須休息，而代替之以新鮮活潑的，為中國老百姓所喜聞樂見的中國作風與中國氣派。……如果有人拒絕對於這些作認真的過細的研究，那他就不過是一個西班牙的唐・吉呵德，再加一個中國的阿Q，而不是一個馬克思主義者。

毛澤東報告的第八部分號召與會者繼續參加即將召開的黨的七大。總之，毛澤東完全履行了他的諾言：他團結了全黨，終止了領導間的鬥爭，表現了他的寬宏大量，儘管在某些地方他也抨擊有些教條主義的幹部喜歡賣弄自己的學問，在國外學習嚴重脫離中國實際等。

15日，洛甫的報告沿襲了毛澤東的調停精神，探討了幾個關於將共產黨從地下狀態轉至合法狀態的問題。他尤其強調，黨內積極分子採取國共內戰時的行為，痛恨國民黨，「與社會尤其是上層階級一刀兩斷」，這種過激的觀點將導致嚴重的後果。他多次引述毛澤東的話，對托洛茨基分子進行了一次嚴厲且詳盡的抨擊。[66] 10月20日，王明發言表示贊同毛澤東的報告。很久以後，在他被流放莫斯科時所寫的回憶錄中，[67]他甚至說他親自起草了一份政治決議準備在11月6日進行表決。這項決議不包含任何直接的攻擊，且重點強調保持並擴大統一戰線以「有力支持蔣介石」，「減少並避免國共之間的摩擦」。王明和其餘國民參政會的領導隨即結束黨代會趕赴重慶，參加10月28日至11月6日蔣介石召開的第一屆國民參政會議。周恩來一同前往，將大會通過的信親自交給蔣介石。10月27日武漢淪陷。

毛澤東不再扮演調停者的角色。他用兩次講話結束了這次大會，闡述了那篇長篇報告中的保留意見，直截了當地表達了自己的不同意見。11月5日，他的講話首先針對國民黨。[68]他的語氣變得強硬：我們政治上所做的讓步（「為了更好的一躍而後退」，正是列寧主義）必須「是積極的而非消極的」，不能忘記國民鬥爭與階級鬥爭本質上是一樣的。[69]這暗示永遠不要讓共產黨陷於困境之中。這也是毛澤東對另一個目標王明的攻擊。毛澤東明確地說：王明的中心口號「一切經過統一戰線」使共產黨屈居於國民黨之下是一個錯誤。[70]6日，他擴大了批判範圍：抨擊王明提出的合法路線，認為革命的核心在農村而不是城市。他毫不掩飾地借用了一些犬儒主義的觀點：不妨尋求國民黨的同意，將三個師的番號擴編為三個軍的番號以獲得更多的財政援助。在另一些情況下，可以先斬後奏，比如秘密徵集二十萬人的軍隊，或在黨的領導下發展農村根據地。「在資本主義各國」，如同蘇聯的革命，經歷了長期的合法鬥爭——

> 到了起義和戰爭的時候，又是首先佔領城市，然後進攻鄉村，而不是與此相反。所有這些，都是資本主義國家的共產黨所曾經這樣做，而在俄國的十月革命中證實了的。……中國則不同，由於封建的分割……誰有槍誰有勢，誰槍多誰就勢大……「槍桿子裏面出政權」。我們的原則是黨指揮槍，而決不容許槍指揮黨。但是有了槍確實又可以造黨，八路軍在華北就造了一個大黨。還可以造幹部，造學校，造文化，造民眾運動。……槍桿子裏面出一切東西。……只有用槍桿子的力量才能戰勝武裝的資產階級和地主；在這個意義上，我們可以說，整個世界只有用槍桿子才可能改造。我們是戰爭

> 消滅論者，我們是不要戰爭的；但是只能經過戰爭去消滅戰爭，不要槍桿子必須拿起槍桿子。[71]

毛澤東此番言論回應了1927年8月7日在八七會議上的講話，那次黨的緊急會議罷免了陳獨秀並發動了土地革命戰爭。這11年來，毛澤東艱難地奪取了黨內的領導地位，並證明了他的政治策略。我的表述包含兩重含義。

第一重含義：對毛澤東而言，共產黨和紅軍是緊密聯繫在一起的。他在強調黨內團結，黨的紀律和精神時提到了這一點，這是一種獲得政權的有效工具，一旦迎來了國內和平，就不再適用了。不要忘記自毛澤東踏上中國歷史的搖籃——遼闊的黃土高原開始，他就將自己向歷代開國皇帝看齊，傳說中的黃帝、秦始皇帝[72]或成吉思汗，這些皇帝的靈魂至今還在各個海域漂泊。

第二重含義：越來越強調中國特色的毛澤東開始與蘇維埃式的革命保持距離，主張要通過馬克思主義中國化，使戰爭藝術中國化，共產黨中國化，從而開闢中國特色的道路。而這條道路是毛澤東創造的傑作。

然而此時毛澤東並未獲得徹底勝利：至少在需要通過表決的決議上，他必須對王明作出很大的讓步，並對國民黨保持謹慎。在政治局12位成員中，有4到5位有可能會反對毛澤東。如果說他可以依賴朱德、洛甫、康生、劉少奇、王稼祥和陳雲的話，那麼對於王明、博古、項英和彭德懷，他就不能那麼信任了。周恩來坦言，他直到1939年5月之後才開始真正地全力支持毛澤東。[73]儘管如此，大會通過表決補充了12月7日所做的關於黨內組織問題的決議，大大加強了毛澤東在黨內的權力：[74]他領導的書記處每週舉行會議，他在這個書記處獲得了多數人的肯定，但他拒絕成為總書記。王稼祥是他的助理。政治局每三個月開一次會，在沒有會議的空檔期，書記處可以以自己的名義做出決定。從理論上講，黨在兩屆會議期間的領導權以中央委員會為基礎，但實際上，後者只是在事後起到監督管理的作用。就這一點來講，毛澤東沿襲了斯大林領導下的蘇聯共產黨的模式。王明此時受命於統一戰線小組辦公室。11月9日長江局被撤銷，由周恩來領導的南方局（1939年1月）和劉少奇領導的中原局取而代之，王明已經失去了在黨內的實質權力。

成為黨內領袖的毛澤東開始迎來一個新的巨大挑戰，那就是在統一戰線框架下，國共之間的關係問題。

與國民黨的摩擦期（1938–1940）

從這一點上來説，毛澤東的分析是符合事實的：繼武漢淪陷之後，前線的狀況趨於穩定，與此同時，國共之間的關係卻愈發緊張起來。

事實上共產黨的確沒有為平息這場兩黨間的衝突做些甚麼。自抗日戰爭爆發以來，毛澤東一直要求八路軍軍事和政治負責人在日軍後方設立游擊隊根據地。那些社會名流不是投降日本人，就是躲避在城市裏，國民黨軍隊中不是土匪武裝就是非正規軍，而那些微不足道的游擊隊員不是被除名就是被共產黨歸入自己的部隊。從1939年1月開始，國共各自的態度已經很明確了：今日兩黨的合作是為明日成為對手做準備。在現階段，雙方都還彼此需要：共產黨為了擴大邊區，發展抗日根據地，需要國民黨在財政和物資上的支援；而國民黨為了重新統一中國，使國家擺脱外交上的孤立無援，需要繼續獲得蘇聯的軍事支援。1月21日至30日，國民黨召開五屆五中全會，蔣介石聲明他繼續抗日是為了恢復1937年7月盧溝橋事變之前的形勢，因此決定與偽滿洲國和共產黨決裂，而與日本和解是最好的選擇。此外，一項要求國民黨員「溶共、防共、限共、反共」的秘密決議在黨內通過，從而導致兩黨從春天開始出現直接的摩擦。[75]

毛澤東這邊的情況是，從1月12日開始，他起草了一些指示，直到9月份才公布於眾：「任何方面的橫逆如果一定要來，如果欺人太甚，如果實行壓迫，那末，共產黨就必須用嚴正的態度對待之。這態度就是：人不犯我，我不犯人；人若犯我，我必犯人。」[76]而國民黨方面一直批判共產黨「虛偽」：他們的游擊隊「游」而不「擊」。據蔣介石的親信説，共產黨70%的力量用於擴大紅軍，20%用於攻擊國民黨，只有10%用於抗擊日軍。

在毛澤東的指示中，他圍繞着「團結抗日」這個主題提出各種可能性。1939年3月12日，毛澤東參加「紀念孫中山和卡爾・馬克思的大會」[77]，他説「現在馬克思主義與三民主義聯繫起來」。1939年3月2日，毛澤東為聶榮臻寫的一本小冊子撰寫前言，已經提到這樣的言論。聶榮臻在這本書中認為「晉察冀邊區」是「抗日根據地」，三民主義在此地「真正落實了」。[78]1939年5月4日，毛澤東在延安各界青年紀念五四運動20週年大會上作了題為「青年運動的方向」的講話。[79]毛澤東正面評述了蔣總統的言論，稱國家是第一位的，民族也是第一位的，軍事事務必須放在首位，而勝利也是首要的。

毛澤東最擔心的是蔣介石或多或少有些投降傾向，這種傾向將共產黨置於一種直接面對日軍的危險處境中。1939年6月，毛澤東明確指出了這一點，[80]並且揭露了「東方慕尼黑」陰謀。7月9日，他又重申了這一點，並鼓勵「堅持國共長期合作」，他指出統一戰線才是抗擊日軍的「法寶」，[81]要「打到鴨綠江為止」。在國共摩擦最嚴重的時期發生了「平江慘案」，我們由此才發現毛澤東只是在表面上對國民黨態度緩和。平江是湖南省東北角的大縣，是1927年秋收起義的一個中心。1939年6月12日，國民黨的士兵和特務將新四軍通訊處洗劫一空，共殺死了六名共產黨幹部和士兵。[82]這是國民黨第一次執行五中全會時的秘密決議。8月1日，延安召開抗議集會，毛澤東要求懲治罪犯，「要限制日本帝國主義者，要限制汪精衛，要限制反動派」。此後，他將蔣介石的反共攻擊視作向日軍投降和毀滅中國的準備。汪精衛回到上海後，於1939年5月和10月兩次去東京，1940年3月30日在南京成立了受日本人公開保護的「中華民國國民政府」。汪精衛如此戲劇性地歸順於日本人更加重了毛澤東的懷疑。9月9日至18日，重慶召開國民參政會第四次會議，周恩來發言為共產黨的行為辯護，儘管如此，國民黨仍然不斷抨擊共產黨代表王明。1939年9月8日，毛澤東堅持在延安迎接國民黨的代表團，其中包括國民黨右翼領袖張繼，並要求在會議上歡呼蔣介石和林森的名字。[83]同一天，他在國民參政會上同其他六名共產黨代表團成員簽署了一份反對國民黨攻擊共產黨的文件：[84]團結與衝突，必將成為這幾個月反反覆覆的軍事摩擦的主線。10月，重慶政府停止對陝甘寧邊區的財政支援，12月，開始對部隊進行經濟封鎖，一年以後，受影響的人數達到四十萬之多。那些前往延安加入抗戰的青年被逮捕，拘禁在營地中。在評論這些事件的時候，毛澤東認為應該超越三民主義。他談得更多的是人民的三大革命原則，並且再三談到資本主義廢除後的階段是建立社會主義。9月16日，毛澤東接受國民黨記者的採訪，他宣稱共產黨依靠自力更生創造未來，並保證與國民黨決裂（這是非常可能的）不是共產黨所為。[85]

1939年8月23日，蘇德簽署互不侵犯條約，條約的結論加深了毛澤東的擔憂。對此有些措手不及的毛澤東用一番斯大林式的言辭回應道：這一條約證明了蘇聯因貫徹和平政策，國力和聲望獲得增長。[86]「這不是一個意外，而是一個具有極大政治意義的事件。」它結束了英法反動派的陰謀。毛澤東曾在9月14日說「帝國主義的第二次戰爭」和第一次戰爭一樣，「都是強大的帝國主義國家之間互相掠奪的非正義戰爭」，「不論是德日意，不論是英美法，一切直接間接參加戰爭的帝國主義國家，只有這一個反革命的目的。掠奪人民的目的，帝國主義的目的」。阿比西尼亞、西班牙共和國和中國的民族解放戰爭才是正義的戰爭。毛澤東在回答埃德加・斯諾採訪時問到的一個問題時說，世界反革命的「第一名魁首，已經是張伯倫了」。他認為西方的民主國家同意打倒希特勒的前提是之後將要進攻蘇聯。簽訂了條約之後，「希特勒是斯大林的囊中之物」。[87]一方面毛澤東認為蘇聯現在將轉而支持亞洲，讓日本陷入困境，另一方面他又害怕蘇日之間會簽訂一個類似的（互不侵犯）條約：因為傳言已經不脛而走。

邊區

事實上，當前的政治形勢非常令人擔憂，毛澤東必須全力以赴。因為江西的失敗，更因為與國民黨之間禁止將地主和富農的土地充公的脆弱協定，毛澤東無法再次採用蘇維埃時期的基本社會政策。他決定加強統一戰線的「法寶」：擴充黨員及士兵以抗擊日軍。他在農村建立基層黨組織，發展由共產黨領導的正規軍和民兵，顯然這是蔣介石不願意見到的。他十分仔細地安排軍隊力量的分布。若是平型關戰役在1939年打的話，規模就會大不同了：八路軍和新四軍從理論上來説是正規軍——主要接受埋伏和游擊能力的訓練，徵收的士兵裝備輕便，移動性強，以十來個到百來個為單位。1939年儘管遇到了不少困難，情況還是樂觀的：經歷長征之後筋疲力盡的共產黨不僅存活了下來，而且保存了軍事實力以及足夠的根據地。共產黨的軍事實力和革命根據地錯綜複雜，互相影響，我將對此做一個簡略的介紹。[88]

陝甘寧邊區是比較穩定的關鍵地區，除了延安城遭到幾次空襲之外，沒有遭受日軍的侵襲，也沒有國民黨駐軍。這一邊區也是共產黨在中國北部農村駐紮的第一塊邊區。套用一句毛澤東的話來講就是這一邊區是革命的屁股（革命要有根據地，就像人要有屁股）。[89] 150萬居民生活在這片8.5萬平方公里的廣闊領土上（相當於葡萄牙的面積），分為23個縣。這片土地幾乎全是沙漠，除了靠近河流的地區有29%的耕地，其餘的地方大約只有10%的土地可以耕種。我們估計一家人生活至少需要50畝地。1934年，12%的大地主擁有46%的土地，他們的財富來源於高利貸或抵押：85%的農民家庭僅靠50

畝地生活，按人頭計算，每個人僅有12畝地。1928和1933年，這一邊區才剛從1860到1870年間可怕的穆斯林大屠殺中恢復過來，饑荒就奪走了幾千個農民的生命。從前延安居民有63,000人，到1930年這裏只有30,788人。

共產黨的政策在一定程度上重建了社會的秩序，而他們對於根據地中心地帶的長期監督打擊了本地鄉紳的氣焰，土改政策在1935年至1936年間實行，1937年後中止，給窮苦人民帶來了福利：1938年，80%的土地屬80%的人民。儘管窮苦的狀況還是很嚴重，但是嚴重的程度卻在慢慢減輕：1939年，延安的9個區36萬居民中，人均耕地面積為20畝，很顯然超過了最低生活水平。然而在北部靠近長城的區域中，6個縣內54.5萬居民人均耕地面積卻只有6畝。隨着1937年年底開始執行溫和的政策，允許私人租種和僱傭，這種盛行的混合經濟確保了這個邊區的人民在食物上自給自足。再加上自1939年年底以來，國民黨政府每年給予215萬美金的財政補助，[90]這個邊區在稅務上的減免成為可能。1937年9月6日，由中共老黨員林伯渠擔任主席的地方政府成立，這個政府很快被國民黨承認。這一邊區的相對安全穩定吸引了十萬人移居到此，這些人包括因窮苦或戰爭逃亡的農民、學生、教師和其他知識分子，他們被共產黨日益上升的聲譽吸引：從1938年年底開始，他們中的兩萬人得到進入延安的批准。為了管理和保護這裏的15到29個縣，以及1,549個鄉，邊區擁有8,000名幹部，18,000名八路軍戰士，15,000名警察以及224,000名民兵，他們的常備武器是矛、刀和獵槍。1939年10月，共產黨黨員已達36,131人之多，佔總人口的2.5%。共產黨員人數的迅速增長源於秘密社團哥老會的介入，1936年7月15日毛澤東在這一組織中發言：在許多鄉里，超過半數的新黨員來自哥老會。[91]這種高效的共產主義的「滲透」或者說對長期在地方鄉紳控制下的秘密組織進行的政治化並非沒有風險：1937年5月，周恩來在延安嶗山遭到哥老會襲擊，他的七個隨行人員被殺。[92]為了避免遭到惡勢力的襲擊，共產黨定期會對基層組織進行肅清和再登記整頓。不過重點是共產黨透過靈活的政治管理，已經成功滲入農村。這一成功使得陝甘寧邊區成為一個十分特殊的邊區，與30年代末期共產黨建成的邊區完全不同，而且過度政治化。毛澤東在分析他的政策帶來的影響時，是以這個眼皮子底下的邊區為藍本的。

另一個邊區叫晉察冀（山西—察哈爾—河北）邊區，1938年1月22日得到國民黨承認。第二個邊區遠遠沒有第一個邊區穩固，在這個「屁股」上的革命無法持久。這一邊區的領土面積為80萬平方公里，有2,500萬人口，分布在108個縣內。然而在這一根據地的成立大會上，河北太行山中心地帶的阜平縣148名代表中只有39名代表出席了。共產黨只能固守十分之一的土地，相當於陝甘寧邊區的面積，並且只能領導200萬到300萬居民。此外，與前一個邊區不同的是，這個邊區由一片片不連續的內陸組成，在參謀部的地圖上看起來就好像是一系列的斑點。在平型關大捷之後，聶榮臻的部隊建立了這一邊區：邊區邊界受到山西軍閥閻錫山的支持，雙方招募成員共同成立了犧盟會和抗日決死隊，薄一波[93]等為數不多的共產黨員非常具有影響力。由於這些組織是以熱情但是缺乏經驗的民兵為成員建立的，他們組成的山西「新部隊」與原來地方上的「老部隊」關係很不好，他們上前線的表現力還有待改進。然而這一次比較混亂的動員卻使共產黨在這一邊區紮下根來。1939年12月，他們影響並管理了五台山30個縣，河北中部20個縣和察哈爾南部4個縣。日軍無法忍受這個「反動」邊區對於他們在中國北部鐵路幹線的威脅，定期進行清理戰。這一始終受到威脅的根據地為八路軍提供了眾多的新兵，1938年的時候已經組成了三個師，一萬五千名正規軍。在這一邊區，共產黨作為軍事力量被接受。[94]

其他的根據地都不被國民黨承認。

由賀龍的軍隊建立的晉綏（山西—綏遠）根據地包括山西西北部一半的山區，面積達33萬平方公里，人口300萬。這一邊區形成一個狹長的走廊，起到方便前兩個邊區交流溝通的作用。

晉冀魯豫（山西—河北—山東—河南）邊區還處於形成階段。這一邊區於1938年秋在太行山的南部建立，由劉伯承統帥，鄧小平任政委，駐紮在此地的300萬軍閥的士兵和民兵與晉察冀邊區的戰士一樣起到了決定性的作用。根據地的建立十分困難，因為此地不適宜游擊戰。在這些樹木已經被砍伐光的小山丘上，農民自1939年以來就進行着一場地下戰，他們在地下挖避難所，靠儲存的糧食生活。共產黨無法繼續向南部挺進，在這塊國共內戰的第一片土地上，蔣介石的核心部隊擁有穩固的地位，而且極具戰略意義的隴海鐵路從這裏通過。這塊革命根據地從來沒有被國民黨承認，雖然後者一年給予三萬八千美金的微薄財政補助。直至1941年7月7日這裏才成立了邊區政府，管轄着14個縣的五百萬居民。開闢山東初期，省長面對日軍的進攻不戰而逃，引起國民黨內部的混亂，不過這反而有利於共產黨的工作。然而這一開闢工作很快陷入了僵局，因為日軍對這一地帶十分熟悉。「八路軍山東支隊」共有3萬人，自1939年3月起由徐向前領導。

「法寶」

統一戰線這個「法寶」起到了不可思議的作用。1937年才4萬人的共產黨到了1939年12月已經有80萬人之多了。抗日戰爭初期9萬2千人的八路軍而今已經有27萬名戰士，而新四軍也從兩年前的1萬2千人增加到5萬人。共產黨以變化多端的方式控制着中國北部100萬到150萬平方公里的土地，3,000萬到4,000萬的人口。1944年4月，毛澤東估計「抗日根據地」的總人口達到一億：這一數字包括了所有向共產黨繳交糧食稅的家庭，也包括那些交給日偽政府稅款的家庭：這無疑高估了人數。

儘管如此，即使事實上共產黨僅對四分之一的土地和人口擁有穩固的管理權，蔣介石還是無法忍受。1939年12月到1940年3月，「當局」——共產黨對重慶政府的稱呼——自第二次統一戰線建立以來，第一次挑起了一場未命名的反共戰役。他們把自己的行動視為對共產黨非法擴張的打擊，並認為共產黨訓練有素的部隊在為「日偽政府」效力。參與此次行動的第一位高級將領是閻錫山，他是山西的老牌「軍閥」，但從三月開始，他不得不眼睜睜地看着八路軍再次攻佔他們兩個月前失去的土地，手下的三萬名士兵加入了八路軍。[95]山東的形勢一直很混亂。1940年，國共之間的鬥爭比抗日還要嚴重。1940年11月，八路軍在山東的人數達到七萬，但是國民黨對於這一邊區仍然擁有絕對控制權，共產黨僅控制了這一邊區與河北的交界處，泰山和山東半島底部。毛澤東十分熟練地在各處運用1940年3月11日他在延安的一次高級幹部會議上提出的戰術，並將其概括為「有理、有利、有節」[96]的口號。也就是說：不主動攻擊國民黨，但在對方攻擊時要反擊；在有十足把握勝利的前提下才發起戰鬥；把頑固派的進攻打退之後，如果他們沒有進行新的進攻，我們應該適可而止，使鬥爭告一段落。3月6日，毛澤東在他控制的邊區依據「三三制」原則分配行政責任：共產黨員、非共產黨的左派進步分子和中間分子各佔三分之一。7月7日，毛澤東強調了「左」傾回歸的威脅，令一般資產階級害怕。[97] 1940年8月13日，中共中央北方局發布了關於晉察冀邊區的管理綱領：[98] 只沒收叛徒的土地充公，禁止工人罷工，保證讓農民和佃農向地主繳交債款。1941年5月，《雙十綱領》的適用範圍擴大至陝甘寧邊區。雖然在陸地上與國民黨部隊的短暫交火日益頻繁，毛澤東仍然在1940年2月1日確信大部分的國民黨員擁有光明的前程，只有黨內那些少數根深蒂固的反動派的未來才是黑暗的。[99]

的確，在毛澤東溫和的言辭背後隱藏着更為強烈的指示。1940年3月11日，毛澤東做了一次報告，報告的第五點是關於抗日根據地的政治權力問題的，[100] 他明確指出：保證共產黨員在政治權力機關的領導地位是十分有必要的。為此我們必須保證那些佔有三分之一席位的共產黨員都具有高水準高素質。如果這一條件能夠得到保證，那麼共產黨的領導地位就能保障，沒有必要為了讓其他人真心接受我們的建議而增加共產黨員的人數。1940年3月16日，毛澤東給彭德懷寫了一封信，[101] 陳述了自己有些犬儒主義的觀點：

> 須避免在陵川、林縣地域[102] 再與中央軍衝突，如彼進迫，我應北退，如彼再三再四進迫不已，然後我軍加以還擊，其曲在彼，否則政治上對我甚為不利。目前鬥爭重心應移至淮河

流域，因李品仙現正派軍隊向雪楓、胡服兩區壓迫，蔣介石已注意該地，企圖切斷我軍與新四軍聯繫。我軍將來出路，實在中原，此時不爭，將來更難了……何應欽已在參政會常駐會議報告了一次。下月參政會開五次大會，彼現派在洛陽等處之視察團回川，必將大做文章。我們現在就應準備在政治上迎接蔣之新進攻，因此軍事上必須立即剎住，轉為守勢，彼軍進迫，我軍後退，一槍不打，服從命令，才能造成政治上有理有利地位。

我們可以看出：毛澤東不僅讀了克勞塞維茨(Carl von Clausewitz)的書，也讀了馬基雅維利(Niccolò Machiavelli)的書。

新民主主義革命

事實上，自9月以來，人們能夠感覺到統一戰線的「法寶」也可能是一個致命的陷阱。蔣介石和國民黨強化了對政權的控制：蔣介石得到了不久以前孫中山先生的頭銜——最高統帥。1939年11月，國民黨宣布準備在1940年召開制憲大會。戰爭使得中央政權為眾人所接受，更加穩固，甚至更加合法，儘管共產黨對內陸的掌握取得了不少進展，但是他們仍然面臨被邊緣化的巨大危險。

毛澤東不能任由形勢這樣發展：1939年冬季，他準備應對眼前的困境。他既不希望被邊緣化，也不希望隸屬於國民黨。他知道與國民黨公開的決裂將會增加後者投降的危險，但是他已下定決心奪取這場戰爭的領導權，將戰爭的衝突轉向日軍與共產黨的衝突。此時他是共產黨內無可爭議的首領，為此，他必須加強黨內團結，增強黨的實力，鞏固黨的基礎，同時考慮到黨歷史上的兩個特性，對他而言，其一是與游移不定的資產階級的關係，其二是武裝鬥爭的優勢。這解釋了為甚麼1939年10月4日他重新啟用了軍事雜誌《共產黨》，幫助黨「共產化」。[103]他將這一過程的開始定為1935年1月的遵義會議而不是1931年的中共六屆四中全會：因為這樣就可以悄悄地將公認的王明最後一項功績給抹去了。在由毛澤東和幾位合作者在1939年12月編寫的名為《中國革命與中國共產黨》[104]的政治培訓教材中，毛澤東開始書寫以他為主角的黨的歷史。在書中，他回顧了中國三千年的封建制度，對中國社會做了分析並重新審視他關於中國改革的視角。他粗線條地描述了「新民主主義革命」階段資產階級加入革命的過程，接着描述了之後的階段——無產階級社會主義革命階段。毛澤東從蔣介石所謂的三民主義的禁錮中解脫出來。他進一步說，第二階段只有等到第一階段完全實現之後才會到來，他對於那些無法預見這一社會主義革命的共產黨人表示了些許不耐煩和一定的批判。鑒於過往的經歷，他比江西蘇維埃時期更為謹慎小心，對游民、流氓、流浪漢、乞丐、妓女、無賴的革命潛力持保留態度，但惋惜將這些人全部消滅的想法。他同樣證實了被改良主義誘惑的工人階級不可信任，認為改良主義在革命中所扮演的角色與黨所扮演的角色混淆了。他第一次轉向知識分子，在一段話中特別提到地主是「中國革命的主要對象」，再次證實了他對於地主階級的懷疑。「知識分子中的許多人都來自於代表封建制度殘餘的這個階級：他們對於革命的歸順可能也是暫時的。」與此同時，毛澤東再三叮囑無產階級（也就是共產黨）要歡迎他們。

實際上，他知道自己並不滿足用農民軍隊為基礎的政黨代替國民黨抗日並建立新中國。如今，他需要的是一個可以輔佐他掌握中國社會領導權[105]的政黨，這就需要能夠勝任這項工作的廣大知識分子的加入。儘管對於知識分子有成見和抱怨，毛澤東還是十分積極地對他們進行引導。[106]在1939年慶祝1919年五四運動二十週年大會上，毛澤東當着社會主義青年聯盟的面，強調了這一運動的決定性作用，這一運動的發起人——知識分子扮演了核心角色，並指出，只有與工人和農民大眾相結合的知識分子才是革命的。他還拿孔子開玩笑，稱其不會耕地也不知如何種白菜。12月1日，他批評了那些懷疑並且不錄用知識分子的幹部。毛澤東在1939年12月9日延安各界紀念「一二・九運動」四週年紀念大會上講話，認為「一二・九運動」與1919年的五四運動同樣重要，並指出自己在那個遙遠的時代對於政治缺乏經驗，滿腦子都是《詩經》和孔子的《論語》。借着這個機會，他回憶了數千名青年學生不顧國民黨的阻攔上街示威游行，被國民黨逮捕的壯舉。為了歡迎丁玲，毛澤東引用了拿破侖的名言「一支筆可以當得過三千枝毛瑟槍」，[107]在一片歡呼聲中他說：「根據拿破侖的說法，那末，你們就有三千零一枝毛瑟槍了！」

同一時期，毛澤東寫了兩篇文章補充重建共產黨的概念，這也是革命三大「法寶」之一。12月20日，在慶祝斯大林六十壽辰大會上[108]，毛澤東慷慨激昂地說：

> 在全人類中間，出了這位斯大林，這是一件大事：有了他，事情就好辦了。你們知道，馬克思是死了，恩格斯也死了，列寧也死了，如果沒有一個斯大林，那一個來發號施令呢？

> ……關於建設社會主義的事業，馬克思、恩格斯、列寧都沒有完成，而斯大林把它完成了，這是開天闢地的大事。

事實上，幾千年以來，領導階級一直反覆強調被壓迫者要學會順從，而今據毛澤東所說，斯大林將馬克思主義總結成為一句話：「造反有理」。[109]對毛澤東而言，斯大林是至高無上的領導人，他的思想非常深刻。在諾曼・白求恩(Norman Bethune)[110]的紀念大會上，毛澤東補充說，戰士們必須將身心都獻給共產黨。無須懷疑，在這個冬季，他通過想像使自己向歷代開國皇帝看齊。毛澤東打算要走加入自己個人見地的蘇維埃路線。馬克思主義的中國化不正是由他實現的嗎？

隱晦的「專政」

經過幾個月的思考，毛澤東在1940年1月15日出版的《中國文化》第一期上發表了題為〈新民主主義論〉的文章。[111]這篇十分平淡的文章重申了他在秋天的幾個報告，斯圖爾特・施拉姆將其定義為「掩蓋無產階級專政的葡萄葉」。[112]事實上，此文只是重申共產黨支持三民主義。他一再強調孫中山用他的三民主義作為理論基礎來定義他的「三大政策」：與蘇聯結盟，與共產黨合作，由資產階級、工人和農民組成統一戰線。在新民主主義階段，共產黨只會沒收土地分配給那些耕作這片土地的人，還沒有考慮要建立社會主義農業。同時他也確保不沒收其他資本主義的私有財產，並不禁止「不能操縱國民生計」的資本主義生產的發展。一直被謹慎對待的「中間階層」如今也可以放心了。但是如果我們仔細閱讀文章的話，會發現毛澤東認為資產階級和國民黨一樣很容易妥協，唯有工人階級才是徹底革命的。事實上，毛澤東認為工人階級就是共產黨，也就是說要討回共產黨對中國革命的領導權。他同時指出，如果國民黨放棄以三民主義為基礎的三大政策中的任何一個，就是落入了反動的陣營，必須要發展「新三民主義」，並把農民的問題看作中國革命的基本問題，農民是中國革命的主力軍。他總結道，將資產階級民主革命轉變成為社會主義革命是十分有必要的。革命的高潮「是站在海岸遙望海中已經看得見桅桿尖頭了的一隻航船。為新中國鼓掌，用我們的雙手致敬：新中國是屬我們的」。[113]我們已經很清楚地看到，而今已經不是國共兩黨的摩擦了，兩黨正走向決裂。

走向決裂(1940年夏–1941年3月)

1940年夏初，中國的政治氛圍十分沉悶。春天，面對法國軍隊的撤退，人們很難預測英國獨自面對軸心國還能堅持多久。6月20日，法國封閉了海防—雲南府(現在的昆明)鐵路。7月18日，英國封閉了滇緬公路。整個冬季，日軍轟炸重慶，造成成千上萬百姓傷亡：中國沒有防空力量，它的空軍在上海戰役的時候幾乎全軍覆沒了。此刻蔣介石隱藏的投降動機變得越來越強烈：為何要在勢如破竹的敵人面前如此堅持？與敵人和解是否才更為妥當？

百團大戰

為了阻止投降的企圖，中國共產黨想要證明日軍不堪一擊，表達抗日的決心。支持這場極端戰爭的領導人一開始就有這個想法，包括周恩來、朱德和彭德懷。對此毛澤東持反對態度：他認為應當避免從八路軍較弱的前線正面抗擊敵軍，而應憑藉游擊隊在背後攻擊敵軍，並在共產黨控制的範圍內拉長戰線，避免受到國民黨的管控。整個1940年，他都在極力建議共產黨的將士們發展游擊隊，發展山東和北方平原的抗日根據地。如果八路軍和新四軍之間有一個溝通的橋樑的話，這一切就會更加簡單。在這一點上，正面戰爭的支持者和游擊戰的擁護者達成了共識：必須破壞日軍對八路軍實施的「囚籠政策」，[114]這一政策涉及的範圍包括東面的北京—武漢鐵路，南面的隴海鐵路以及北面的正太鐵路（石家莊—太原），這些鐵路能夠為遭受攻擊的駐軍提供快速救援和支持。對於彭德懷和他的同事們來說，這不過是一次規模有限的小型破壞行動，無須經過黨內軍事委員會和毛澤東的同意。1940年7月22日，八路軍參謀部決定百團大戰從8月20日正式開始。意外的初戰告捷激起了黨內部隊將領的戰鬥熱情，他們原本就對抗擊國內其他力量已經沒有甚麼興趣。聶榮臻在他的回憶錄中曾提到這種「頭腦發熱」，他認為自己可以使敵軍遭受重創，並在北方建立廣闊的根據地。這一點在1940年8月31日對彭德懷的採訪中得到了證實，[115]他將這次行動稱為「百團大戰」，這是「共產黨軍隊第一次大規模對日進攻」。他沒有總結這場105個團20萬人參加的18,000次戰鬥。斯圖爾特·施拉姆說，1940年9月10日，毛澤東曾向書記處下達了一條沒有中央軍委批示的命令，要求八路軍和新四軍的負責人集中力量全力抗擊日軍，「應仿照華北百團大戰先例」。如果施拉姆說的不是事實，那麼這場戰爭並不符合毛澤東戰略上的考慮。[116]如果這份文件不是追求更長遠的勝利，那麼毛澤東就是像其他人一樣「頭腦發熱」了。不管怎樣，他很快就失望了：從9月中旬開始，日軍得到偽滿洲國的支持，10月底開始反攻。日軍傷亡兩萬人，二百人被俘，還失去了對交通的控制，這一切都是他們無法容忍的。傀儡政府傷亡五千人，一萬八千人被俘。但是共產黨軍隊的損失也很慘重：一萬七千人。(最終的傷亡統計可能不是特別可靠。) 1941年6月9日，毛澤東囑咐彭德懷要更加謹慎小心，他説：「目前方針是必須打日本，但又決不可打得太凶。」[117] 毛澤東認為在這個戰爭階段，這樣的戰役屬大規模自殺，但他並非無視既得利益。1940年12月22日，彭德懷提前一週結束百團大戰，毛澤東寫了唯一一條給書記處的針對百團大戰的指令：「百團大戰對外不要宣告結束，蔣介石正發動反共高潮，我們尚需利用百團大戰的聲勢去反對他。」毛澤東將一個並不可靠的軍事勝利轉化為政治勝利。之後發生了「皖南事變」，共產黨遭受了無可爭議的軍事上的敗北，不得不進行更為驚人的恢復工作。

皖南事變

新四軍一開始就遭遇了險境。[118] 1939年2月15日毛澤東向部隊總指揮發布新指示，周恩來在場：新四軍將轉移到江蘇西南面的茅山，這是一個沒有樹木的小山丘，不利於游擊戰。茅山屬由顧祝同管轄的第三戰區，顧祝同是親蔣介石的將軍，[119] 反共堅決。1938年之前，新四軍都處在蔣介石管轄的領土上，而地方上還是由顯要管理。在這些地方，共產黨員很少被錄用。在1940年的時候，新四軍不過是一支極不協調的五萬士兵隊伍，那些倖存下來的戰士從不慶幸自己聽命於毛澤東的政治軍事創舉。[120] 在江西蘇維埃時期，項英與毛澤東的關係並不好，項英是黨內少有的工人出身的領導。毛澤東也不將葉挺司令放在心上。1930年12月的富田事件後，陳毅開始不信任毛澤東，對此毛澤東心裏也很清楚。然而想要將共產黨推至黃河流域以北的蔣介石特別無法忍受這支共產黨的部隊。

項英和葉挺不顧1940年3月19日毛澤東的最新指示，[121]與他們的九千戰士(參謀部和六個保護與指令團)留在長江以南的安徽雲嶺，這個駐地氣候適宜，位於海拔1,841米樹木叢生的黃山邊界。項英並不想親近毛澤東，認為此地可以和井岡山媲美。不管怎樣，他比毛澤東更相信統一戰線的政策。在9月22日至10月4日的電文中，[122]毛澤東反復強調項英隊伍的脆弱性，並建議他要麼與國民黨將軍商議穿過他們的領土北上，要麼向東朝江蘇南部方向前進，抵達江蘇北部，陳毅在那裏等候他。毛澤東並不建議深入黃山南部，「因為這不利於政治軍事計劃」。陳毅與毛澤東一樣對蔣介石持懷疑態度，他以自己的方式執行收到的指令：自從在茂林邊區特別是溧陽組建了一些小游擊隊之後，他就固守在揚中島，[123]本來在黃河以北活動的支隊在江蘇北部行動。陳毅聯合其他非共產黨的游擊隊，甚至當地土匪，熟練地製造國民黨同地方部隊隊長之間的利益衝突。不久，陳毅擁有了七萬人的軍隊。作為共產黨北方局的負責人，劉少奇很快與他會合，與此同時，從山東過來的三萬八路軍戰士進入洪澤湖和淮河的低谷。1940年7月16日，蔣介石無法忍受共產黨的創舉，下令所有的共產黨軍隊部隊重新移至長江以北。陳毅堅持致力於建立共產黨的「抗日根據地」：在江蘇北部揚州和南通之間，國共間的小型武裝衝突不斷。當國民黨將軍韓德勤冒失地攻擊陳毅的部隊時，八路軍的一支特遣隊前來支援。1940年10月3日至

6日，韓德勤在黃橋遭受了重創：損失兩位將軍和國軍一萬一千餘人。10月9日毛澤東電賀陳毅，並聲稱此次戰役的勝利有助於抗日。以後，連接八路軍和新四軍的橋樑被建立起來，共產黨軍隊開始向南挺進。

毛澤東的錯誤

1940年10月19日，參謀總長何應欽受蔣介石的命令向共產黨發出了最後通牒，命令後者在一個月內撤至黃河以北。共產黨領導猶豫了兩週之後才給予回覆。事實上，在1940年10月25日致周恩來的電報中，[124]毛澤東認為現在的形勢十分不利：他寫道「必須做好最壞的準備」。如果德軍入侵英國，美國海軍必須立刻移至大西洋，日本在太平洋和亞洲東南面就能夠自由活動，在新加坡、仰光、香港和荷屬印度的日軍艦隊已經開始進攻。蔣介石或許會成為「中國的貝當」。毛澤東害怕這些攻擊被擊退，日軍的艦隊被美軍擊敗的話(「兩年後」)，將會助長國民黨內親英和親美的派別，使蔣介石將中國變成美國的殖民地，他自己做「中國的戴高樂」。不管怎樣，「我們必須為蔣介石告發我們是反動派，並由此引發瘋狂反共的戰爭做好準備。」為此，毛澤東在11月1日一項指令中，拒絕往北撤退，實行反最後通牒指令的措施。但是，從第二天起，毛澤東暫緩了這些指令，回到了之前「表面鬆懈實則抵抗」的態度。[125] 3日，[126]他認為「蔣介石正處在十字路口」：德日主動接近蔣介石試圖與他結盟，而後者旨在一味抬高價格，同時，他也在準備一場大規模的反共產黨軍隊事行動。他必須反抗十五萬精銳部隊，並將何應欽和所有親日的派別免職。但是，毛澤東補充說，蔣介石不投降同樣也是有可能的：因為「他最害怕的是內部叛亂和蘇聯」。不過，如果他投降了，他將面對的是站在他對立面的「中國人民、以陳誠和湯恩伯為代表的中間派、共產黨和蘇聯」。這一天，他最後向項英和葉挺下達指令，「為了延緩反共戰爭，黨準備以和解的方式回覆10月19日的信件：我們將會在皖南的問題上作出讓步，同意將新四軍撤至北部[127]」。11月6日，他對於形勢的分析又出現了一個顯著的轉變：在致周恩來的電報中，他指出，「江（三日）電所示重要情報今晨才閱悉，蔣加入英美集團有利無害，加入德意日集團有害無利，我們再不要強調反對蔣加入英美集團了」。不要忘記這是一場帝國主義者之間的戰爭，無需反對蔣介石與英美陣營的親近。「目前不但共產黨中國人民蘇聯這三大勢力應該團結，而且應與英美作外交聯絡，以期制止投降，打擊親日親德派活動。根據三日來電，如能由上述四種勢力的聯合與配合，好轉的可能性還是有的。剿共則亡黨亡國，投降則日寇必使中國四分五裂，必使蔣崩潰[128]」。毛澤東對於地緣政治的分析發生變化，演變的過程反映了他面對國民黨日益增長的挑釁選擇了少數派的利益。同盟國清楚地意識到統一戰線的重要性，蔣介石對日本的虛與委蛇讓日本人越來越生氣，大英帝國重新踏上緬甸的征程，而美軍開始向中國提供可觀的幫助。

11月6日至8日，共產黨領導人互通電報。共產黨將和解答覆從重慶電傳給何應欽。[129]這份答覆最終由毛澤東執筆，朱德、彭德懷、葉挺和項英[130]簽名，時間是1940年11月9日，[131]毛澤東強調了五點內容：(1)明確江蘇北部和山東南部「軍事衝突」的情況。(2)士兵被動員保衛家園，但不願意遠離家鄉，動員他們北遷有困難。

(3) 只有四萬五千到五萬人拿到了當局的糧食供給，當局必須增加補助。(4) 近14個月來，他們從未收到過重慶方面的軍餉、軍需和彈藥。(5) 太平洋戰爭形勢日益緊張，我們必須加緊抗戰。

在將答覆譯成電碼的時候，毛澤東建議修改部分措辭：「我們同意將長江以南的正規軍移至北部」，改成「同意將安徽南部的新四軍部隊調到長江以北」。措辭謹慎小心是為了「去除蔣介石所有的幻想」。但是毛澤東拒絕將黃河以南的八路軍移至黃河以北，他補充說，「現在……是為了顧全在蔣介石的面子」。電文的第一部分他舉了百團大戰的例子，回顧了共產黨軍隊在抗日戰爭中的貢獻。他辯解道共產黨擴張他們的領土，是為了所有人的利益，他引用了一段劉向[132]寫的關於楚王[133]的故事，楚王丟失了最好的弓，但他命人停止搜尋，並說「楚弓楚得」。電報最後警告說：有傳言說國民黨打算向日本人投降，並準備一場大規模的反共戰役。「如果這樣的話，以內戰代抗戰」。11月7日，毛澤東給莫斯科的季米特洛夫發了一份電報，請求共產國際批准針對蔣介石十五萬軍隊進行「預防反攻」的準備。11月25日，斯大林拒絕了這一請求：毛澤東的建議只會使中國對日軍的抵抗變得更加脆弱，這將違背他的計劃。[134]毛澤東還根據劉少奇的建議，實施了一些更為具體的措施，防止國民黨軍隊動搖共產黨軍隊在南方地位：11月19日，共產黨軍隊為了穩固八路軍和新四軍建立的聯繫，在毫無藉口的情況下攻擊了國民黨駐紮在草甸的部隊（江蘇北部洪澤湖以東）。然而這場戰鬥以慘敗告終，兩千人無辜犧牲。

毛澤東在皖南事變中犯的第一個錯馬上又導致了第二個錯誤。毛澤東認為蔣介石一直誇口嚇人。11月30日，他發表了〈蔣介石現階段反共政策本質與我們的基本方向〉[135]的文章，這一觀點非常清楚。對毛澤東而言，蔣介石既不能投降日本又不能剿共。「我們必須實行一個表面上緩和的政策，爭取人民大眾，給蔣介石一個挽救顏面的機會。同時也要實行一個抵抗蔣介石攻擊的政策，以引起後者心中的恐慌，我們要組建七萬精兵，如果蔣介石有膽量攻擊我們，我們就給他致命的一擊」。

自負引發的災難

形勢很快惡化。[136] 11月30日，毛澤東命令葉挺和項英在江蘇南部打開一個缺口，而在這個地方，共產黨的力量剛剛遭受了一次慘重的損耗，[137]他還補充說「日蔣決裂，日汪拉攏，大局從此有轉機。蔣對我更加無辦法，你們北移又讓他一步，以大勢判斷，蔣〔介石〕顧〔祝同〕是不會為難你們的，現在開始分批移動，12月底移完不算太遲。」。12月3日，毛澤東直截了當地問項英的態度：他認為南下建立游擊隊更有利，還是向東行在江蘇北部與陳毅會合更有利？直接過江北上是否不可能？毛澤東還問了項英對於他提出的統一戰線政策的看法，以及當危機來臨時各種對峙力量的態度如何。從中我們可以看出毛澤東對於屬下幾乎毫不掩飾的批評，他知道後者對於放棄江南還有所保留，再加上最後階段部隊北移的行動是由劉少奇和陳毅領導的，而這兩個人都聽從他的命令。12月10日，蔣介石命令項英立刻北上，過江到達安徽北部。然而毛澤東知道國民黨的部隊也在向這個邊區集中：共產黨軍隊會在江北被這些部隊和日本炮艇包圍。12月16日，他的口吻讓人不安：毛澤東對劉少奇和陳毅發布指令，通過他們與項英和葉挺溝通，他命令皖南部隊立刻過江，愈快愈好，成為「共產黨軍隊在安徽東部的核心」，他同時要求劉少奇和陳毅在江蘇北部做好一切準備，防止可能出現的意外狀況。毛澤東這樣的安排是想將在淮河沼澤中孤立無援的韓德勤作為人質。12月20日，毛澤東要求項英立即出發，不用等蔣介石的同意，雖然共產黨正在與後者商議在左岸[138]清出四個縣的道路使新四軍可以自由通過。項英描述了江北有陷阱的情況，12月25日，毛澤東緊急回覆了項英的電報。毛澤東建議他聽從指揮，並安慰他說周恩來已經去重慶進行談判解決目前的困難。12月26日，軍事委員會下令要求立刻啟程，並毀掉所有文件。在一份親自起草的電報中，毛澤東表現出他的不快：他指責項英這一年來不顧上面反覆重申的命令，尋找各種藉口拒絕出發：「全國沒有任何一個地方像你們這樣遲疑猶豫無辦法無決心的……似此毫無定見，毫無方向，將來你們要吃大虧的！」。12月29日至30日，毛澤東才知道北上的路是個陷阱，蔣介石並沒有在北岸清出四個縣。因而他建議從東線走。[139]他深知這條路是蔣介石禁止通行的，但是他認為蔣介石只是嚇嚇人，他並沒有辦法阻止新四軍。1月2日，毛澤東給葉挺和項英發電報，命令他們兩週內過江，3日，毛澤東又要求他們啟程前往江蘇南部。12月28日，項英和葉挺通知蔣介石他們準備啟程。[140] 1月3日，蔣介石的電報與他們確認北上的路線。項英馬上回覆說他將會走東線，他還無意識地詢問了參謀部的意見。為了方便過江，項英採取了一些措施，違背了參謀部的指令。這個電報和其他電報一樣被毛澤東攔了下來：他認為項英的「表達有誤」。造成既定事實[141]無疑比找藉口攻擊蔣介石來得有利。

4日深夜，葉挺和項英等部由東線出發，走了三十公里路，於5

日抵達茂林，在高山的東部冰鬥處，背着沉重裝備的特遣隊中了八萬人國民黨士兵的埋伏。這場戰鬥打得十分艱難，從1月6日開始一直打到14日，只有兩千戰士突圍過江。其餘七千人不是被殺就是被俘。13日葉挺試圖與對方商議被扣押。項英試圖擅離職守，與他的親信逃走，9日與被困軍隊會合，最終躲過了殘殺。但是3月14日，他被貪財的副官開槍打死。

在這場災難期間，毛澤東表現得慌亂不安。[142] 1月7日至15日期間，他先是發電報給葉挺和項英，然後發電報給劉少奇和饒漱石，之後因項英撤職，一直單獨發給重慶的周恩來，這些電報都表現了他對於事態發展的不解。他還恭喜葉挺和饒漱石逃出包圍，然後問劉少奇那些軍隊和他們的將領如今的情況！直到13日，毛澤東才命令周恩來向蔣介石致電為了挽救局面：未果。從15日開始，毛澤東知道他已經沒有辦法照原計劃考慮軍事反攻了，他開始草擬政治反攻策略，散播何應欽寫的公告。後者在公告中把此次行動作為抗擊匪徒的勝利。17日，蔣介石指責新四軍違抗軍令，不停調動，取消了新四軍的番號，並通過軍事法庭判葉挺入獄。[143] 19日，他印發了一份電報，指出了新四軍負責人的15條錯誤。18日，在一次共產黨媒體的採訪中，毛澤東將這場悲劇的責任歸為國民黨的極端反動分子和親日集團，而隻字未提蔣介石。[144] 19日，在一封寫給彭德懷和劉少奇的信中，他估計蔣介石將要與共產黨決裂投降日本，並打算朝甘肅和四川撤退，那是長征的相反方向。20日，他恢復了鎮定。他最終調整好自己的言辭：在一份只在高級官員中傳閱的內部文件中，他揭發了「長期受到右傾機會主義誘惑」的項英所犯的錯誤，由此擺脱了這場災難的所有責任。經由毛澤東的簽字認可，共產黨中央軍事委員會以公開的方式向大家宣布，這是一個當局對勇敢抗日恪守命令的軍隊設下的「陰險的圈套」。這份通告同時宣布了新四軍從此脱離國民黨的掌控，由陳毅和劉少奇在江蘇北部的鹽城區重建新四軍軍部。黨的領導層制定的立場是「軍事守勢，政治攻勢」：避免正面衝突，揭發國民黨蓄意重新挑起國內戰爭，放棄抗日。統一戰線仍是黨內政策，但國民黨必須遵守12項條件，其中最重要的是將何應欽和親日黨派驅逐出政府。此時，毛澤東變得沒有那麼悲觀：他認為蔣介石的態度「引發了一個危機，那就是投降日本，毀掉國家」，同時「現在這樣的國共關係，已對我們、對革命沒有任何利益」，他補充説「破裂是蔣發動的，對我甚為有利」。

2月14日，在致周恩來的一份電報中，[145]他認為這種優勢已經被證實：「蔣從來沒有如現在這樣受內外責難之甚，我亦從來沒有如現在這樣獲得如此廣大的群眾（國內外）。1月17日以前，蔣是進攻的，我是防守的；1月17日以後反過來了，他已處於防禦地位，我之最大勝利就在於此」。毛澤東補充説，反蔣的軍事攻擊是一個「大錯誤」，並建議繼續將政治攻擊與軍事防守的態度相結合。3月18日，毛澤東宣布蔣介石的第二次反共行動結束了（第一次是於1927年4月12日在上海開始的）：大規模的國內戰爭不會再重現，國民黨也不會投降。

最初被認為是一場災難的形勢而今變得有利起來：共產黨在中國北部和中部的地位更加穩固。1941年末，新四軍得到了參謀部的全力支持，如今這支部隊擁有九萬人，江蘇北部五個師，江南茅山邊區一個師，以及皖南一個有名無實的師。[146]

可怕的1941年

但是，毛澤東此次大獲全勝的政治重建是在一個十分灰暗的背景下進行的：1941年對於共產黨來說是可怕的一年。

從軍事上講，日軍在多田駿和岡村寧次的指揮下，自1941年7月開始發動十分激烈的反攻。十五萬日軍在十萬偽軍的協助下突然進攻共產黨開展百團大戰的地區。他們從城市和交通樞紐開始，有條不紊地深入內陸，毀滅可能留宿游擊隊戰士的鄉村，並在離開之前留下一些有看守的小碉堡。1942年，在太行山有7,700個小碉堡，它們之間靠11,860公里的封鎖帶連接。日軍還沿着北平(北京)—漢口鐵路挖了幾百米的封鎖溝，燒了很大一片高粱地，[147]形成一條500米寬，500公里長的封鎖帶，遣散了這個地帶的所有居民，並且派巡邏隊日夜守衛。在太行山南部，[148] 1941年和1942年共產黨分別遭到日軍263次和410次攻擊：只有一個25公頃的邊緣地帶倖免，晉察冀根據地也被減掉了三分之一。第二個封鎖帶在1941年建完，比沿着鐵路建的那個長了一倍。抗日的鄉村被迫轉入地下生活，有時甚至要掘地三尺來保護自己，除非最終投降。大部分村莊都曾在某一段時間被日本人或日偽政府佔領，而今又重新由那些傳統的地頭蛇管理，他們的管理伴隨着對農民的報復行動，因為後者曾經奪走過他們的土地。共產黨管理的人數從1939年的4,400萬跌至1942年的2,500萬，90%的根據地縮小為簡單的游擊隊區。百團大戰中攻下的晉察冀邊區的26個縣全部丟失，而其中12個縣的負責人不得不撤到山區。

1941年的第二個困難是經濟秩序。只有在延安周圍的陝甘寧邊區躲過了日軍的入侵，但是它不得不忍受國民黨軍隊的封鎖以及1940年和1941年兩年的壞收成。這一邊區甚麼都缺——糧食、住處、衣服、鹽……——由地方政府發行的貨幣比國民黨管轄地區的貨幣崩潰得更為迅速。[149]在重慶，我們以1937年的生活成本為基礎指數100來計算，1940年到1942年期間，指數分別為224、1,980和6,620，而延安的指數分別為500、2,200和9,900，非常可怕。這個情況在晉察冀邊區更為嚴重，戰爭使得這個地方變得愈加荒蕪，必要時需要征地使得情況進一步惡化。然而共產黨方面卻沒有應對的方案：土地充公已經在老的根據地實行過，而統一戰線的政策又阻止徵用1938年以後獲得的土地。重慶政府的補助因1939年潛在的國內戰爭而取消，經濟封鎖卻愈加嚴重。唯一剩下的辦法就是實行自給自足的經濟，人民將通過「解放」來救濟自己。

首先是課稅。1940年12月13日，毛澤東為抗日根據地制定了各項政策，「保證資本家能賺錢」，「避免華北方面曾經發生過的過左錯誤」。[150]儘管毛澤東在指示中表露了他的擔心，但是課稅使得所剩無幾的商業交易不堪重負，1940年，微薄的收成中有6.3%被徵收，比起1939年的3.6%，1941年徵收量達到13.6%。1941年糧食的稅收大概佔收入的15%到24%。而稻草、羊毛類的稅收是指定的。作為補償，大量地取消了高利貸以減輕最貧困農民的負擔，因此使得富農和地主的損失增加。由於受到天災和課稅的影響，生產驟降：晉—察—冀南部邊區的穀物數量從1940年的186萬石減少至1941年的146萬8千石。

共產黨的權力已經陷入絕境，而這種權力所依靠的流弊又暴露了出來(強制勞役)。毛澤東於1941年8月6日寫信給一位財政負責人，之後又在8月9日和12日寫信給林伯渠。[151]他在信中説無論如何都要拿出三千萬元進口生活必需的物資。為了實現這一目標，他建議開墾田地增加生產，盡可能多地出口食鹽，也就説依靠繁重的勞動力。當然，毛澤東補充説這種勞役和國民黨的勞役性質不同，因為這種措施伴隨着政治動員，「我們的特點是革命加戰爭」。不確定那些做苦力的勞工們是否能看出差別來。8月22日，毛澤東重提勞役對運輸食鹽和穀物、修建道路以及春耕秋收是必要的。

這一與承諾背道而馳的政策本應當在共產黨的根據地中引起政治緊張。但是不得不説這種緊張狀態並不明顯。[152]在這一時期，唯一一次比較有名的反共產黨政權的暴動發生在太行山南部的黎城縣：1941年10月10日，500名「離卦道」的道徒突然襲擊縣政府所在地，雙方都有十數人死亡。在重新掌握控制權之後，共產黨處置了七名首領，拘捕了上百人，調查了三千人。這一惡性事件發生的原因之一是春天實行的政策中針對貧農、中下農和長工徵收的比例比別的地方高。[153]那些原來的地方鄉紳願意加入抗日的行列，但是不能接受土地充公和比其他縣更為徹底的債務取消政策，這樣的政策遷怒了他們，才導致這場革命成分多於愛國成分的暴動的發生。與此同時，在那些新開闢的根據地，尤其是由新四軍開發的蘇北邊區，以陳毅為代表的共產黨人注重保持與地方名流的聯繫，為了愛國任務暫時擱置革命的計劃。[154]總體上來説，走投無路又受敵軍入侵威脅的農民與共產黨相處不錯，尤其是當他們是當地人的時候，共產黨和會道門一樣：農民尋求保護者，雖然低聲抱怨卻仍願意付保護費，但他們不願意加入保護者的政治行動。此外，民兵和共產黨的組織使得這種順從更加穩固，因為反抗的代價太大。對於毛澤東而言，這意味着他必須咬緊牙關堅持下去，度過這黑色的一年，穩固政治隊伍，保存實力，等待國際形勢轉好之後的光明前程。然而1941年在各個領域都有一個不好的開頭。事實上，1941年4月13日，日蘇簽訂中立條約，禁止蘇聯介入中日之間的衝突。[155]欲與厄運抵抗的毛澤東在4月16日宣布，這一條約的簽訂確立了蘇聯「和平冠軍」的威望，他對周恩來補充説，這將給蔣介石帶來沉重的打擊。6月22日蘇聯遭到德國入侵時，毛澤東十分明確地表達了自己的想法：[156]這次罪惡的侵襲對他而言打擊了所有熱愛自由的人民，威脅到所有國家的獨立。毛澤東很早就説過要組建一個龐大的反法西斯戰線，中國是站在大英帝國、美國和蘇聯這邊的，當形勢「發生變化時，這是最利於中國的」。9日，毛澤東針對12月8日(當地時間)日本突襲珍珠港事件，在政治局作出回應：[157]太平洋戰爭如果是基於捍衛獨立、自由和民主的話，就是一場正義的戰爭。毛澤東預測將會有六個月的困難時期，之後隨着歐洲的第二戰場的開闢以及德國的垮台將會出現一段抑制期，戰爭會在太平洋邊區延續一段時間，最後以日本的兵力不支和失敗告終。為了達到這樣的成果，必須保持和加強黨內團結以及黨對於人民的管控：從1941年9月開始，毛澤東準備了一場廣泛的政治運動。這就是「整風運動」。這一運動在1942年2月1日中共中央黨校的開學典禮上正式展開，在9月10日至10月22日期間，召開了多次政治局擴大工作會議。

1941年冬，毛澤東成為了毛澤東主義者。

第十章

延安之路（1942–1945）

整風運動是毛澤東繼長征之後政治生涯的分水嶺：前一個階段，毛澤東必須同領導圈子商議所有重大的決定；後一個階段，他聽取親信的意見後可以獨立做出決定，從集團專政過渡到絕對專政。

一旦戰爭打響，成功是必然的：共產黨的基層組織在1940年到1942年間遭受損害之後，1943年重新得到穩固，並在1944年迅速發展，這一切得益於採取了適度的政策緩解了階級鬥爭。1944年最後的抗日反攻階段傷了國民黨軍隊的元氣，同時保存了共產黨的力量。1945年春在中國共產黨的七大上，毛澤東的勝利達到頂峰，他的聲望逐漸趕上了蔣介石。1945年8月日本投降後，毛主席作為統帥的對手飛往重慶。

整風運動或第一場毛澤東主義政治運動

1942年秋，毛澤東基於安全考慮又換了住處：他有時住在離延安很近的棗園，裏面還另有一個有兩個入口的秘密住處，但是他沒住過。有時住在東南方向四十多公里處的王家坪，那是共產黨軍事委員會所在地。棗園的條件比較舒適，有浴缸、代替炕[1]的床和簡陋的暖氣。他在延安有一輛幾乎為他所專用的車子，一輛雪弗蘭的救護車，是由紐約中國洗衣店職工工會捐助的。最初這輛車用於運送傷員，但由於幾乎沒有道路，這輛車無法執行任務。毛澤東用這輛並不適宜的車去延安的小機場接外國稀客到自己的秘密住處。江青住在別處：自從1941年在艱苦的條件下流產之後，她已經無法再生育，再加上她又患上結核病，導致她與毛澤東的關係日益惡化。[2]她對於政治的干預完全無用，這一點讓她十分痛苦。

有陳伯達和康生這樣的參謀在旁邊，毛澤東現在十分清楚蔣介石的意圖：如今中國和美國、大英帝國、蘇聯結盟，必須維持表面的統一戰線。他在黨內已經沒有真正的對手，戰爭的威脅以及由此引發的經濟困難對於加強他的政權是有利的，就好像斯大林當時的政治模式一樣。

這一要求也因黨內的改革而被強化，1935年夏到1940年夏，黨員人數從4萬人上升至80萬人，五年間增長率高達95%。這些新黨員來自各個階層：21%是軍人，他們與上萬名知識分子、大中學生融合在一起，都是響應1939年12月毛澤東的號召從城市來到延安的。我們發現這些新黨員的隊伍中不乏達官顯貴的子女，還有例如哥老會這樣的秘密組織成員的子女，當然也不能忘記那些機會主義者和國民黨的秘密官員。幾乎所有新黨員都沒有受過任何政治培訓，三分之二的人是文盲。很顯然新舊兩種類型的幹部之間的隔閡是一個很大的威脅，過去黨內幹部大都出身於農民家庭或者是接受過考驗的堅定的知識分子，而新晉的幹部則是一些來自城市中間層的愛國青年知識分子。再加上延安城是一個超政治化的奇特社會，和別的地方完全不一樣：冒險來到延安的青年親自在峭壁中鑿洞，然後根據當時的需要被安置到抗日軍政大學(抗大)。1938年該校有學生三千人，之後的幾年學生人數達到一萬人。[3]他們或者去延安的公立學校或者去魯迅藝術學院學習戲劇、音樂、美術和文學。精英分子被安排至中央黨校或者中央研究院。經過六至八個月的學習，畢業生作為民事或者軍事幹部被派往前線。學校的生活很艱苦：食堂的「大灶」菜色不好，每天一斤到一斤半小米或大米飯，每十天有一碗麵條，每月兩三斤肉，每週一碗蔬菜，沒有厚衣服，即使冬天也穿着布衣；8個人睡在一個磚炕上，每天有12到13個小時苦讀政治書籍，不知疲倦地重複着相同的軍事操練。男女比例為18比1，他們馬上就要與紅軍會合。在尼姆・威爾斯的一次採訪[4]中，管理健康部的醫生傅連暲說，紅軍中90%的戰士是處男。這位信奉天主教的醫生將這些戰士的戰鬥力歸功於此。這些熱情迅速退去的青年如果想要逃跑的話就會被當作叛徒，他們充滿羨慕地看着高級幹部：穿着棉質的衣服，在特別的食堂(「小灶」)吃飯，能夠擁有馬匹(丁玲把他們稱作「騎兵」)，與他們的妻子一同居住在特別的住所裏，將他們的孩子送到專門的幹部子女學校念書，這些學校有最優的師資配備，有傭人或者衞生員，他們在這個官方宣稱的平均主義世界裏形成了特權階層。週六晚上，他們中的一部分人會被邀請去毛澤東的住處參加舞會，有機會跟着留聲機播放的拉格泰姆音樂練習狐步舞。在這個漆黑的城市裏，這是少數幾個被發電機組提供的燈光照亮的地方之一。有時，他們還被邀請去魯迅藝術學院看京劇《玉堂春》。

毛澤東認為只有統一黨員的思想，讓他們認為隨時為黨犧牲是正義的，使黨員始終保持在這樣的壓力之下，黨才能成為領導力量。1941年7月1日共產黨誕生20週年之際，政治局作出關於增強黨性的決定，毛澤東十分清晰地分析了當前的形勢：[5]必須繼續深入「黨的布爾什維克化」。實際上，共產黨是在農村發展起來的，主要是由農民、小生產者和愛國知識分子組成。戰士們已經學會了如何進行獨立分散的游擊戰，「容易產生某些黨員的『個人主義』、『英雄主義』、『無組織的狀態』、『獨立主義』與『反集中的分散主義』等等違反黨性的傾向。……而有這些傾向的個人如不改正，亦會身敗名裂。叛徒張國燾的結局與項英反抗中央的機會主義所引起的皖南失敗，便是明顯的歷史教訓」。為了避免這種危險的發生，毛澤東建議通過「加強學習、批評和自我批評、實地調查」使黨成為「布爾什維克的黨」。3月17日和4月19日，他帶頭發表過去在江西尋烏做的「農村調查」，在序言中他指出沒有調查就沒有發言權。[6]5月19日，他明確了自己的攻擊對象，嘲笑「那些乳臭未乾的人只會滿嘴引述《資本論》和《反杜林論》，但不能理解中國實際情況，不能實事求是」。他把他們比作「牆頭蘆葦，頭重腳輕根底淺」，「山中竹筍，嘴尖皮厚腹中空」，不是真正的馬列主義戰士。顯然，毛澤東批評的是王明的擁護者和那些在莫斯科留學的書呆子，他把他們稱為「二十八個半布爾什維克」。[7]在中央六屆六中全會時，毛澤東就已經批評過他們。

同時，黨校迅速發展起來：在陝甘寧邊區，1935年至1941年間建立的41所黨校中有21所是在1939年至1941年間新建的。[8]黨校裏開始介紹一些毛澤東的歷史和政治理念。在那個時代，依照斯大林的模式，共產黨總書記擁有最高權力。從1943年開始，流行的畫報將毛澤東的肖像配上初升的紅太陽，延安的《解放日報》則在頭版寫道：「毛主席，中國人民的救星」。毛澤東需要一個遵守紀律、團結的黨，這是順從他的政治工具。毛澤東在中國革命的背景下對黨的社會成分做了分析，四分之三個世紀之前，卡爾・馬克思認為法國農民和小生產者是拿破崙三世個人專制的根本基礎，[9]如何才能防止將這兩者相提並論呢？毫無疑問，這是毛澤東個人崇拜的一個來源，而整風運動極大地強化了這一點：毛澤東想要把共產黨打造成為一個毛澤東主義的黨，[10]而他是這個黨無可爭議的領袖。整風運動從一開始就不止是一場打擊王明及其擁護者的政治運動，因為在1938年年底他們就已經沒落了。我們還能以1941年8月1日政治局通過的一項決議[11]為證：它要求進行調查，建立「可靠的人事材料」，對象包括所有的地主、財產超過一定程度的資本家、偽軍軍官、高級幹部、記者、會門首領、教派首領、流氓頭、土匪頭、名優、名娼。此舉是為了鍛煉黨的積極分子，征服全中國後，黨要控制整個社會。

1941年9月10日至10月22日，中央政治局擴大會議召開。在這次長期被中共歷史學家掩蓋的會議上，毛澤東得以發動他的攻擊。漫長的會期見證了討論的激烈程度（42天！）。在這段時間裏，我們無法完全了解軍事形勢的變動。每次遇到困境的時候，毛澤東都一次次證明他是一個偉大的、熟練的戰術家。一旦成為勝利者，他對於那些不同陣營的人又表現得非常無情：「學習」之後便進入痛苦的「整風」，人們經歷了一段恐怖時期。[12]

在9月10日的討論中，毛澤東在會上做反對主觀主義和宗派主義問題的主題報告。[13]他回顧了共產黨成立以來黨內領導的錯誤，從1921年7月的一大到1945年5至6月黨的七大上通過一項關於黨的歷史決議為止。毛澤東將所犯的錯誤歸咎於「主觀主義」，這一主義在李立三領導時期和江西蘇維埃後期盛行。蘇維埃運動後期的主觀主義統治時間更長久，結果更悲慘。這是因為「這些主觀主義者自稱為『國際路線』，穿上馬克思主義的外衣，是假馬克思主義」。1935年1月的遵義會議糾正了黨的路線，「但在思想上主觀主義的遺毒仍然存在」。1938年11月的六中全會繼續進行路線糾正，但是仍然沒有根除所有的教條主義。就如同他在1938年時做的一樣，毛澤東建議「馬克思主義中國化」，進行一次「實事求是」的動員，並準備在黨的七大時分析批評黨「在1932年到1935年12月期間」的領導活動。1932年5月11日，博古對羅明路線進行了沒有根據的批評，「間接」針對毛澤東。在9月10日的報告中，毛澤東再次對博古進行了反擊。不過，毛澤東沒有提到1931年1月的六屆四中全會，那次會議上王明、博古和他們的朋友一同奪去了領導權。毛澤東把「左」傾階段的開始定在1931年9月，[14]因為隨着一些「共產國際主義者」陸續抵達瑞金，王明從8月30日開始公開反對毛澤東。這樣一來，毛澤東將攻擊對象瞄準了博古和王明的親信。9月26日，「中央學習組」成立，毛澤東任組長，王稼祥任副組長。自29日起，這個小組發布了一份「需要仔細閱讀一到兩遍」的書目：《論共產主義運動中的「左派」幼稚病》、艾思奇譯的《哲學大綱》的第八章〈認識的過程〉、李達譯的季米特洛夫的《辯證唯物論教程》的第六章〈唯物辯證法與形式論理學〉，以及日本馬克思主義學家河上肇的《經濟學大綱》的序言。[15]這種形式好像為300名高級幹部建立了一所規模適度的中央黨校。

10月13日組織了清算過去歷史委員會，由毛澤東、王稼祥、任弼時、康生和彭真五人組成，以毛澤東為首。另外有120名幹部在各個方面予以幫助。清算過去歷史委員會得出一份結論，這個結論草案中的許多重要內容後來被吸收到1945年的《關於若干歷史問題的決議》中。他們搜集了519篇從黨的六大到1941年的文章，1941年12月發表在一份限量印刷的刊物上。胡喬木描述了整個過程：當時只印刷了500份經過仔細編碼的刊物，而且不是發給個人，而是發給各個機構。[16] 11月1日，《解放日報》上發布了一份需要學習的新書單，[17]加入了以下作品：季米特洛夫在共產國際第七次會議時所做的報告，《聯共黨史》的結論部分（注明「我們之後要閱讀全文」），一篇《解放日報》上刊登的文章〈斯大林與《聯共黨史》〉，一篇1939年8月《國際新聞通訊》（由共產國際出版）關於法國、英國、美國、德國和意大利共產黨的歷史，聯共中央關於《聯共黨史》出版後應如何進行宣傳的決議——沒有甚麼內容比這個更正統了。1942年4月3日中共中央宣傳部規定了18篇文章為考試範圍，[18] 4月20日至6月20日在黨校開展整風運動，4月20日至7月20日在黨組織開展整風運動。如果我們了解這18篇文章，就會得出不同的結論。事實上，這18篇文章中有8篇是毛澤東的文章，[19] 4篇是由他負責編寫的文章（其中有一篇關於1929年12月底的「古田會議決議」的文章，標題為〈關於糾正黨內的錯誤思想〉，重申了槍桿子裏出政權的觀點）。這些文章加起來佔了三分之二的篇幅，剩下的幾篇文章有兩篇康生的報告，一篇陳雲的文章，一篇劉少奇的文章，一篇斯大林1925年2月寫的關於布爾什維克化的文章，以及《聯共黨史》的結論部分。儘管4月16日這份讀書清單中又加入了另外4篇文章（一篇季米特洛夫的文章，兩篇斯大林的文章以及一篇斯大林和列寧共同寫的文章），但我們仍然可以看到在這次運動中，毛澤東的文章具有無可爭議的主導地位。同時，我們能從中發現文章缺少理論，大部分是論戰性質的，或者是闡明建立一個密切聯繫群眾、紀律嚴明的政黨的重要性。[20]

很快我們就發現，在這個看似為了學術目的舉辦的讀書活動背後，真正的目的是政治性的。毛澤東在全會前後所做的發言節選〈駁第三次左傾路線〉[21]明確地體現了這一點：文章宣布要在毛澤東、任弼時和彭真的領導下對中央黨校進行重組。毛澤東肯定了清算過去歷史委員會的工作，成立了一個委員會（在他的掌控下）調查白區的黨組織，並讓康生負責幹部審查。

唯一讓人吃驚的是，〈駁第三次左傾路線〉（王明的路線）這篇文章的口吻比會議開幕詞中的還要尖銳。[22]顯然，毛澤東被王明的態度激怒了。[23]後者不但不做自我批評，而且竭力為自己辯護，要求立即召開七大，好與他的對手公開較量，並進而求助於莫斯科。王明在1941年11月向毛澤東傳達了季米特洛夫的口信，這個口信無疑是他請求後者這樣做的。當時德國的裝甲特遣隊逼近莫斯科，斯大林擔心日本對蘇聯宣戰，認為中國共產黨對於抗日投入的兵力十分有限，為此他提了15個尖銳的問題。[24]然而，1941年12月28日，毛澤東介紹1942年的工作計劃時堅持他的路線：「利用太平洋戰爭和日軍南移，使得我們1941年遭受嚴重損失的根據地恢復原樣。抵抗肅清運動，收回一部分失去的土地。集中力量，不要冒失，也不要向國民黨挑釁」。[25]同時，暴怒的毛澤東連寫了九篇文章抨擊王明，[26]由於這些文章過於粗暴從未被出版，據胡喬木所說，「他放任自己的咄咄逼人和極端情緒」。他對待王明和他的擁護者就好像是對待「可憐的小蚯蚓……這些人中，沒有半個馬克思，活着的馬克思，仍然在散發着芳香的馬克思。有的只是虛假的馬克思，死了的馬克思，發出死屍臭味的馬克思……」。還有更糟糕的：張戎和喬．哈利戴[27]的書中寫道毛澤東在1942年3月試圖用汞毒死王明。這項計劃沒有成功是因為兩個人：傅連璋醫生和蘇聯軍醫奧爾洛夫（Orlov），後者是陪同新的蘇聯聯絡員孫平（Pyotr Vladimirov，弗拉基米洛夫）來到延安的。[28]之後，毛澤東利用各種藉口阻止王明於1943年登上一架蘇聯送過來的為數不多的飛機。生病、孤立、又受到死亡威脅的王明不再參加政治局的會議。

此時整風運動正式開始。1942年2月1日，毛澤東在中央黨校開學典禮會上做〈整頓黨的學風黨風文風〉（通稱「三風」）的報告。2月8日在宣傳部講話要求大家「反對黨八股」。之前的「學習」變成了「整頓」，語氣更為強烈。[29]在前一篇報告中，他批評那些教條主義的知識分子缺乏批判精神，不自覺地落入到主觀主義中去：

> 讀了許多馬克思列寧主義的書籍，能不能就算是有了理論家呢？不能這樣說。……許多所謂知識分子，其實是比較地最無知識的，工農分子的知識有時倒比他們多一點。……這比大司父煮飯容易得多，比他殺豬更容易。你要捉豬，豬會跑（笑聲），殺它，它會叫（笑聲），一本書擺在桌子上既不會跑，又不會叫（笑聲），隨你怎麼擺布都可以。世界上哪有這樣容易辦的事呀！……馬克思一不會殺豬，二不會耕田。但是他參加了革命運動，他又研究了商品：他是完全的知識分子。

我們注意到這最後一句話改變了之前民粹主義的基調。反對黨八股針對的是那些被毛澤東稱作「二十八個半布爾什維克」的人，這些年輕人初出茅廬卻非常自負。毛澤東舉了魯迅的例子，回顧了1919年的五四運動，並再次強調馬克思主義中國化的必要性。同時，其他的領導人如陳雲、劉少奇和彭真發表了類似的講話。2月28日，康生被任命去「改造」90%的幹部的工作作風，自1938年以來他們沒有參加過黨校學習——很快，17,098名幹部參加了這一運動。

然而，自月初以來，剛剛成為《解放日報》負責人的丁玲在該報的文化版安排了一些描寫延安嚴峻生活的文章。值得一提的是《解放日報》的主編是博古，王明在莫斯科期間，博古是「國際派」的主要領導。和其他黨內積極分子一樣，丁玲認為這次整風需要坦誠。在一篇關於三八婦女節的文章中，[30]丁玲寫道，邊區婦女的生活要比其他地區的婦女好，但她對當地社會固守的大男子主義表示惋惜：婦女的確需要結婚，但是一旦組成家庭之後，我們就認為她們「落後」了，由於家務的負擔過重，她們無法擁有足夠的社會生活。在別處作為受害者的婦女，在延安就變成被告。其他的作者寫了一些文章描述愛國青年知識分子的失望，他們的熱情被紅色首都的現實所澆滅，搬出魯迅的例子尋求寫「雜文」的權利。在這個表面上開放的背景下，3月13日和23日的《解放日報》發表了一篇名為〈野百合花〉的文章，1927年加入共產黨的中年知識分子王實味用一種冷幽默的方式揭露了幹部的特權。王實味曾經翻譯過列寧的遺囑和托洛茨基的自傳，這讓他與上海的托派分子有些聯繫。來到延安後，他進入了中央研究院，負責馬克思和列寧文稿的出版工作。3月18日，他在研究院的一次整風動員大會上提出意見，反對研究院的負責人自動成為檢委會的成員。一位領導抨擊他的行為是向小資產階級的平均主義妥協的表現。3月23日到28日期間，他在牆報《矢與的》上發表了鋒芒畢露的三篇文章，對新的質疑作出回應。整整一天，一群人圍在張貼牆報的南門看，可見當時延安的人們是多麼缺乏娛樂活動。夜裏，毛澤東打着燈籠到中央研究院看牆報，他說：「思想鬥爭有目標了。」[31]毛澤東認為對整風運動「糾偏」的時候到了。這並不是指以民主的形式實行充分的言語自由，而是將他的分析告知所有黨內機關，鞏固他的政治勝利。3月30日，毛澤東在中央學習小組發表了〈如何研究中共黨史〉的講話，又一次對王明進行了批判。3月31日，他召集了70位在《解放日報》工作的記者和幹部，[32]進行了一場為期一個星期的整風討論會。在總結的時候，他批評了博古，後者立刻作了自我批評。4月1日，毛澤東進行了日報的重組：博古只是名義上出版發行的負責人，而實際的領導工作交給了陸定一，後者同時也是八路軍宣傳部長。[33]這天，一篇社論證實這份報紙成為「黨內鬥爭」的官方報紙，並用無產階級路線代替了「之前盛行的資產階級路線」。4月2日，政治局聽取了毛澤東關於全面推動整風運動的報告，第二天中央宣傳部通過了一項決議。這份報告確定了運動的日程表以及我們在前文提到的需要學習的文章，提出了十二個如何展開運動的關鍵點：這是毛澤東在「文化大革命」前政治生涯中所有類似運動的濫觴。[34]

毛澤東和1943年的轉折

很快，局勢變得更加緊張，因為毛澤東又採取了新的行動：5

月2日到23日，毛澤東組織了一場文藝座談會，由於結論在知識分子和幹部中引起了許多爭議，這份報告直到一年半以後才出版。[35] 實際上，毛澤東思考了「劍鋒」與「筆鋒」這兩種武器在中國革命鬥爭中的關係後，將文學和藝術定位於宣傳的角色，服從黨的政治命令的作家和藝術家沒有創作的自由。他們必須把自己放在該有的階級位置上，擺脫小資產階級的思想，轉而擁有無產階級的意識形態。就像王實味一樣，毛澤東也假借魯迅的名聲。然而王實味將自由批評的權利放在比政治體制更重要的位置上，但毛澤東卻認為延安體制不屬其中，一切創造都必須服從黨的要求。毛澤東沒有繼承五四運動的自由思想。的確，1941年到1942年的形勢十分嚴峻：日軍的掃蕩、與國民黨決裂、經濟封鎖、邊區貧窮的狀況，這一切使得許多幹部和知識分子將他們的立場看作保衛國家和革命所必需的過渡階段。不過知識分子中順從的比不贊成的要多，很少有人反抗。

王實味堅持抗爭，使他受到了批判。王實味的批判者之一溫濟澤在1942年5月21日至6月11日的日記中詳細記錄了對王實味的批判。[36] 5月27日，王實味和溫濟澤工作的研究小組成員被院領導要求思考「3月在他們中出現的極端民主主義潮流」。小組負責人之一范文瀾[37]做了自我批評：他缺乏堅定的意志。第二天，一些人委婉地為王實味辯護，他們認為「王實味只是意識形態與我們不同，但他仍然是我們的同志」。5月30日，毛澤東的親信艾思奇傳達了毛澤東在延安文藝座談會上的「講話」之「結論」部分。在聽完他的總結後，所有的與會者都表示他們所犯的錯誤與王實味有本質差別。王實味之前在牆報上批判過研究院的領導提出強化黨內紀律及民主集中制的必要性：艾思奇認為王實味犯的不僅是思想錯誤。5月31日，與會者收到批判王實味牆報的文章。6月1日，與會者將議題從「由清算極端自由主義的偏向」，轉為「批判王實味的鬥爭」:「治病救人」。連續幾週，包括溫濟澤在內的許多同志都表達了他們對〈野百合花〉內容的贊同；但是自從學習了毛澤東的〈反對自由主義〉這篇批判斯大林平均主義的文章，以及劉少奇關於黨員自我完善的小冊子之後，他們看得更清楚了。儘管他們一同做王實味的思想工作，黨內六位領導也同王實味談話，但是王實味仍然堅持自己的觀點。大家把他的這種固執與托派主義聯繫在一起。他在一封信中以魯迅自居，自認為是青年的榜樣，這一點引起了大眾「十分輕蔑的嘲笑」。

6月2日，暫時休會，留一些時間給與會者學習毛澤東在文藝座談會上的結論以及各種毛澤東和斯大林的文章。6月3日下午，繼續開會。大家分析了王實味的階級成分：小資產階級和鄉村貴族階級。艾思奇指出人的本性與他所屬的階級密不可分。在黨拒絕了王實味提出的退黨申請之後，討論繼續分小組進行。6月4日，因為大家知道王實味要參加會議，大禮堂擠滿了人。王實味否認自己是托派分子，一位與會者起來質問。之前他們倆關於斯大林的問題已經有過爭執，王實味批評斯大林過於粗暴。大會委派三位同志與王實味談話「挽救他」。6月8日清晨7點，在操場上召開了一場大型「動員會」，有一千名旁聽者：各種報告都是揭露托派主義。9日，100名與會者「聽取了兩個十分精彩的報告」：陳伯達揭露了王實味「自私自利的卑鄙的行為」，稱其「正像水裏的螞蝗一樣，是沒有骨頭的東西。……他正藐小得像一個白蛉子，這白蛉子悄悄從紗窗飛進來咬人，是必須嚴防的。」另一個與毛澤東十分親近的哲學家艾青，他責怪王實味的文章營造了一種「陰森」的氛圍，「這種手段是毒辣的。

這樣的『人』，實在夠不上『人』這個稱號，更不應該稱他為『同志』」。10日，與會者羅列了王實味所有的錯誤，要求開除他的黨籍。11日，丁玲駁斥王實味對延安文藝界的侮辱，對〈三八節有感〉作了一番自我批評。研究院院長做第一份總結發言：他對於王實味拒絕接受幫助表示遺憾，並指出下一步要繼續學習和不斷提高自我修養。[38] 這讓我們回想到11世紀新儒家學派代表朱熹的修己治人之道，要達到此境界不是通過禪學，[39] 而是學習和經常拜訪教授道德倫理的場所。院長要求所有與會者一生都要堅持批評與自我批評。范文瀾最後指出：「王實味是個甚麼人？他是個托洛茨基分子。」我們「用盡了苦心去挽救」，但是他始終拒絕做自我批評。現在必須要從這樣的反抗中吸取教訓：堅決反對任何自由主義；嚴守紀律；嚴禁散布謠言（事實上是指批評領導人和他們的生活方式……）；提高政治警惕性；深入學習文件和進行自我批評。我們可以發現統一人們思想的「毛澤東主義」是一台可怕的機器，這台機器已經開始運轉了：這一點我們能在接下來的34年中常常看到。1944年6月，到延安採訪的記者發現所有採訪的對象都是統一的說辭。和其他上萬名黨內積極分子一樣，在兩年的時間裏，他們必須參加不斷進行批評和自我批評的會議。在這些會議上，他們分析自己的不足，同時對他們最親密的朋友作出並不正確的評價，漸漸地，他們的個性就被抹去，順從黨和黨內領導並與他們融為一體。根據中央一項1943年6月的決定，「所有人都必須寫自我分析，並將它抄寫三遍，五遍，抄寫他認為應該抄寫的遍數。告訴所有人必須揭發自己任何細微的對黨不利的想法」。[40] 所有與外面世界的交流都是違法的，延安沒有廣播，禁止寫日記，組織學習的人鼓勵大家做一些「小範圍傳播」，即系統地偵查私人談話，引起了一連串的互相揭發事件。這種方法在不協調的延安社會建立了團結，但付出的代價呢？1942年9月1日，中共中央政治局作出〈關於統一抗日根據地黨的領導及調整各組織間關係的決定〉，加強一元化領導，下級服從上級，通過自我分析將紀律內在化。這就是著名的「群眾路線」。1960–1980年間，許多西方的學者認為它是代替斯大林警察式管控的方法。[41] 1943年6月1日，中共中央通過〈關於領導方法的決定〉，[42]描述了這個過程：「在我黨的一切實際工作中，凡屬正確的領導，必須是從群眾中來，到群眾中去。」「將群眾的意見(分散的無系統的意見)集中起來(經過研究，化為集中的系統的意見)，又到群眾中去作宣傳解釋，化為群眾的意見，使群眾堅持下去，見之於行動，並在群眾行動中考驗這些意見是否正確。」一切都接受統一領導，再結合工作分配及權力集中化。做決策的過程是從中央出發最後回到中央，給人一種決策的發起源自群眾的錯覺。毛澤東站在與1919年五四運動所宣傳的個人自由的對立面，但是他有一個大家都接受的非常高效的工具。

但是並沒有因此就避免了最傳統的鎮壓。實際上，負責「審查」幹部行為的康生認為成千上萬敵人混進來到延安的青年人中：據他估計，10%的人是可疑分子，而70%近幾年上任的黨員幹部在政治上並不可靠。很久以後的1944年3月29日，康生承認「被懷疑是奸細或反革命的幹部中不到10%確有此事！」[43]從1942年7月開始，他打算要「像除去雜草那樣除去叛徒」並要求所有人都提高警惕。入秋後，懷疑的氣氛蔓延至高層幹部。1943年5月20日，斯大林的共產國際解散，使中共擺脫了一些束縛。夏初，毛澤東宣稱：「特務如毛」。審幹變成「搶救失足者」，對可疑分子進行審問甚至拷打。為了幫助他們，必須要讓他們認罪。同樣，對罪犯的懲罰被當作範例來教育大眾。可憐的王實味在1942年10月被指控為國民黨的奸細和托派陰謀組織的頭目。王實味和其他兩百人一起被拘禁在監獄裏，他常常一連幾天被剝奪睡眠的權力，漸漸地成為了自己的影子。只有在外國人參觀延安的時候，他才被放出來，為的是在外國人面前承認自己是一個壞蛋，應該被處死。[44]他的悲劇並非個案：那些自我批評時表現猶豫，在告密揭發時畏畏縮縮的人都會遭遇不幸：鄧發的政治保衛局服從康生的命令，逮捕了大批可疑分子，並使用逼供信拷問，甚至處死可疑分子。[45]關於這段從1942年秋一直持續到1944年春，並且在1943年夏達到頂峰的恐怖時期，我們並沒有可靠的數據：四萬到八萬人遭到迫害，[46]大約佔黨員的5%到10%。彭真和劉少奇在中央黨校實行了很嚴厲的肅清運動。由山西北部興起的運動很快蔓延到了其他根據地：河南黨委被拘禁的幹部中60到80人被處以死刑或者自殺。四川的情形也一樣。1942年末，在安徽東部新四軍的營地裏，自從劉少奇作為政治專員出發去延安之後，總司令陳毅在一次權力衝突之後被雄心勃勃的饒漱石告發到康生那裏。1942年11月，陳毅被召喚到延安。他花了三個月的時間來達到他的目標：在鄧小平的保護下，他小心謹慎地留在太行山三個星期來「學習文件」並做自我批評。對於他的順從，毛澤東表示讚賞，並於1943年5月委託他撰寫七大報告中的軍事部分。陳毅寫得有點過了：他把毛澤東稱為「六十年來最有天賦的軍事家」。報告最終交由朱德撰寫。[47]周恩來也被召到了延安：1943年7月初從重慶趕到延安，他順從地接受了審問，並在11月的五天裏在政治局做自我批評，他對於自己因「盲從本性」而成為「王明的共犯」感到懊悔。[48]但是，周恩來不同意康生指控白區的黨員幹部是「奸細和叛徒窩」的說話。顯然在這次行動中有人濫用了職權，對此主持七大委員會的任弼時無可非議地被委任調查搶救運動。我們並不清楚任弼時寫的報告內容，但是他對於1943年8月15日中共中央關於審查幹部的決定一定感到很擔心。[49]我在本書中將引述這份被認為或多或少帶有偏見的文件。它如同一道強光，使我們看清毛澤東的行為。

毛澤東首先說在戰爭時期，特務多並不奇怪。尤其中國受「封建的法西斯的國民黨」領導，又被日本襲擊。「日本法西斯則利用中國人作特務，其數量亦是很多的」。「這一次我黨在整風中審查幹部，並準備進一步審查一切人員」。在這個十分必要的調查中——

> 不稱為肅反，不採取將一切特務分子及可疑分子均交保衛機關處理的方針，而採取首長負責……領導骨幹與廣大群眾相結合……調查研究、分清是非輕重、爭取失足者……這是一個群眾性的問題，離開了機關學校部隊工廠農村的廣大群眾及其聯繫群眾的有力的幹部，就無法妥善地最徹底的解決這個重要問題……上述首長負責的整個方針，是和內戰時期曾經在許多地方犯過的錯誤的肅反方針根本對立，這個錯誤方針簡單的說來，就是逼供信三字。審訊人對特務分子及可疑分子採用肉刑，變相肉刑及其他威逼辦法，然後被審人隨意亂供，誣陷好人，然後審訊人及負責人不加思索的相信這種絕對不可靠的供詞，亂捉亂打亂殺，這是完全主觀主義的方針與方法。抗戰時期，山東湖西地方的錯誤肅反事件，[50]也是重複這種方針與方法的結果。這種錯誤思想的餘毒，在許多幹部中，特別是在保衛工作幹部中，至今還是嚴重的保

> 存着。只有採取上述首長負責的整個方針，才有充分可能肅清這種主觀主義的錯誤思想，而使這次審查幹部乃至審查一切人員，達到最妥善，最徹底之目的。

為此，必須將大部分可疑分子的調查委託給各個級別的領導，將檔案資料分成三部分：80%的案例各黨政軍民學機關自己處理。10%將在西北公學和行政學院通過整風的方式處理，只有10%送保衛機關，例如社會部、保安處、軍法處處理(逮捕審訊)。可疑分子在通過行政調查和反省之後進行自我批評，必須以小組的形式展開，並照常在原來的工作崗位上。每一個工作組經過慎重考慮，擬定兩種名單，一種是沒問題的，另一種是可疑分子。「禁止主觀主義的逼供信方法」。可疑分子並不代表就有罪。如果懷疑錯了，就必須當眾說明，恢復那些被錯誤拘捕和指控的人的自由和名譽。「在審查運動中，一定會有過左的行動發生，一定會犯逼供信錯誤(個人的逼供信與群眾逼供信)，一定會有以非為是，以輕為重的事情發生，領導者必須精密注意，適時糾正，對於偏向，糾正太早與糾正太遲都不好，太早則無的放矢，妨礙運動的開展，太遲則造成錯誤，損傷元氣，故以精密注意與適時糾正為原則。」[51] 事實上，要將那些誤入歧途的人爭取到正道上來。在延安，共調查了兩千個人，其中有一部分人被冤枉了，必須要予以平反。「延安審幹查出兩千多人，至今未殺一人，寧可讓他們跑掉，亦不可多殺人」。他們打算從參加調查和被調查的人中培養出10%到20%的人學會調查和審問。在延安，三萬黨政軍和一萬老百姓中培訓四千到八千人，包括已經培養出的兩千人。1943年3月到8月，他們參加了這項工作：「只有這樣，才能打破保衛工作的神秘化的觀點」。整風要延長到1944年，審查幹部可在整風中參雜着進行，凡發現了特務活動並且有了思想準備與組織準備的地方，就可動手審查他們，在領導機關掌握在壞人手裏的部門或地方，便決不可輕易發動審查幹部，這類地方，仍然應該着重整風或改造領導。

這份文件表現出毛澤東的狡猾，儘管他控訴那些「極端左傾分子」，也就是王明擁護者的過分行為，但是經過1930年12月可怕的富田事變之後，他變得更謹慎小心了。依靠群眾路線，更多的是政治考量而非道德原則。他對於嚴刑拷打的批評是毋庸置疑的。當然也存在模棱兩可的部分：在最恰當的時機糾正「主觀主義」政治錯誤這個要求真正的涵意是甚麼？顯然，部分領導對此的解讀是繼續進行拷問，但是拷問的方式要有節制。1943年10月9日，毛澤東在批閱綏德反奸大會的材料時進一步指「一個不殺，大部不抓，是此次反特務鬥爭中必須堅持的政策。一個不殺，則特務敢於坦白，大部不抓，則保衛機關只處理小部，各機關學校自己處理大多數。須使各地委堅持此種政策」。這次會議在離長城不遠的陝西東北部的綏德召開。[52] 秋末，恐怖即將結束。1943年12月，人們開始着手進行恢復名譽工作，包括為那些已經過世的人平反。

1943年12月22日，季米特洛夫給毛澤東發來一篇電文，[53] 元帥對中國共產黨內部的形勢表示擔憂，更具體來講，是擔心王明和周恩來的情況。他還認為「從反抗外國侵略者的鬥爭中退縮的方針，以及明顯偏離民族統一戰線的政策，在政治上都是錯誤的」。1944年1月2日，毛澤東發出一份覆電，逐條回覆了季米特洛夫的指責，他說「我們與周恩來的關係是好的，我們毫無把他開除出黨的打算。

周已經取得了相當大的進步」。至於王明，「一直從事各種反黨活動」，因而「他不配贏得我們尊敬和愛戴的斯大林同志的信任」。後來，毛澤東認為自己回應的態度有些粗魯，便兩次以炫耀的態度拜訪了王明，增加了與弗拉基米洛夫見面的次數。1月7日，毛澤東發電報給季米特洛夫感謝他的「指示」，並讓他對中國共產黨黨內的團結放心。1944年2月25日，季米特洛夫對此表示滿意。不過，毛岸英在莫斯科，王明在延安：莫斯科和延安之間處於互不信任的狀態。

然而，整風運動出現了偏差，在黨內引起深層危機。毛澤東為此道歉。在1944年4月12日延安的高幹會議上，毛澤東受到冷遇，他脱去大蓋帽，面對聽眾鞠了三個躬才最終獲得了掌聲，然後，他說：「我代表中央道歉……這次延安審幹，本來是讓你們洗個澡，結果灰錳氧[54]放多了，把你們嬌嫩的皮膚燙傷了……我們在黑暗中攻擊敵人，不小心傷及了自己的幾位同胞」。幾年以後，他在私底下對李銳説：「我沒有打擊黨內80%的人。説實話，是100%！」。在黨的七大之前，他又三次表達了他的歉意。

這些或多或少有些真誠的歉意，以及他削減了自己在中央的權力都不能改變一個事實：在這幾個月的恐怖中，毛澤東已經獲得了黨內不可動搖的領導權。

各種政治事件都標誌着他正攀上頂峰。

第一個事件是西北局高級幹部會議，1942年10月19日至1943年1月14日，由高崗[55]主持，267名陝甘寧邊區幹部參加，會期很長，但不時休會。高崗在11月17日和18日發表講話並做了總結。毛澤東在12月做了關於重振邊區經濟的重要講話，[56]對整風運動進行回顧，毫無保留地支持康生的行動。高崗介紹了毛澤東到陝北之前共產黨運動的發展史，這使得他能把自己的挫折和毛澤東1932年至1934年在江西的經歷相提並論。他首先抨擊了極左路線，然後批評國際主義分子和周恩來的「投降派」。如此，高崗為一部以毛澤東為中心的中國共產黨的歷史添上了濃重的一筆。大家乘勢成立了一個以毛澤東為書記的宣傳部和一個由劉少奇領導，王稼祥、陳雲、洛甫、鄧發和楊尚昆協助的組織部，這更加鞏固了毛澤東和他的親信在黨內機關不斷擴大的影響力。

1943年3月16日至20日，政治局召開會議通過決議，毛澤東、劉少奇、任弼時組成中央書記處，沒有周恩來。毛澤東正式成為中央政治局主席。政治局有13名成員，不包括周恩來和王明。中央委員會的各個機關都由毛澤東的親信領導。毛澤東成為中央政治局主席和中央書記處主席，「中央書記處討論問題，主席有最後決定權」。[57] 1943年5月16日，斯大林解散共產國際，5月26日的政治局會議認為這是一件好事，[58]它解除了共產黨運動的最後一道限制。中國領導人聲明「自一九三五年共產國際第七次代表大會以來，共產國際即沒有干涉過中國共產黨的內部問題」，因為形勢的需要解散共產國際的決定使中國共產黨更加民族化。

確實，一切都對毛主席戲劇性的權力增長起到了作用。2月，斯大林格勒戰役結束了德國對蘇聯的攻擊。與此同時，日本在所羅門群島中的瓜達爾卡納爾島戰敗，標誌着美國開始在太平洋戰爭中發起反擊。勝利改變了陣營，同盟國開始考慮未來。就是在這樣的背景下，1943年3月暨孫中山逝世紀念日，蔣介石出版發行了他唯一的一本政治著作《中國之命運》。隨着治外法權以及所有在1942年10月到1943年1月與美國和英國簽訂的「不平等條約」的廢除，中國恢復了完全主權，再加上1943年10月美、英、蘇簽署的《莫斯科宣言》中將中國列為四大強國之一，1943年8月蔣介石成為國家元首，10月正式成為國民政府主席，獲得了帝王般的地位。對於共產黨而言，不可能讓蔣介石成為中國唯一的化身。更何況1940年1月毛澤東提出的新三民主義也談到了未來，但是他所說是另一種未來。

我們注意到從1943年夏開始，出現了對毛主席的崇拜，這種崇拜以傳統的農民小型生產者為基礎，正是在這樣一個基礎上，毛澤東建立了他的體制。1943年7月8日，王稼祥在《解放日報》上發表了一篇紀念抗日戰爭爆發和中國共產黨成立的文章，提出了「毛澤東思想」這一說法。這個說法之後被晉升的劉少奇沿用，他在這一「思想」中看到了黨成功的原因，開始對1931年1月的六屆四中全會作出批評：我們不能允許黨內有任何與毛澤東思想相違背的「思想」。1945年夏，《毛澤東選集》第一版發行，幹部從中引述毛澤東的語錄。毛澤東的頭像大量地出現在公共大樓，村莊的牆壁以及百姓新年祭祀祖先的祭壇上。有些誇張的歌曲《東方紅》成了一首毛澤東的頌歌，它歌唱毛澤東是「人民大救星」，還把他比作初升的紅太陽。1943年2月5日，毛澤東在延安春耕的高粱地裏劃了第一條犁溝，[59] 一如從前的帝王。

經過了黑色三年共產黨的邊區開始復蘇並且擴大：希望重現了。

毛澤東和邊區的鞏固

1942年12月20日，[60] 即便整風運動已經遍及所有抗日根據地，毛澤東還是對兩個月前來延安參加西北高幹會議的幹部們做了一篇罕見的關於經濟領域的講話：〈經濟問題與財政問題〉。[61]在1941年9月的政治局會議上，彭真提交了一份重要的報告〈黨的工作和它的特殊任務〉。1942年1月28日，中共中央政治局通過〈關於抗日根據地土地政策的決定〉，[62]這個決議在1943年10月毛澤東關於合作社的文章，[63]以及1943年11月29日接見陝甘寧邊區勞動英雄時的講話[64]中得到深化。即使在擴大自己在黨內的支配權時，主席仍然在講話中提出適度發展經濟。這些文章與「生產運動」相關。1941年至1942年，生產近乎崩潰，國民黨的封鎖又使情況更加惡化：自開戰以來，小米的價格漲了40倍，1941年的收成比上一年減少了20%到30%。毛澤東明白為人民提供基本的生活條件刻不容緩。在這個特別貧困的邊區，土地都是用鋤頭和鐮刀靠人力耕種的，一半的家庭沒有任何可以耕地的家畜。只能依靠富農的勞動力才能解決問題，他們對於增產和開墾荒地很有經驗。更普遍來講，要發展一種混合型經濟，除了公共部門，還要在農業、手工業和商業領域發展重要的私營經濟。為了達到目標，首先必須停止批判富農。毛澤東認為不能讓大部分有愛國主義行為的地主陷入絕望，必須謹慎對待他們，讓他們在工業和商業領域投資。必須接受地主對於勞動人民存在一定程度的剝削。總之，一定程度的資本主義被認為是有必要的：一份1942年2月6日黨內關於土地政策的文件認為在邊區可以容許70%資本主義的生產方式和30%封建主義的生產方式，地主賺錢是很正常的。毛澤東宣稱過去左傾分子對於富農的攻擊源於王明和他的擁護者。稍晚的時候，農村經濟結構出現根本轉變：共產黨堅持改革，對此國民黨只是口頭說說而已，要減少地租的利率為收成的三分之一，打擊高利貸，並警惕欠的錢是還給地主還是債主。

我們可以通過戰爭時期共產黨和農民間的關係去理解毛澤東這向右的轉變。這種關係在很長時間內被過分地理想化了。在這方面我的導師是呂西安・畢仰高，[65]他的研究結合了最近美國學者或者中美學者精彩的專題論文，能幫助我們更好地理解當代中國意識形態歷史上最艱澀難懂的章節之一。[66]這裏有一個基本的事實：中國農民沒有特別想成為革命者的傾向。農民加入華北的革命並不是自發的，而是由共產黨耐心、睿智地組織動員的。雖然農民生活困苦，共產黨土地再分配的承諾讓他們有了盼頭，但他們參加共產黨的革命時仍然有些不情願。馬克・塞爾登不得不重新考慮他關於陝北農民迅速歸順共產黨的論點了。[67]查默斯・約翰遜(Chalmers A. Johnson)[68]斷言共產黨能夠動員農民的最根本因素是他們本質上是民族主義者，但他並沒有充分的理由：他認為共產黨首先是抵抗外來侵襲的愛國者，其次才是革命者，毛澤東從某種程度上來講是遠東的鐵托。事實似乎比這要複雜許多。畢仰高概括了共產黨和農民的十點關係，我列舉如下：

(1)農民自發的暴動與革命運動正好相反。革命運動具有全國性和戰略考量，而自封建王朝末期開始重新出現的農村暴動屬地方自衛，這種行為只是為了恢復遭到破壞的形勢，而非建立一種新的秩序。

(2)我們知道，在這樣的情況下，當那些大多由省會青年知識分子所組成的共產黨積極分子來到農村時，受到的待遇是「冷淡而謹慎的」。1923年至1925年彭湃曾經這樣説過，而毛澤東在1926年至1927年冬受到了湖南老鄉的熱情接待之後，在1928年至1930年也提到了這一點。

(3) 共產黨能夠滲透到農村要歸功於那些農村鄉紳在城裏接受教育的子孫們，比如陝西的劉志丹和高崗。黨的農村化是通過同學間的關係網實現的，他們在讀書期間加入了共產黨。我們可以看到毛澤東在湖南省立第一師範學校的同學扮演了決定性角色。

(4) 共產黨的這種滲透必須有一個相應的軍事或政治結構才能保持，以保證農民不會在敵人反撲的時候遭殃，避免形勢出現混亂，以及在鄉紳垮台之後不讓土匪橫行。班國瑞 (Gregor Benton) 曾寫道，「是軍隊，而不是階級進行了中國革命」，[69] 八路軍或新四軍在紅色政權的建立中扮演着重要的角色。紅軍甚至鎮壓那些想要驅逐紅色政權的農民暴動。

(5) 農民生活難以為繼，再加上受到日本人、土匪、國民黨軍隊和地主團練的威脅，跟着共產黨是為了生存。農村社會將共產黨視為他們的保護者，將其與部分會道門組織混為一談。如同朴尚洙[70]所寫，哥老會中很多成員也加入了共產黨。讓農民保衛危險的祖國，不如讓他們保衛自己窮苦的家。

(6) 農民對於既得物質利益十分敏感，作為被剝削的受害者，他們更願意接受共產黨政權而非投入到持久的反剝削抗爭中。陳永發[71]認為，共產黨給予農民的土地和物資分配是後者歸順前者的決定性因素：這是唾手可得的利益。相反，他們對於減少租金和債務不怎麼感興趣，因為這些錢款的支出對他們來說是理所應當的：一些農民在私下裏還是繼續按照傳統的比率交地租給地主，而實際上官方已經降低了租金。而糧食稅的進展[72]卻讓他們滿意，因為這屬他們傳統的反課稅行動。

(7) 不過農民一旦被動員起來，他們就好像是從長久積累的失望情緒中釋放出來，為了報仇而變得極端又十分殘酷，常常越過新的當局給他們設定的限制，要制止他們這種極端的行為讓共產黨感到十分頭痛。

(8) 這種動員不能持久，需要階段性地重新發起。

(9) 黨為了維持政治和軍事機構的活力所需要的積極分子更多是在青年中招收的，不管他們的出身如何，而不是在窮人中招收。許多共產黨幹部都來自「剝削階級」，而黨在培養「被壓迫階級」的幹部時遇到了很大的困難。

(10) 我們和畢仰高的看法一致，共產黨和農民之間是一個「不平等聯盟」。依賴於農民的共產黨「在他們中選出革命士兵」並「一步一步培訓他們」。因此這不是一場真正的農民革命，而是由農民參與的革命。農民被動員的主要原因是為了生存，其次是為了在無形的合同中獲得一點土地。作為交換，農民給共產黨提供糧食。他們在交通運輸和軍事工程中給予八路軍和新四軍幫助，還將子孫送去參軍。

1941年至1944年，毛澤東建議實行的新的經濟政策完全屬這個範疇：上文提到的那些論文對此有詳細的描述。[73]這個政策比起激烈反抗地主和富農的動員要緩和得多，儘管在統一戰線的前提下，共產黨與國民黨曾制止過這種動員，但是這種運動還是持續到1939年。而今採取的這種退讓的路線才使人民得以應對1941至1943這艱難的三年。多虧了這種適度且得到廣泛贊同的政策，共產黨才能保存大部分的軍事實力，包括幾乎整個陝北、陝西五台山和太行山的部分地區以及十幾個小面積的抗日根據地。有時這些根據地白天失守，晚上又奪回來了。形勢的多變以及共產黨隨之而來多變的應對政策讓人印象深刻：在總體政策的基礎上，有些地方政策根據規模的不同，採取不同的節奏和方法應對。事實上，可能這才是「群眾路線」：聰明地適應地方的實際情況。從這個角度看的話，中國革命不只有「一場」而是「許多場」。

第二點讓人印象深刻的是這項政策的成功雖然來得慢，但其實是可以估計到的：在陝甘寧邊區，可耕種面積在1936年到1945年幾乎翻了一倍。[74]因為封鎖，這一邊區的小米收成減少了20%到30%。墾荒政策擴大了耕地面積，加上人口的轉移，這個邊區在經歷了三年饑荒後於1944年實現溫飽。

第三，社會的轉變主要歸功於共產黨掌權後最初幾年所進行的徹底的土地革命，過去的鄉紳漸漸沒落，中農逐漸獲益：1935年，太行山邊區的地主擁有26.3%的土地，到了1944年就只剩下不超過5.3%了；同樣，富農的土地所佔比例從23.4%下降到13.4%；而中農擁有的土地從31.4%增加到65%。富農的沒落比數字顯現出來的更嚴重，因為這其中沒有算上那些由農村較低階級上升為富農的人，後者十分會利用形勢：這些新的富農通常是模範農民，或者是基層幹部。他們對黨很忠心，因為共產黨可以確保他們的晉升。

第四，共產黨加強了控制：超過半數的委員會成員是黨內積極分子，超過了三三制原則限制的三分之一的人數上限。

第五，那些最貧苦的農民並沒有看到他們的命運有所好轉。在太行山邊區，貧農擁有的耕地面積所佔比例從17.6%降至15.4%。在岩樹村，那些聽從政府安排從綏德遷過來的人發現這裏和封建制度的「莊戶」差不多：能得到4到8公頃荒地，一棟房屋，一些種子和工具，但是他們必須將收成的50%–60%交給地主，並無償地做長工。[75]對於這個事實，毛澤東指出這樣做比餓死要好許多。

經濟「重建」雖然保障了一支人數眾多的部隊和重要的國家機構，但是這種相對的成功對農民而言利益不大。自1939年開始，國民黨停止對邊區進行補助，1941年至1943年税收加重，採取逐步推行的方法，已經減輕了這一政策對最貧困人口的影響。農民交給國家的糧食税從1937年的13,859石增加到1941年的180,000石。[76]這是必需的：這個貧困邊區有一百五十萬人口，他們粗放耕作的農業勉強夠溫飽，但是他們還必須承擔兩萬名公務員(如果算上他們的家屬)和五萬名士兵的口糧(其中一萬五千名公安人員)。當然，毛澤東希望大家向由王震[77]率領的359旅學習，這個旅駐紮在陝甘寧南部荒蕪的南泥灣。一萬名士兵和游擊戰士自己種地，自力更生，同時還參加附近村莊的農忙。但是各個部隊種的糧食加起來只有31,000石，相當於這五萬名士兵每人每年只能拿到37.2升米：其餘的部分還是需要通過徵税得到。除了越來越沉重的負擔，每年每個農民要做115天到130天的雜役，幫助軍隊完成軍事工程或者修路方便運鹽，[78]將徵收的糧食運到政府。當然還有蘇聯的援助，1940年2月25日，季米特洛夫估計蘇聯每月的補助為三十五萬美元，[79]但是蘇聯參戰之後援助就中止了。

事實上，現在我們知道，共產黨當局多虧了鴉片走私才能收支平衡。[80]鴉片種植從1941年秋開始，到1944年三月結束。這種「特貨」在十二萬五千公頃的土地上種植，蘇聯人估計1943年的產量是44,760公斤，值二十四億法幣(民國政府的貨幣)。[81]1943年2月9日，毛澤東給周恩來寫信稱「邊區財政困難已渡過，現已積蓄兩億五千萬法幣」，是1942年陝甘寧邊區財政預算的六倍。鴉片的走私得益於國民黨將軍鄧寶珊在陝北謀求私利：國民黨的封鎖中不止有一個缺口。共產黨的經濟學家謝覺哉在1944年3月6日的日記中這樣寫道：「我們很富有，十分富有，這無疑是因為這樁特殊的買賣」，同時他為這種財富引起通貨膨脹感到惋惜，1944年3月，共產黨由於過度發行邊幣導致其急劇貶值。對於鴉片種植的結束，毛澤東感到寬慰了不少，因為許多黨內領導人都覺得不適應：根據謝覺哉的日記，[82] 1月15日，毛澤東對於這一時期做了總結：「我們犯了兩個錯誤。第一個是我們在長征的時候放棄了一些人，但是如果我們不這麼做的話，無法存活下來。第二個是我們種植了『某物』〔鴉片〕，但是如果我們不種的話，無法度過危機」。

事實上，毛澤東總結的是他在1943–1944年的態度：鴉片和其他的措施是權宜之計，他在農業問題上的右傾轉變也是由當時的需要決定的，一旦形勢允許，右傾可能重新受到質疑。這是1943年他關於合作社發展的講話的深層次含義，他還同意保留資本主義甚至封建主義的領域。他特別舉了延安南縣消費和生產合作社的例子，並且希望田間有大型農業活動時，發揚農民互相幫助的傳統，集中所有的勞力和家畜共同勞動，也許這是讓農民為將來的集體制做準備。或許出於這個原因，1944年，毛澤東讓共產黨西北局(陝甘寧)着手開展一個關於「邊區互助形式」的廣泛而細緻的調查。[83] 1943年11月，他在陝甘寧邊區勞動英雄代表大會上作題為〈組織起來〉的演講：

> 這種分散的個體生產，就是封建統治的經濟基礎，而使農民自己陷於永遠的窮苦。克服這種狀況的唯一辦法，就是逐漸地集體化；而達到集體化的唯一道路，依據列寧所說，就是經過合作社。在邊區，我們現在已經組織了許多的農民合作

社，不過這些在目前還是一種初級形式的合作社，還要經過若干發展階段，才會在將來發展為蘇聯式的被稱為集體農莊的那種合作社。

這次講話闡明了毛澤東的「延安之路」，而這條延安之路從1958年開始豐富了他關於社會主義的思想。馬克·塞爾登很精闢地總結道：「延安精神證實了人在面對惡劣的自然環境時的優越性，無須農業機械化，只需要通過動員人民，以及通過發展集體化合作社這個法寶，就能實現提高物質生產力的諾言。」[84]

然而，這場1943年由毛澤東推行的合作運動效果十分不理想。1943年，陝甘寧邊區有二十六萬合作社社員，到了1944年只剩下十五萬。1943年，毛澤東意識到在綏德的努力也遭到了失敗。這個地方最發達，教育程度最高，但由於臨近國民黨部隊而顯得最脆弱。

還有必要分析一下這些合作社究竟是甚麼。消費合作社不過是一些供應食物的小型售貨點，而生產合作社是一些初級工坊，每個合作社都只僱用了十來個人，尤以紡織業為主。領導們最常提起的形式是農業互助組：通過常常引起糾紛的複雜計算，十幾個或二十幾個鄰居交換家畜和工作時間。這是利用了耕地和收割時傳統的「變工」。互助組先進行開墾，一旦荒地成為耕地之後，就按照合作社社員參與工作的份額來分配。毛澤東多次提到勞動英雄吳滿有的例子。在1937年的時候吳滿有是個貧農，1941年起他推動成立了幾個互助組，在延安南部開墾了幾百畝地。1944年，他已經成為擁有327畝地的富農，他將90畝地交給佃農來耕種：我們很難看出這樣一個政策以後如何能促成農業的社會化。從這種家庭互助形式過渡到一個或幾個村莊的集體化必須有一個質的飛躍。克勞德·奧伯特

(Claude Aubert)中肯地評價道:「中國北方存在的互助傳統只是作為擔保,它只提供了一個將外國的集體化運動轉為傳統運動的過渡結構。」[85]此外,1943年陝甘寧邊區只有17%的農戶加入了互助組,而到了1944年只有不超過10%的人還繼續留在互助組。《解放日報》常常引用太行山邊區白雲鄉這個特別的例子,72戶居民形成了一種法倫斯泰爾式的團體,他們被分成9個耕地互助組,青少年負責照料家畜,老年人充當信使,婦女準備集體伙食,而那些傳統意義上的懶漢、賭徒、酒鬼都會被合作社強制要求去田裏幹活,這一行動被稱為「改造二流子」。我們可以自問中國非典型邊區的這樣一個經驗是否可能被推廣:陝甘寧邊區的勞動力是每公頃2.5人,而中國的平均水平是每公頃4人,這裏可以耕作的土地為6%,而平均水平為18%,這裏實行粗放耕作,而中國主要以精耕細作為主。[86]1958年,正是在這個不可靠的基礎上,毛澤東開始了他的烏托邦計劃——「大躍進」。

從1944年開始,共產黨成功的真正原因是廣泛深入農村。我們尤其可以從二戰和中日衝突的變遷中發現這些原因。

毛澤東和中國共產黨的發展(1944–1945)

1943年至1944年冬,50歲的毛澤東開始發福,好像他的身材與身份相符了。他已不再是江西那個纖瘦的造反者,也不是延安那個座談會的演説家:他變得如同一個活菩薩,有着新生兒的豐腴,他那張長著一顆痣光滑而圓潤的臉凸顯出他的睿智與從容。確實,他終於可以安心了。

在歐洲，繼美軍登陸西西里佔領意大利，以及1943年7月蘇聯紅軍戰勝德意志國防軍取得庫爾斯克會戰勝利之後，希特勒的部隊邊打邊撤。在太平洋戰場，美國海軍驅逐了所羅門島、加羅林島和吉爾伯特群島的日軍，1944年1月底佔領了馬紹爾群島，而中國的陸地戰線始終保持平靜：中國國民黨官方軍事力量的損失為350萬人，死亡人數從1940年的34萬，1941年的14.5萬跌至1942年的8.8萬，1943年的4.3萬。

顯然，蔣介石看出日本的戰敗不可逆轉，開始安排他的部隊[87]與成為他最主要敵人的共產黨進行最後的較量。我們可以看到共產黨的態度也十分類似。[88]在東京，人們已經確認戰爭不會勝利。但是大家仍然希望不會戰敗。在海上戰敗的日軍試圖加強他們在朝韓—印度支那—緬甸這一三角區域的掌控。1943年，他們還試圖拉攏蔣介石推翻他的聯盟，與汪精衛政府合作，最終消滅他們共同的敵人——共產黨。1943年10月30日，日本與南京日偽政府簽訂的新條約提高了後者的地位，日偽政府在1月9日正式宣稱與美國和英國開戰，並在8月1日收回外國租界。汪精衛[89]的百萬戰士主要與474,476名共產黨的士兵作戰，而日軍則讓56萬士兵中的三分之二與蔣介石的部隊對抗。[90]繼1942年4月空襲東京之後，[91]從1943年11月起，美國將軍克萊爾．李．陳納德（Claire Chennault）率領飛虎隊從廣西桂林、柳州和南寧的基地起飛空襲日本，美國對日本的大城市和工業中心的轟炸越來越激烈。1944年4月，日本參謀部着手進行了「一號作戰」[92]：這場自1937年至1938年以來日軍對中國最大規模的進攻，目的是在朝鮮和河內打通一條連續而安全的通道，為日本群島提供食物，戰略原材料等軍需保證，代替由美國海軍控制的海上通道。日本參謀部還希望毀掉美國空軍在中國的基地，並且鞏固蔣介石身邊的反美派系。

對毛澤東來說，沒有比這更好的禮物了。實際上，經過七年戰爭的國民黨軍隊已經筋疲力盡，裝備不良，伙食不好，醫療服務十分糟糕，只有兩千名醫生，新兵遭到軍官虐待，最優秀的那些在衝突開始的第一個月就大量死亡，抵抗能力十分有限。「一號作戰」始於河南，十五萬日軍快速沿着北京—漢口鐵路向南挺進，國民黨的部隊潰退。因為當地農民的態度，日軍的勝利變得更加容易：1944年春河南遭遇了嚴重的饑荒，當時一千個人中就有百來個死於饑餓，加上國民黨部隊的掠奪，被激怒的河南農民在重慶政府按慣例來徵稅的時候暴動起義了。他們借助日軍的攻擊，殺死或趕走零散的國民黨士兵、税務員和徵兵處的人員。這一切極大地方便了日軍的軍事行動。[93]從5月底開始，三十五萬日軍從武漢到湘北攻擊湖南—廣西邊區：6月18日長沙淪陷。7、8月，日軍進入廣西。11月，廣西的美國空軍基地悉數被毀。雲南、昆明受到威脅：美國空中運輸線受到威脅，這條運輸線保證了從英屬印度向「自由中國」供應部分軍需。[94]日本先遣隊開始威脅貴州的首都——貴陽：拿下這座城市就可以打通去重慶的道路。恐慌席捲了「自由中國」的首都：外國的外交官開始整理行李，而早在南京和武漢淪陷的時候已經整理好行李的蔣介石此刻聲明，他會留守在這裏，要麼勝，要麼死。幸運的是日軍的攻擊在1944年12月初突然停止。實際上，在此期間，美國把10月25日雷伊泰島戰役中剩下的日軍船隻全部擊沉。麥克・阿瑟（Mac Arthur）將軍再次開始對菲律賓的征服，而「海軍」已經征服了馬里亞納群島。續航里程達到5,400公里的美國轟炸機空中堡壘B29如今可以到達日本群島，並且回到他們在關島的基地。在陸地上，日本在緬甸戰役中戰敗，同盟國再次開啟了重慶的供給通道。這次成功要歸功於美國將軍約瑟夫·史迪威(Joseph Stilwell)的指揮，他曾經公開藐視蔣介石，[95]當然還有英美軍決定性的參與。在9個月的戰爭中，國民黨軍隊陣亡人數達到50萬，比日軍的陣亡人數多了20倍，嚴重受挫的國民黨軍隊沒有贏得一點聲譽。然而，蔣介石的政權卻依賴這支節節敗退、失去信譽和士氣低落的軍隊。[96]

共產黨充分地利用了國民黨的這次潰敗。1944年4月12日，[97]毛澤東在西北辦公室(陝甘寧)高幹會議上發表講話，他對「一號作戰」初期共產黨的影響做了總結。他首先確定世界局勢主要的趨勢是法西斯陣線的快速敗退，這也就是日本侵略者的戰敗，以及人民力量的進步與發展。在中國，自1943年起，黨在抗戰時期的發展進入第三階段，這一點更加證明了毛澤東的正確眼光。第一階段，1937年至1940年，黨員人數從4萬升至80萬，軍隊人數從3萬增至50萬，「如果我們按照交糧食稅的人計算的話(向共產黨)，其中也包括同時還向日偽政府交稅的人」，根據地的人口達到大約一億。儘管共產黨實際控制的人口只有毛澤東樂觀估計的三分之一或四分之一，但我們仍然能夠理解紅色政權已經成為一個不可迴避的事實。第二階段，1941年至1942年，是十分艱苦的兩年：共產黨黨員的人數降至736,151人。八路軍人數從1940年的400,000人降至305,000人，而新四軍則從135,000人降至110,960人，也就相當於失去了63,000多名黨員和85,000名戰士(譯註：數據似有誤)。根據地的人口減半，只剩下不超過五千萬人，如果我們只計算那些不受日本人或者國民黨侵犯的人數的話，那麼就只剩下一千二百多萬人了。第三階段是一個戲劇性的恢復階段：在「一號作戰」前一個晚上，共產黨清點的黨員人數有90萬，共產黨軍隊人數有47萬，再加上227萬名民兵，得到鞏固的抗日根據地的居民人數達到8,000萬。一年後，在1945年6月的第七次會議上，黨員有1,211,128人，共產黨軍隊有91萬人，抗日根據地不受敵軍干擾的居民人數達到9,550萬。實際上，國民黨的軍隊已經被日本人驅逐，日偽政府的力量已經無法威脅共產黨軍隊，全力投入與蔣介石部隊戰鬥的日本士兵已經無法在共產黨的根據地展開恐怖行動了。

除了那些臨近鐵路幹線的城市和鄉村之外，中國北方幾乎所有的地方都受共產黨控制。主要有四大根據地。(1) 陝甘寧，陝西北部一直延伸到甘肅和寧夏。(2) 晉綏，山西西北部和綏遠邊界。(3) 晉察冀，山西東部、察哈爾南部和河北西部。(4) 晉冀魯豫，向西延伸的這個根據地位於黃河以北，自山西南部，河北西南部(太行山)，河南北部一直到山東。在中國中部有八個擴大的根據地，淮北根據地、蘇北根據地、蘇中根據地、淮南根據地、蘇南根據地、皖中根據地、浙東根據地以及大別山邊區的鄂豫皖(湖北、河南、安徽)根據地。在南方，有兩個游擊隊區域變成根據地，一個在海南島(瓊海根據地)，另一個在珠江三角洲(東江根據地)。

顯然，毛澤東已經成為蔣介石的挑戰者。1944年至1945年冬末，他向委員長發出挑戰，並且在世界舞台上嶄露頭角。

在黨內，劉少奇自1943年夏成為毛澤東的主要副手，不斷打擊王明，於1943年7月6日發表了題為〈清算黨內的孟什維主義思想〉的文章來攻擊各種「偽馬克思主義者」(也就是王明)。[98] 1944年4月3

日至4日，劉少奇在陝甘寧邊區高幹會議上[99]又一次對此進行了抨擊。他強調了毛澤東在中國革命和馬克思主義中國化中無可替代的地位，對於「1928年在莫斯科的第六次會議上毛澤東沒有成為全黨的領導人」以及「將中國革命過分對照1905年的俄國革命」感到惋惜。1943年12月28日，中共中央書記處發出〈關於研究王明、博古宗派機會主義路線錯誤的指示〉，明確批評王明和博古的兩條錯誤路線，即1931年至1934年的「左」傾機會主義和1937年至1938年的右傾機會主義。劉少奇考慮從建黨以來的歷史這個角度研究他們的錯誤。4月12日，毛澤東在講話中從另一個角度談到這個議題：他對蔣介石進行了系統的批判，後者的部隊在日軍的攻擊面前已經潰退，但對於毛澤東而言，日軍其實只出動了幾個師而已。「國民黨以五年半的袖手旁觀，得到了喪失戰鬥力的結果。共產黨以五年半的苦戰奮鬥，得到了增強戰鬥力的結果。這一種情況，將決定今後中國的命運」。

挑戰開始了：毛澤東要求共產黨現在開始實行1928年黨的六大提出的一項「過去不能實行，現在不能實行」，但是馬上召開的七大結束之後就能實行的決議：準備一場軍事暴動一舉拿下城市，「在全國範圍內贏得勝利」。從此以後，毛澤東的目標就是奪取全中國的政權。就是在這樣的背景下，六屆七中全會召開。1944年5月21日到1945年4月20日11個月的會議期間，毛澤東出席了8次會議：1944年的5月21日、6月5日、11月9日、12月7日、12月9日以及1945年的2月18日、3月31日和4月20日。毛澤東作為正式選舉產生的中央委員會主席擔任了大會主席團主席，主席團成員包括朱德、劉少奇、任弼時和重新得到毛澤東賞識的周恩來。一開始，毛澤東召集了中央委員會的17名成員，隨後又加入了其他14位領導，缺席的是賭氣的王明和生病的王稼祥。毛澤東成立了三個委員會分別準備政治、軍事和黨的章程報告，其中黨的章程是為了1945年春七大做準備的。此時已經開始選舉參加七大的代表。

六屆七中全會的第一次會議採納了一份關於黨在城市工作的文件。該文件6月5日由一個委員會負責起草，這一委員會共14名成員，會長為劉少奇，此外還有彭真、陳雲、李富春、康生、劉曉、鄧發和一些1927年以前的工會幹部。[100]指示要求利用合法的工作和秘密組織將日軍完全驅逐，讓百姓迎接「1944年底到1945年初輝煌的勝利」。

第二份文件是在1945年4月20日最後一次會議上發表的。這份文件題為《關於若干歷史問題的決議》。文章起草過程時間之長以及傳播範圍之有限都表明了黨內領導團體長期持續的內部矛盾非常嚴重和激烈，但是文章的基調又證明了毛澤東在辯論中取得的廣泛勝利。此外，1944年5月21日，六屆七中全會指定了起草這份決議的專門委員會的成員。他們全都是毛澤東主義的支持者和歸順者：任弼時是召集人，還有劉少奇、康生、周恩來、洛甫、彭真和高崗。當然，為了讓蘇維埃放心，博古也是成員之一，但是文章中有12處對他的批判讓他不堪重負，他的出席是為了承認他的失敗或者縮小他失敗的範圍。文章分為7個小節。文章一開頭出人意料地肯定：「中國共產黨自一九二一年產生以來，就以馬克思列寧主義的普遍真理和中國革命的具體實踐相結合為自己一切工作的指針，毛澤東同志關於中國革命的理論和實踐便是此種結合的代表。」[101]回顧黨近24年的歷史，新民主主義革命階段分為三個時期：1921至1927年第一次大革命、土地革命和抗日戰爭。文章第二節再次提到這三個時期：第一時期雖然有「共產國際的指導」，但是由於陳獨秀的右傾機會主義而遭到失敗。第二時期黨與「全黨對於企圖分裂黨和實行叛黨的托洛茨基陳獨秀派和羅章龍、張國燾等的反革命行為，也同樣團結一致地進行了鬥爭」。儘管黨從1931年1月的六屆四中全會開始直至四年後的遵義會議一直執行着錯誤的「左」傾路線，「我黨終於在土地革命戰爭的最後時期，確立了毛澤東同志在中央和全黨的領導」。第三節大篇幅地分析了從1927年8月到中央六屆七中全會結束期間「左」、右傾的偏向。這是對毛澤東精確分析的一種捍衛和説明，指出遵義會議是「中共黨內最有歷史意義的轉變」：實際上從遵義會議開始，「黨中央在毛澤東同志領導下的政治路線，是完全正確的」。同時也將1937年至1938年王明勢力短暫的復起完全除去了。第四節繼續深入思考「左」傾和右傾錯誤的原因，並且指出毛澤東糾正這些錯誤的方法：他極力反對低估農民的作用、混淆小資產階級和大資產階級、抗拒游擊戰、脱離群眾以及將改革中的新民主主義階段與社會主義階段混淆。第五節提到，黨內的小資產階級佔大多數是這些錯誤的社會根源。因而必須依靠教育將小資產階級的意識形態轉化為無產階級的意識形態。第六節將正在進行的整風運動視為一種「馬克思列寧主義者克服黨內錯誤的正確態度的模範」。最後一節可以歸納為一句話：「二十四年來中國革命的實踐證明了，並且還在證明着，毛澤東同志所代表的我們黨和全國廣大人民的奮鬥方向是完全正確的。」

幾經周折，一個關於黨的歷史的共同看法形成了，於是便有了由毛澤東帶領，12個革命騎士組成的「延安圓桌會議」，他們是朱德、劉少奇、周恩來、任弼時、陳雲、康生、高崗、彭真、董必武、林伯渠、洛甫和彭德懷。

美國朋友

共產黨結束了內部衝突，艱難地達成了共識。一個突發的外來事件認可並鞏固了中國共產黨的新政權：1944年7月22日，一架美國空軍C47型客機降落在延安機場，降落過程中還發生了一點小事故。[102]第一批迪克西使團的成員經過再三懇求(美國觀察組)，蔣介石才同意他們從重慶到延安。團長是戴維 · 包瑞德(David Barrett)上校，史迪威將軍的軍事參謀，他講一口流利的中文，動輒引用莎士比亞、孔子和《易經》的語句，穿着隨便，並不特別注重社交禮儀的他十分討中國共產黨的喜歡。

8月7日，第二架飛機着陸，運送來了觀察組的其他18名成員，其中只有一名是外交官，使館的二秘約翰 · 謝偉思(John Service)[103]，他為了這次來訪做了充足的準備。就好像延安報紙的標題寫的那樣，毛澤東和周恩來對「美國朋友」特別友好。在很多次宴會上，包瑞德坐在毛澤東和朱德中間的貴賓席上，而約翰 · 謝偉思則坐在朱德旁邊。[104]這次延安之行是富蘭克林 · 羅斯福(Franklin Roosevelt)的個人創舉。隨着歐洲第二戰場的開闢，美國參謀部需要中國更多參與太平洋戰爭，羅斯福對國民黨軍隊的一觸即潰感到憤怒：現在正是「一號作戰」時期。史迪威將軍的報告讓他確信蔣介石政權的腐敗無能，而且他無法忽視蔣介石與日本人的曖昧關係。約翰 · 謝偉思等熟知中國的外交官於是向羅斯福推薦了中國共產黨，後者在軍事方面十分高效。幾年前埃德加·斯諾的書已經向美國公眾介紹了這一點：延安讓人想到了美國的福奇穀和獨立戰爭中那些聚集在喬治·華盛頓（George Washington）周圍的嚴肅而英勇的清教徒。更具體地說，美國的這次任務是商討關於共產黨能給在中國意志消沉的美國飛行員提供的幫助，以及考慮與其進行有限的軍事合作來抗擊日軍。五角大樓考慮在山東登陸，需要當地游擊隊的支持。1944年11月7日，少將帕特里克·赫爾利（Patrick Hurley）走下飛機，他穿着裁剪得體的軍裝，戴着數十個閃閃發光的勛章。這架飛機每週都會把食物和信件送給延安的美國人，他們不習慣以米粥和棗粥為主的飲食。赫爾利是羅斯福的私人代表。[105]因為事先沒有通知，周恩來匆忙召集了一個團的士兵臨時安排了迎接。毛澤東坐着雪佛蘭救護車趕來。包瑞德充當翻譯。當這位高個子美國人——六英尺三英寸——吼出一聲響亮的「Yahoooo」，並在停機坪上跳起印第安喬克托舞蹈時，所有人都楞住了。這次參訪持續了三天。赫爾利滔滔不絕，包瑞德或多或少地翻譯了一些，略去那些他認為很可笑荒謬的話。[106]11月10日，一場熱鬧的宴會結束了兩天的會談，達成了一項要交給蔣介石的協議計劃。[107]第一天，赫爾利提出了十分誇張的五點建議，這篇文章完全出自他自己之手，沒有和蔣介石商量過。他無法想像中國不會在美國的意志下屈服。毛澤東很詫異他的語氣不是對手的語氣（「民有、民治、民享」），並且詢問這些論述源於誰的觀點。赫爾利承認這是他個人的觀點，並請共產黨充實他的提議。第二天達成的協議承認共產黨和共產黨的軍隊，同意其經中央政府整編後，將根據等級享受與政府軍隊同等的待遇，其各單位軍火和軍需的分配亦享受同等的待遇。赫爾利關於國共關係中遵循的民主和自由準則的表述含糊而浮誇，毛澤東在協議中不露聲色地加入了關於聯合政府的建議。赫爾利認為這個提議能讓人接受。但是，就像包瑞德預見的那樣，蔣介石毫不猶豫地拒絕了在協議上簽字，並且提出了他的三條「反建議案」，要求共產黨無條件承認他的權威。事實上，國共的立場在1944年5月4日到8日兩黨在西安重新接觸時便非常明確了，也一如林伯渠9月22日在《解放日報》上，蔣介石1944年10月10日在國慶節發表的聲明中表達的一樣。[108]國民黨和共產黨之間的分歧有三點。

(1)軍事問題：如果國民黨承認共產黨的5支精銳部隊和16個師，並且徹底改變國民軍事委員會的構成，共產黨同意由蔣介石擔任各項抗日行動的指揮。國民黨只願意讓共產黨保留10個師，並且要求他們服從目前的國民軍事委員會的命令，可以增加幾位國民政府接受的共產黨將軍。

(2)政治問題：共產黨要求國民黨接受1944年時存在的共產黨根據地。共產黨同時要求採取政治措施為建立一個取代國民黨獨裁統治的聯合政府做準備。國民黨提出這些等和平問題解決了再說。

(3)一黨問題：共產黨要求國民政府承認共產黨和抗戰期間形成的政治團體，尤其是民主聯盟。國民黨對此搪塞推諉。

包瑞德與周恩來陪同赫爾利回重慶之後，又和周恩來一起返回了延安。[109]12月8日，包瑞德和毛澤東進行了會談，以弄清之前商議無法進行下去的原因。毛澤東變得比上個月更加不客氣了：

> 你們吃飽了麵包，睡足了覺，要罵人，要撐蔣介石的腰，這是你們美國人的事，我不干涉。現在我們有的是小米加步槍，你們有的是麵包加大炮。你們愛撐蔣介石的腰就撐，願

> 撐多久就撐多久。不過要記住一條，中國是甚麼人的中國？中國絕不是蔣介石的，中國是中國人民的。總有一天你們會撐不下去。[110]

實際上毛澤東「不理解，也永遠無法明白」赫爾利的轉變，作為協議的草擬者之一在提出五點建議之後，他現在給共產黨施壓是為了讓「他們投降」。毛澤東習慣將蔣介石視為「卑鄙的流氓」，為整個事件負全責，這使得他可以與美國周旋，並且處於一個受害者的地位。赫爾利和周恩來幾次通信至12月16日無果，顯然，美國第一次試圖在中國進行調停失敗了。幾個月後，在新華社1945年7月12日的一份聲明中，毛澤東揭露了赫爾利的政治陰謀，他有憑有據地指控後者向國民黨政府靠攏，挑起國內戰爭。[111]他痛斥美國政客的行為，而之前他對於美國的了解僅限於一張世界地圖，從長沙市立圖書館借來看的幾本中文百科全書，再加上美國觀察組到中國來訪時在延安播放的電影。他被約翰·福特的電影《憤怒的葡萄》[112]所感動，被音樂劇中貝蒂·葛萊寶美麗性感的側影吸引，對《漫步陽光下》中的戰爭觀感到困惑——那些無憂無慮的美國兵將意大利戰爭看作一次危險的野餐。看查理·卓別林的《摩登時代》時，毛澤東眼淚都笑出來了。儘管影片的結局讓他失望，但他十分熟練地利用這次危機讓外國觀察員看到他比蔣介石更隨和，更開明。[113]美國人一開始插手中國事務的時候，毛澤東就已經仔細地分析了中國的形勢。1944年7月1日，中國共產黨中央委員會發布了一個指示，[114]認為共產黨的力量不足以奪取大城市和趕走日軍，但是現在的形勢有利於擴大和穩固抗日根據地。文章進一步指出，這些隊伍由於長期分散游擊，集中訓練極少，遠不能適應戰略反攻，所以要加強政治教育和軍事訓練，擴編軍隊，轉入反攻。明白地來講，共產黨今後必須保存力量，不是為了迎戰注定要戰敗的日軍，而是對付國民黨的軍隊：蔣介石拒絕了赫爾利的建議，讓毛澤東看出統帥已經決定與他決一死戰。因此，他試圖讓美國在將來的衝突中保持中立或者至少只是在口頭上支持蔣介石。

1944年8月18日，周恩來可能是受到毛澤東的啟發，寫了一篇十分令人驚訝的文章。周恩來闡明了中國共產黨對外國人或者更準確地說對美國人的新態度。[115]鑒於5月延安來了一個中國記者和外國記者團，後來又來了美國觀察組，周恩來認為要開始建立「一個新的外交統一戰線，一個半獨立於國民黨的統一戰線」。文章指出，過去中國在處理與外國關係時有兩個十分危險的態度：19世紀的閉關態度和義和團運動時的仇外態度。自1919年五四運動和1925至1927年的大革命運動以來，仇外的態度有所消退，但是它還在上層社會中持續。必須仿傚抗日根據地的例子，與外國合作，同時要求外國尊重中國。周恩來的這份聲明證實了約翰・謝偉思對1944年8月23日毛澤東和包瑞德談話的描寫。毛澤東說如果他有機會去華盛頓與羅斯福總統商談的話，他會很高興，並且保證「所有在中國戰鬥的美國士兵都會是追求民主的活廣告牌。他們一定會向遇到的中國人民宣傳民主……我們不怕民主的美國影響——我們願意歡迎它」。他乘勢繼續說：「中國議會一定會制定一部長久的憲法，並且建立一個穩定的立憲政府。代表必須由人民自由選出，而不是通過各個黨之間的協商而定」。毛澤東的猴氣開始大顯身手了。就在國民黨猶豫是要排外還是在外國人面前呈現卑屈的姿態時，毛澤東和周恩來已經於1945年1月十分正式地提出想去華盛頓見羅斯福總統，這也是中國共產黨第一次獲得了國際的認可。[116]他們還得到了另一個機會，3月9日請求國民黨讓周恩來和博古加入邊區代表團未果之後，共產黨人董必武作為邊區代表參加了1945年6月建立聯合國的舊金山會議。[117]

1945年2月4日至11日，斯大林、邱吉爾和羅斯福一同召開了雅爾塔會議，中國共產黨想要擺脱兩大正在形成的政治團體的努力失敗了：像斯大林盼望的那樣，蔣介石領導下的中國在亞洲東北部(自蘇聯加入抗日戰爭後就受蘇聯的影響)和太平洋之間(受美國的影響)扮演着緩衝區的角色。在這樣的情況下，很顯然斯大林要求中國共產黨克制他們的抱負，在背後支持蔣介石。毛澤東和蔣介石一樣，不會聽從列強的這些安排。[118]但是他卻又睿智地或者說有遠見地表面上遵循和解政策，實際上卻決不妥協。1945年1月24日，周恩來回到重慶後，發現因為美國新的大使對中國政策的態度變了，蔣介石的立場也更強硬了：1944年10月19日，應統帥的要求，史迪威將軍被極為反共的阿爾伯特·魏德邁(Albert Wedemeyer)將軍替代，而赫爾利大使為了掩蓋自己的嚴重過失而聲稱陷入了共產黨的陰謀，指責「他們的特務滲入了美國的政府部門」。1945年4月，約翰·謝偉思接到指令被召回華盛頓。為了準備去華盛頓，毛澤東邀請這位外交官到延安。事實上自從謝偉思6月底到達華盛頓之後，他就被指控向美國左翼雜誌《亞美》泄露高級機密而被逮捕。冷戰在抗戰勝利之前就已經開始了。在這樣的日益惡化的政治氛圍下，周恩來開始與國民黨商議協議的基本原則。共產黨對2月3日蔣介石召集的政治協商大會表示支持，共產黨將出席這次會議。這次大會十分合美國人的心意——建立一個共同政府，統一中國的軍隊，[119]並且協商成立一個符合孫中山三民主義的合法政府，而結束國民黨一黨執政的狀況。但是，2月15日，周恩來離開重慶返回延安的時候，覺得有必要嚴厲回擊國民黨談判代表王世傑在最近一次記者招待會上的發言：[120]王世傑暗示共產黨已經順從國民黨的政權，已經規規矩矩地歸順了。此外，3月1日，蔣介石進一步指出即使各個政黨與國民政府達成和解，也只有國民黨和他自己才擁有最後的決定權，並趁機將政治協商大會推遲至11月12日召開。3月9日，毛澤東和周恩來揭露他堅持一黨獨裁，在這樣的特定條件下，共產黨不確定是否參加11月12日召開的大會。國共之間又呈現出緊張的態勢。4月12日，羅斯福病逝，由共產黨不知底細的哈瑞·杜魯門接任美國總統，這一接替讓人擔心美國在中國舞台上暫時的影響會被抹去。就是在這樣一個受國內戰爭威脅的背景下，中共七大召開了，這次會議比之前在莫斯科召開的中共六大晚了七年。

黨的七大，毛澤東被神化

這次被期待已久的會議在1945年4月23日至6月11日舉行。[121] 120萬中共黨員有547名代表。還有208位因別的頭銜被邀請出席會議的人士。大會並非持續進行，因為一些必須出席會議的領導有繁忙的軍事和政治活動要離開延安幾個月。4月23日，毛澤東以一篇名為〈兩個中國之命運〉的報告為會議致開幕詞。在報告中，他認為有兩個中國，一個「半殖民地半封建的、分裂的、貧弱的中國」，「一個獨立、自由、民主、統一、富強的中國，就是說，光明的中國」，擁有絢麗的未來。他認為共產黨從來沒有像現在這樣強大，「我們的黨已經成了中國人民抗日救國的重心」。儘管他強調要謹慎，但還是將會議的任務定位為爭取抗戰勝利和建立新三民主義國家：讓共產黨執政是當務之急。在會議期間，毛澤東做了一場即興發言，[122]將他的權威意見傳達給其他領導人，後來這成了慣例：書面報告是政治局或書記處集體討論的對象，但即興發言不是。速記下來的口頭報告不傳播。這兩種版本引起了歷史學家的興趣：書面報告是為了告訴我們共產黨希望塑造的形象，口頭講話是關於領導機關的討論和會談。七大還有其他三個報告：朱德4月25日關於軍事形勢的報告〈論解放區戰場〉；[123]周恩來1945年4月30日關於與國民黨關係的報告〈論統一戰線〉；[124]劉少奇5月14日關於修改黨的章程的報告，[125]對黨章的修改於6月11日通過。

毛澤東的報告〈論聯合政府〉把黨的政策方針納入1940年1月就定下來的新民主主義的框架中。在報告的開頭，他毫無意外地對國際和國內形勢做了一個回顧，同意「莫斯科、開羅、德黑蘭、克里米亞各次國際會議的決議」，贊成敦巴頓橡樹園會議關於建立聯合國的建議，[126]之後他將共產黨在抗日戰爭中高效的路線與國民黨糟糕的路線作了對比。描述了中日衝突的「曲折歷史」後，毛澤東又回到了兩種中國的對比，並且說明了再次爆發內戰的危險。他介紹了共產黨的規劃，強調必須有「共產黨領導的新式的資產階級性質的徹底的民主革命」。共產黨「不但不怕資本主義，反而在一定的條件下提倡它的發展」，因為後者「不但是一個進步，而且是一個不可避免的過程」。共產黨將堅持土地政策，毛澤東引述了孫中山的口號「耕者有其田」，並且認為國民黨背叛了他的遺志。實際上，對毛澤東而言，此時中國處於「資產階級民主主義性質的革命」時期，應該把土地「從封建剝削者手裏轉移到農民手裏，把封建地主的私有財產變為農民的私有財產」。儘管如此，為了擴大抗日戰爭的聯盟，共產黨「讓了一大步」，將這個政策改為減租減息的政策。毛澤東建議在戰後仍然延續這一適度的政策，並將這一政策推廣到整個國家。他還提到了蘇聯的富農為生產做出了巨大貢獻，直到第二個五年計劃時才取消。「然後採取適當方法，有步驟地達到『耕者有其田』。」隨後從現有的互助組和換工班開始，以自願參與為原則發展農業合作社，促進生產力的發展。同時，建設強大的民族工業，建設很多的現代大城市，「就要有一個變農村人口為城市人口的長過程」。如此，毛澤東將土地集體化推遲了十來年。

正是基於農民在中國革命中的這樣一個角色，毛澤東口頭報告的大部分內容和農民有關。「甚麼是不要馬克思主義？」毛澤東大聲說，「就是忘記了無產階級的領導，忘記了人民大眾，忘記了農民。……中國五個人裏面，有四個是農民。……用五個指頭去打那個『帝』……四個指頭都掉了，就剩下了一個，無產階級也孤立了。」1927年陳獨秀忘記了農民，黨就不再是馬克思主義的黨。「無產階級變成了無軍司令」：這是一次失敗。「然後爬起來望一望……於是腦子清醒了，搞了一個土地革命。土地革命時期又來了一個急性病。但還是不要農民，……就是要工人暴動，城市起義，對搞大城市很積極，農民雖然也要，但是是附帶的，它不注意去研究農民。」「走馬不看花」，應該通過調查來了解中農或是富農是甚麼樣子的。「我們黨有兩次變小過，大起來又小了，大起來又小了。頭一次，……五萬多人（1927年）剩下萬把人（1928年），剩下了五分之一；後來三十萬（1934年）剩下不到三萬，只有二萬五千左右有組織的黨員（1936

年)……現在又大起來了，小指頭變成了拳頭，今後不要再讓它變小了。……有些人有這種思想是暫時的，是暫時的動搖，好像不要人民的戰爭也可以打敗敵人。那他想依靠甚麼力量呢？比如，依靠國民黨，甚至依靠國民黨裏面的頑固部分，認為依靠他們可以打敗日本。……(一些同志)不要求國民黨洗臉，而是説它那個臉漂亮得很」。報告中陸續對李立三(1928–1930)、博古(1931–1934)和王明(1937–1938)進行了批判。幸運的是，「在中國境內和我們爭領導權的，要把中國拖回到黑暗的世界裏面去的，主要是甚麼人，甚麼力量呢？這就是國民黨內的反動集團，大地主、大資產階級、大銀行家、大買辦的代表。在一九三八年黨的六中全會上，我們糾正了上面所講的這類錯誤思想。……八年以來也好，二十四年以來也好，農民非常歡迎我們的政策，非常歡迎像我剛才所講的政策。但是作為黨來説，作為領導思想來説，我們和農民要分清界限，不要和農民混同起來。……農民是你的出身，出身和入黨是兩件事情，共產黨是無產階級的先鋒隊」。此外，「當需要轉到城市時，就轉到城市。現在要最後打敗日本帝國主義，就需要用很大的力量轉到城市，準備奪取大城市，準備到城市做工作」。

同樣地，毛澤東也承認他領導的不是一場農民革命，而是一場以農民為基礎的革命。農民為這場革命提供士兵和糧食，但是無產階級通過它的先進分子共產黨指引他們。

毛澤東知道今後的關鍵是奪取大城市，而在這些城市裏共產黨寥寥無幾。當然，他確信工人階級將會在其中扮演一個重要的角色，趕走侵略者，調整勞動和資本的利益，如此迎合馬克思主義的神明之後，持實用主義的毛澤東對知識分子尤其感興趣，這一社會力量從清朝結束之後就開始漸漸在中國大都會城市發展起來。他將知識分子與資產階級和地主家庭出身聯繫在一起，但是正如他一直將農民歸入小資產階級，他認為讓知識分子加入共產黨可以把他們納入無產階級中來。此外，共產黨也培養自己的大眾知識分子。這樣的話知識分子的人數很少，這一點毛澤東很清楚。之前他只接受革命知識分子，此時他開始從排斥知識分子過渡到想要和廣大知識分子結盟：他們思想自由，熱愛國家，在批判國民黨政治的過程中認識自我，但不歸順共產黨，更多處於中立的位置。在他的口頭報告中，毛澤東提到了中國民主同盟主席張瀾、左舜生和章乃器。[127]他說在中國主要是兩個指揮官，或者是無產階級，或者是大資產階級、大地主。「他們的政治代表分別是共產黨和國民黨。自由資產階級也同我們爭領導權，不要以為自由資產階級就革命得不得了，同共產黨差不多。自由資產階級也有它獨立的意見，有它獨立的政治團體。……現在，民主同盟在聯合政府的主張上，與共產黨是一致的……它是站在國民黨和共產黨中間。這個話說得很透徹，是對的，它自己規定了它的性質，屬中間派。」與知識分子結盟已經成為1945年首要的事情，他們是或多或少不再接受國民黨獨裁統治的自由資產階級。另外，毛澤東提醒大家國民黨還有實力，國民黨「共有六十年的歷史……國民黨的影響是低落，而不是沒有，勢力縮小了，但還有相當大的力量。他們有一百五十萬軍隊……他們有兩萬萬人口」，比共產黨多出兩到三倍。此外，他感到有必要在口頭報告中再次對整風運動中所犯的針對知識分子的錯誤道歉：這次運動「因為整風審幹，好像把知識分子壓低了一點，有點不大公平。好像天平，這一方面低了一點，那一方面高了一點。我們這個大會，要把它扶正，使知識分子這一方面高一點。⋯⋯我們搞錯了的就要說對不起，戴錯了帽子的就要恭恭敬敬地把帽子給脫下來，承認錯誤。這些同志對根據地的工作作風不習慣，是可以理解的」。毛澤東對知識分子的關心尤其體現在那些馬克思主義理論家身上，「把他們看成我們隊伍中很有學問的人，有修養的人，要尊敬他們」。他還指出「一個階級革命要勝利，沒有知識分子是不可能的」。他還說「《三國演義》，《水滸傳》，魏蜀吳三個國家，每個國家都有每個國家的知識分子」。毛澤東的這番話不僅是說給那些傳統文人或者公認的權威機關的大知識分子聽的，同時也是說給那些造反的知識分子聽的，他自己也是其中一員。可見這個聯盟是對所有知識分子開放的。

儘管如此，毛澤東還是回到了王實味和〈野百合花〉的問題上來，並且指出發展黨的精神和統一思想十分必要，「沒有整風，黨是不能前進的」。他認為整風運動使共產黨取得了現在的成功，「問題是解決了又發生，發生了又解決，我們就是這樣地前進。中央和各級領導機關的領導同志，要注意聽人家的話，就是要像房子一樣，經常打開窗戶讓新鮮空氣進來」，繼續進行批評和自我批評。從這裏可以看出，之後再發生類似的運動是可以預見的。劉少奇在他關於黨章修改的報告中認為毛澤東「是天才的創造的馬克思主義者，他將人類這一最高思想——馬克思主義的普遍真理與中國革命的具體實踐相結合」，應將「毛澤東思想」作為黨的理論和政策依據，指導馬克思主義的中國化。共產黨員的思想統一必須圍繞毛澤東思想。這種對首領的崇拜足以讓那些自1919年五四運動以來，以自由和民主思想著稱的知識分子和那些從蔣介石個人獨裁和他的黨派中逃出來的人感到擔憂。可能是為了安慰那些人，劉少奇在報告中提到76次毛澤東的名字，對毛澤東的天資進行充分地奉承之後，強調我們會給予每位成員內部民主的保障，以避免最近政治運動中的偏差現象再次發生。他還花了很多筆墨介紹人民群眾在歷史中扮演的決定性角色，這可以使最近出現的對於毛澤東的崇拜顯得不那麼絕對化：劉少奇還引用了《國際歌》的歌詞：

> 從來就沒有甚麼救世主，
> 也不靠神仙皇帝！
> 要創造人類的幸福，
> 全靠我們自己！

這可能是他自己的一個小詭計：這篇報告經過毛澤東本人的反覆閱讀，得到他的批准，甚至直接從毛澤東的文章中得到啟發。

44名正式委員和33名候補委員組成新的中央委員會，毛澤東在選舉中又一次證明了他的行為模棱兩可。6月9日，在七大籌備會議上定下的代表將原來的領導中那些曾經反對或者可能會給毛澤東製造麻煩的人除了名或者排位靠後：王明和博古分別被選為候補委員的倒數第二名和倒數第一名，而周恩來只被排在第16位，位於仍被蘇聯扣留的李立三之後，彭德懷被排在第33位，位於被排在第35位的葉劍英之前。王稼祥沒有再次當選，可能是為了懲罰他長期支持博古。但是在給了他教訓之後，毛澤東還是顯得寬宏大量：10日，毛澤東為他出頭。總之，這位傑出的「國際主義者」難道不是第一批歌頌毛澤東思想的人嗎？在毛澤東的要求下，王稼祥以第二位的身份被選為中央委員會候補委員，位於陳伯達之前。毛澤東就這樣輕鬆地獲得了寬容對手的名聲。[128]實際上，在大會召開幾週前，王明、博古、洛甫和王稼祥已經作了自我批評。

6月11日，毛澤東致閉幕詞，[129]他講了一個古代的寓言故事：愚公家南面擋着兩座很高的山，使得他們家一直生活在山後面。於是他號召兒子們一起用鋤頭和鏟子將這個障礙物鏟平。鄰居們都嘲笑他的計劃，認為他是個瘋老頭，愚公對他們說，即使他無法將山夷為平地，他的子子孫孫也會堅持繼續努力，總有一天可以完成目標。現在中國被兩座大山壓着，一座是以美國為代表的帝國主義，企圖反共的赫爾利表現出令人憎恨的嘴臉，一座是國民黨代表的封建主義，國民黨六大的時候就明確要將消滅共產黨作為目標。中國人民要向愚公學習，相信在這次以反抗美國和蔣介石為目標的大會順利結束之後，最終會戰勝這兩座大山。

毛澤東的確獲得了一些成功，太平洋戰爭也已經落下帷幕。在共產黨內部：6月19日，七屆一中全會選出了新一屆中央委員會政治局和書記處書記的名單。與會者都是擁護毛澤東的擁護者或者長期歸順他的人。作為中央委員會主席的毛澤東也被選為政治局主席和書記處書記。8月23日，他又成為了新的中共中央軍委主席。[130]從今以後，他成了「毛主席」，人們祝願他萬歲，一如從前對皇帝三呼萬歲。

1945年夏，共產黨在全國取得的成功更促成了對毛澤東的神化。1945年4月5日，蘇聯宣告廢止1941年與日本簽署的中立條約。8月8日，也就是德國投降兩個月後，蘇聯宣布向日本開戰，這是雅爾塔會議時美國的要求。蘇聯紅軍在攻佔大連之後，在偽滿洲國進行了一場閃電戰，八十萬日軍中計投降，這一幕剛好被晚來的美國部隊看到。8月6日，美軍的飛機在日本的廣島投下一顆原子彈，緊接着9日又在長崎投下另一顆原子彈，這兩次打擊讓昭和天皇的國度不得不承認所有持久的抵抗都是徒勞的，這也導致了日本在8月10日緊急宣布投降。8月9日午夜，毛澤東發表了一則題為〈對日寇的最後一戰〉[131]的聲明：隻字未提美國在日本緊急投降中扮演的角色，也沒有提到在日本群島上投擲的兩顆原子彈；相反他向在最後時刻投入戰爭的蘇聯致敬，向八路軍、新四軍及其他人民軍隊下達了反攻的指示，密切而有力地配合蘇聯及其他同盟國作戰。

8月10日，朱德發出六封電報，命令林彪的隊伍猛攻哈爾濱、熱河和瀋陽，賀龍和劉伯承的隊伍奪取內蒙古的各個城市。8月11日，毛澤東簽署了中央委員會〈關於日本宣布投降後我黨任務的決定〉[132]：集中主要力量迫使敵偽投降，不投降者，按具體情況發動進攻，逐一消滅之。做好奪取大小城市和交通要道的準備，並派遣幹部採取財政和經濟措施。但同時毛澤東預見了國民黨大範圍攻擊的可能性：「但各地對蔣介石絕對不應存在任何幻想，必須在人民中揭破其欺騙，對蔣介石發動內戰的危險應有必要的精神準備」。此外，7月22日，兩支由胡宗南將軍帶領的國民黨部隊進攻了陝甘寧根據地南部的耀縣—旬邑—淳化三角區，直到8月8日國民黨部隊被消滅。儘管如此，這一決定還是要求緩和對國民黨和美國的抨擊。國共雙方幾乎在同一天同一時間發布了兩個命令:蔣介石要求朱德「原地駐防，不得獨自行動」，而朱德則命令他的將軍們「各解放區任何抗日武裝部隊均得依據波茨坦宣言規定，向其附近各城鎮交通要道之敵人軍隊及其指揮機關送出通牒，限其於一定時間向我作戰部隊繳出全部武裝」。眼看就要發生衝突，8月14日，太平洋戰爭中盟軍主要指揮官麥克・阿瑟將軍下達了一個命令，他只授權蔣介石一人接受日軍投降。由於幾個月前被日軍徹底打敗的中國國民黨部隊還在一到二千公里遠的內地，美國動用龐大的空中橋樑將幾萬士兵運送至沿海大城市。此外，五萬「海軍」登陸山東和河北的兩側海岸，並在青島、天津和北京駐軍：在國共的速度戰中國民黨勝出。聰明的共產黨不再無謂地堅持，而是把所有的力量集中在東北，那裏沒有美國人和國民黨，自8月19日與共產黨部隊開始來往的蘇聯紅軍在那裏迎接他們。蘇聯紅軍第一次向中國共產黨提供了大量重型武器，這也使得林彪在秋初成為一支十三萬人的裝備精良、適合打現代戰的部隊的首領，此外他的隊伍中還包括幾萬名偽滿洲國訓練有素的士兵。

1945年8月13日，毛澤東在延安幹部會議上作〈抗日戰爭勝利後的時局和我們的方針〉的講演：[133]他再次重申了爆發國內戰爭的危險和蘇聯參戰是日本迅速投降的決定性因素。8月14日晚，國民黨同蘇聯依據雅爾塔會議的決定[134]簽訂了《中蘇友好同盟條約》。這一決定激怒了毛澤東。當蔣介石發電報邀請他到重慶繼續1月開始還沒有達成協議的談判時，他猶豫了一段時間沒有回覆。8月20日和23日蔣介石發出了兩份新的電報，23日舉行的中共中央政治局擴大會議接受了這份邀請，而代理職權交給了劉少奇。8月25日，中共中央發表《對目前時局的宣言》，明確提出「和平，民主，團結」的三大口號，這些都是經過數年戰爭之後筋疲力盡又懼怕國內戰爭重新爆發的中國人民最想聽到的話。8月26日，一份由毛澤東起草的通知[135]明確了毛澤東會見蔣介石前夕的立場：必須繼續現在的攻擊以保證共產黨很快控制長江和淮河流域北部的大部分邊區，「擊破國民黨的內戰陰謀」。即將開始的商議「可能在談判後，有條件地承認我黨地位，我黨亦有條件地承認國民黨的地位」，與後者合作建立一個聯合政府。在這樣的情況下，國民黨如果最後堅持選擇國內戰爭，那麼就會在全國人民面前理虧。

1945年8月28日早上11點，毛澤東第一次搭乘美國軍用飛機，乘坐C47從延安飛抵重慶，在他的身邊是美國大使帕特里克·赫爾利、蔣介石的特派人員張治中[136]、周恩來和王若飛[137]，毛澤東必須在腦海中移動拼圖游戲中的每塊拼圖。蔣介石準備發動內戰，但是他必須承擔責任。美國支持蔣介石，但並不希望發動內戰。蘇聯承認蔣介石政權的合法性，顯然不相信共產黨會在中國取得勝利。中國共產黨不得不依靠自己的力量去面對比自己軍事實力強兩到三倍的對手。這是一場不理智的挑戰。毛澤東望着十年前他徒步翻越過的連綿起伏的群山，背誦起自己的詞〈沁園春·雪〉，呼喚昔日的英雄讓自己重振信心。胃因氣流而翻滾，對未來的焦慮和對獨特使命的自豪感交織在一起。他和那些偉大朝代的創立者一樣，開始將革命任務與自己的權力之路結合起來。他隱隱約約地知道，命運又一次在敲他的門。

註　釋

相遇——繁體中文版序

1　Blaise Pascal, *Les pensées*, fragments 822–593, de l'Édition de Port-Royal.

2　Cicéron, *De oratore* II 15, "Ne quid falsi audeat, ne qui veri non audeat historia."

序：雪（1936年2月–1945年8月底）

1　西格斯出版社（Éditions Seghers）的版本包含了1949年英國記者羅伯特·佩恩（Robert Payne）寫的一篇序言，講述了1949年春，佩恩與毛澤東在延安的一次會面。當被問及這首詞（p. 33）的時候，毛澤東回答說：「這是一首好詞。我在飛機上寫的。這是我第一次乘坐飛機。在高空中看到祖國的壯麗景色讓我很震驚，還有其他事情。」「其他甚麼事情？」「許多其他的事情……寫這首詞的時候。那時我們對未來充滿希望，我們信任最高統帥。」不過，斯圖爾特·施拉姆把這一首詞的誕生寫在《通向權力之路》卷五（*Mao's Road 5*）當中，涵蓋的時期為1935年1月–1937年7月。他說毛澤東把這首詞送給他在重慶的朋友柳亞子，附了一封日期為1945年10月7日的信。信中解釋道：「初到陝北看見大雪時，填過一首詞，似與先生詩格略近，錄呈審正」。我認為這首詞的第一稿寫於1936年2月，在1945年8月28日這次著名的飛機之旅中重寫。他在重慶一直待到1945年10月11日。

2 毛澤東提到秦、漢、唐、宋的帝王。1227年開始征服中國時，成吉思汗死在鄂爾多斯沙漠中，他是蒙古族人，元朝(1271–1368)的太祖。我們知道毛澤東經常被比作秦始皇。這首詞沒有提到明和清，毛澤東像許多西方漢學家一樣把12世紀宋末看作中國衰弱的開始。

3 這首詞發表在抗戰時的首都重慶的報刊上，當時毛澤東在重慶與蔣介石會面，並留在重慶。更合理的看法是毛澤東提出中國當時只有兩個活着的偉人，他自己毫無疑問是其中之一，但蔣介石也是。

4 這首著名的詞出現在所有版本的毛澤東詩詞中。1945年11月14日，它第一次發表在四川重慶的《新民報》上。本書法文版中的翻譯基本上參考Stuart Schram, *Mao Tsé-toung*, Paris, Armand Colin, Coll. U, 1963, pp. 117–118。還參考了*Mao Tsé-toung: Poésies complètes*, Paris, Éditions Seghers, Poètes d'aujourd'hui, 1973, pp. 78–79，由聶華苓(Hua-ling Nieh)與保羅・安格爾(Paul Engle)夫婦翻譯。

第六章　華南地區的紅色政權(1927年12月–1930年11月)

1 1943年有1,376.4萬人，1950年1,268萬(根據Harrison Salisbury, *The Long March: The Untold Story*, 1985)。1928年至1934年，因為戰爭、國民黨鎮壓、共產黨清洗運動(*Jung*, pp. 113–114)，死亡五十萬人。一份共產黨的資料估計贛南革命烈士有238,844人(馬舉賢：《中國人口：江西分冊》〔北京：中國財政經濟出版社，1989〕，頁54)。

2 Mao Zedong, *Report from Xunwu*, translated and noted by Roger R. Thompson, Stanford (Ca), Stanford University Press, 1990.

3 被稱為「貓鬍鬚」，1914–1918年戰爭結束時出現的一種技術。

4 詳情載於1928年11月25日毛澤東代表前敵委員會寫給中央委員會的報告(*Mao's Road* 3, p. 80)。

5 指1929年4月5日，毛澤東給黨中央的報告(*Mao's Road* 3)。

6 金沖及：《周恩來傳（1898–1949）》（北京：中央文獻出版社，1989），頁192–193。

7 這是約翰・E・魯（John E. Rue）這本《在野的毛澤東，1927–1935》（*Mao in Opposition, 1927–1935*）主要的不足之處。雖然此書資料詳實，但作者認為這些指示迅速產生了效果。

8 他們的傳記見《中共黨史人物傳》（西安：陝西人民出版社，1984），卷2。

9 《年譜》1，頁234–235。

10 1927年10月到1928年4月，這些決定經過了全面的改編（《年譜》1，頁222、226、233、238；*Short*, p. 198）。有六條內容：離開老百姓的家時要整理，尤其是有被褥的人家；借物就還；就是拿一個紅薯也要付錢；不要在女性面前洗澡；在遠離人家的地方挖廁所，離開之前要填埋；善待俘虜。

11 一擔重達100斤，一斤相當於596.8克。本來井崗山全年糧食收成600噸，主要是一種紅色的大米，質量很差。人口為2,000人，飲食習慣是吃穀物，至少400噸，還要保留100噸做種子和應付各種危險。100噸的盈餘只能養活500人，這實際上是袁文才和王佐的土匪部隊的人數。因此，毛澤東為了不影響與當地居民的關係，不是消滅這些競爭對手，就是長途襲擊遠方的村莊。

12 這篇文章和這段文字中我提到的其他文章都收錄在*Mao's Road* 3。

13 《年譜》1，頁229和236。

14 毛澤東一生中唯一一次隨身帶着武器。

15 朱德（1886年11月–1976年7月），史沫特萊（Agnes Smedley）在《偉大的道路：朱德的一生和時代》（*The Great Road: The Life and Times of Chu Teh*, New York, 1956）中描寫他如何從四川的貧困農民變成一位戰爭英雄，實際上朱德的個性要複雜得多。法語翻譯版由畢仰高（Lucien Bianco）做了精彩的註釋和評論（Paris, Éditions Richelieu, Imprimerie nationale, 1969）。畢仰高在《中國工人運動傳記辭典》（*Dicobio*）中寫了他的傳記。朱德出生在一個有13個孩子的貧困家庭，他的母親不得不在最後5個孩子出生時就淹死他們。不過，朱德在收養他的叔叔的資助下接受了傳統的教育，通過了科舉考試的第一輪，考上了秀才。但是他沒有當官，而是做了體育教員，後來當了軍官。在新思想的影響下，他加入了孫中山的同盟會，參加了1911年的雲南起義。他參軍5年後，30歲成為旅長，到1920年成為一位小軍閥。不過他深厚的民族主義感情讓他在1922年秋天在德國學習時，經周恩來吸收，秘密加入了共產黨，他表面上是國民黨員。朱德在北伐期間非常活躍，被國民黨任命為江西南昌軍官教育團負責人，因為這樣的身份，朱德在1927年8月1日的南昌起義中起了決定性作用。

16 陳毅(1901年8月26日–1972年1月6日)，出生在四川成都附近的一個古老的貴族家庭，1910年家道中落。他得到一所新式學校的獎學金，愛好足球和古典文學，1919年秋作為優秀學生被送往法國勤工儉學。他在勒阿弗爾的施耐德當工人，法語水平足夠閱讀法國小説，翻譯浪漫詩歌。後為馬克思主義所吸引，1921年9月21日，參與了里昂中國學生的示威，1921年10月14日被開除，與其他103名學生一起被遣送回國。他在北京中法學校學法語，1925年獲得文憑。1923年11月，他加入了中國共產黨，擔任四川萬縣軍閥楊森的秘書，與朱德保持聯繫。1926年春，進入武漢中央軍校——著名的黃埔軍校的分校，他只有軍士軍銜，是一個很不起眼的角色。他在南昌起義中展現了真正的軍事能力，因此朱德任命他為最好的「鐵軍」的政委。汕頭失敗後跟隨朱德流浪——他和朱德一樣不願意成為土匪頭子，後得到了一位雲南將軍的收留。此人反對蔣介石，是朱德的朋友。1928年春，他作為朱德的助手，按照黨中央的指示，帶領裝備精良的八千人攻擊湖南南部的村莊。他手下的士兵和當時所有的士兵一樣「燒—殺—幹」(燒房子、殺人、打架)。佔領了湖南韶山口的郴州以後，他匆忙在那裏建立了一個蘇維埃政權。當地居民反抗任意燒殺的士兵，處死了抓住的共產黨幹部。他們把部隊的行為與庫圖佐夫的部下為了趕走法國軍隊火燒莫斯科的行為相提並論。陳毅向當地人道歉，消除了矛盾。不久他被打敗，士兵們(大部分來自湘南)帶着戰利品逃跑。作為職業軍人，這些戰士通常對毛澤東指定的政委和從城裏來的穿着體面的共產黨幹部懷有敵意，稱這些幹部為「三金五皮」：金牙、金皮帶扣和金戒指，皮帶、皮馬鞭、皮包、皮靴和皮衣。不久，朱德、陳毅和彭德懷也對政治委員介入軍事事務感到難以接受。胡績溪(Hu Chi-hsi)的《紅軍和毛澤東的上升》(*L'armée rouge et l'ascension de Mao*)一書的附錄中有一份1929年9月1日董力寫的〈關於朱毛軍的歷史及其狀況的報告〉，董力是陳毅的化名(Paris, l'EHESS, 1982, pp. 149–178)。陳毅強調了逃兵的數量很多。見*Dicobio*。更近期資料更詳實的書參見Xiang Lanxin, *Mao's Generals: Chen Yi and the New Fourth Army*, Lanhan, University Press of America, 1998.

17 《年譜》1，頁242–243；*Short*, pp. 198–199. 毛澤東提交給大會的報告丟失了。

18 楊開明(1905–1930)，湖南人，參加廣東的農民運動講習所之後於1926年加入共產黨，1928年成為湖南省委書記，1929年年底在長沙被捕，1930年2月被殺害。

19 *Short*, p. 203; *Mao's Road* 3，《毛澤東詩詞對聯》，頁23–25。

20 敵軍佔領了井崗山一個星期之後，從9月9日開始撤離，放棄了之前輕易奪取的周邊七個縣。

21 譚震林(1902–1983)，1926年加入共產黨，參加了秋收起義。

22 「朱毛」在中文裏可以指「紅色的毛」。

23 彭德懷參軍六年後，在軍隊如魚得水，1922年成為軍官，開始了輝煌的軍事生涯。他難以接受蔣介石的反革命轉變，於1928年3月加入共產黨，彼時擔任團長。1928年7月21日帶領部隊進行了平江起義。1981年，他的回憶錄在中國出版。這本回憶錄是他在「文革」中被長期審訊時寫的材料。他在「文革」中勇敢面對迫害他的人，最終被迫害致死。1984年，回憶錄的英文版由北京出版社出版：*Memoirs of a Chinese Marshall*(一個中國元帥的回憶錄)。

24 *Mao's Road* 3(標注的日期為1928年10月5日)。這篇文章的第一部分收錄於法文版《毛澤東選集》(*Œuvres choisies*)，題目為〈中國的紅色政權為甚麼能夠存在？〉("Pourquoi le pouvoir rouge peut-il exister en Chine? ")(Paris, Éditions sociales, 1955, I, pp. 71–82)。第二部分題為〈邊界各縣黨的改造與建設〉("La transformation du Parti dans les districts des zones frontières et quelques recommandations ")(*Mao's Road*, pp. 77–90)，1987年由中共中央黨校出版社出版。

25 毫無疑問，毛澤東想到了1927年12月廣東市鎮的慘狀。

26 關於此次大會以及布哈林和斯大林之間複雜的關係，參見E. H. Carr, *A History of Soviet Russia: Foundation of a Planned Economy*, 3, pp. 856–887. 周恩來在會上以莫斯克溫或「M先生」的名義發言，他在關於組織的報告中批評毛澤東「這位同志領導了一支重要的軍事力量」，但是「他帶着部隊不停地從一個地方轉移到另一個地方，沒有進行深入的革命」，這讓「這些部隊有了土匪團夥的特點」。他建議共產國際邀請朱德和毛澤東到莫斯科學習一段時間馬克思列寧主義。（金沖及：《周恩來傳》，頁192）。

27 *Chevrier*, p. 81.

28 發表於1928年12月，收錄在*Mao's Road* 3。1941年毛澤東在延安進行農村調查時給這個土地法加了按語：「這個土地法有幾個錯誤：(1) 沒收一切土地而不是只沒收地主土地；(2) 土地所有權屬政府而不是農民，農民只有使用權；(3) 禁止土地買賣。這些都是原則錯誤，後來都改正了。」

29 法語版由社會出版社（Éditions sociales）出版（pp. 83–121）；英語全文見*Mao's Road* 3, pp. 80–121。

30 這篇報告題為〈關於朱毛軍的歷史及其狀況的報告〉（"Rapport sur l'histoire et la situation actuelle de l'armée Zhu-Mao"），收錄在*Hu Chi-hsi*的附錄中，頁149–178。

31 *Mao's Road* 3.

32 Stephen Averill, *Revolution in the Highlands: the Rise of the Communist Movement in Jiangxi Province*, Ithaca, Cornell University Press, 1989; "Local Elites and Communist Revolution in the Jiangxi Hill Country," in Joseph Escherick and Mary Rankin, *Chinese Local Elites and Structures of Dominance*, Berkeley, University of California Press, 1990; "Ethnicity and Revolution in South China: the Case of Jinggangshan," *Republican China*, 22.2, April 1991; "The Origins of the Futian Incident," in Tony Saich and Hans van de Ven, *New Perspectives in the Chinese Communist Revolution*, Armonk, M. E. Sharpe, 1995, pp. 79–115.

33 關於「客家人」這個問題，參見James M. Polachek, "The moral Econmy of the Kiangsi Soviet, 1928–1934," *The Journal of Asian Studies*, 42–4, août, 1985, pp. 803–829; Mary S. Erbaugh, "The Secret History of the Hakkas: the Chinese Revolution as a Hakka Enterprise," *The China Quarterly*, no. 132, 1992, pp. 937–968; "The Hakka Paradox in the People's Republic of China: Exile, Eminence and public Silence," in Nicole Contstable ed., *Guest People: Hakka Identity in China and Abroad*, Seattle, University of Washington Press, 1996, pp. 196–231. 艾梅蘭（Mary Erbaugh）的博士論文研究19世紀和20世紀客家人的革命，如太平天國領袖洪秀全、共產黨朱德（可能是客家人）、葉劍英（肯定是客家人）、孫中山、鄧小平等等。很多知名人士出生於從廣東和福建移居而來的家庭。

34 我們不可避免地想起盧旺達的大屠殺，過去迫害的受害者胡圖族屠殺了大量圖西族人。

35 從1928年3月開始，紅軍戰士們唱起由毛澤東和朱德寫的十六字訣的游擊戰術：「敵進我退，敵駐我擾，敵疲我打，敵退我追。」*Mao's Road* 3, p. 155;《年譜》1，頁232。

36 《年譜》1，頁261–262。

37 同上，頁264。

38 參見他的回憶錄，英文版p. 233。

39 1929年2月7日，中共中央發出了〈給潤之、玉階兩同志並轉湘贛邊特委信〉。*Saich*, pp. 471–474.

40 林彪（1907年12月–1971年9月），生於湖北黃崗一戶小資產階級家庭——父親做生意經營不善，成了長江上一艘客運蒸汽船的乘務長。林彪在武昌讀中學時受到董必武和堂兄林育南等知識分子的影響，被新思想和馬克思主義吸引，加入了共產主義青年團，1925年加入中國共產黨。同時他也是國民黨員，在學生會很活躍。他考入黃埔軍校，作為排長參加了北伐。1927年跟隨朱德參加南昌起義時20歲，已經是營長。作為傑出的戰術家，他能最快領會毛澤東的游擊戰略思想，並提出了防守和進攻相結合的戰術，以扭轉敵眾我寡的形勢，而不是進行線性防守和沒有固定根據地的游擊戰。

41 這些朱毛的聲明可以參閱*Mao's Road* 3。本書中我關於這些事件的描寫援引自金沖及：《毛澤東傳》，卷一，頁191–215；《年譜》1，頁264–266；*Short*, pp. 206–214; *Saich*, pp. 471–474.

42 這封信以〈星星之火，可以燎原〉這個名字而出名。信中提到李文林的一段在《毛澤東選集》的版本中被刪去。1932年，李文林在富田事變之後被處死。

43 《年譜》1，頁270。作報告的人是彭德懷。

44 這封信見*Saich*, pp. 474–481.

45 《年譜》1，頁272。

46 *Mao's Road* 3. 1941年，毛澤東發表農村調查時強調他糾正了1928年在井崗山發布的土地法中的錯誤。6月最後一週，一份由政治部領導朱德、毛澤東（他從6月22日開始成為其中一員）和陳毅署名的公告也是同樣的意思。要對土豪劣紳和反革命者進行處罰：處死、監禁、體罰、罰款、遊街和寫懺悔書。署名的順序是朱德、毛澤東和陳毅，他們是第四軍的政治部領導。

47 *Mao's Road* 3. 這份報告6月25日送達福建省黨委，7月1日送達上海中央。

48 方志敏（1899年8月21日–1935年8月6日）。彭湃、羅啟元、毛澤東、方志敏是農民出身且在全國有影響的共產黨領導人。四人中，毛澤東是唯一一個經歷了革命時期倖存下來的。方志敏出生於江西東北弋陽一個富裕的農民家庭。他在南昌一所新式工業學校接受中學教育。他參加1919年五四運動，但是沒有和朋友一樣去法國留學，而是留在了中國。他在南昌參加了一個馬克思主義小組，於1922年加入共產主義青年團，開了一家「新文化書店」，這似乎和毛澤東在湖南的生活很相似。1924年加入國民黨後，他負責國民黨江西農民辦公室。受彭湃的啟發，1925年至1926年，方志敏發展了一些農民協會，但不如毛澤東在湖南的成功。他很早便引起蔣介石AB團的警惕——1926年秋全省128個農民協會，只有六千個農民參加；1927年5月，在北伐的影響下，增加到八萬人。1928年，方志敏領導的農民游擊隊沿鄱陽湖支流信江一帶在橫峰、弋陽周圍50個村莊活動，稱為閩浙贛蘇維埃。規模最大的時候有16個縣，人口五萬人，紅軍三萬人。在經受住了四次「圍剿」後，蘇區在1934年春季和夏季的第五次「圍剿」中被破壞。方志敏被捕，他在獄中寫了一本自傳，從抗日戰爭到20世紀50年代一再出版。不像瞿秋白的自傳，方志敏描寫了一位英雄人物，這使他在中國作為革命烈士被長期懷念。Kamal Sheel, *Peasant Society and Marxist Intellectuals in China: Fang Zhimin and the Origins of a Revolutionary Movement in the Xinjiang Region*, Princeton, Princeton University Press, 1980.

49 《年譜》1，頁274。

50 英文譯本見*Mao's Road* 3。關於1929年5月18日會議上毛澤東和林彪之間分歧，見《年譜》1，頁275。

51 《年譜》1，頁277。《金》1，頁178。*Short*, p. 212. *Jung*, pp. 69–70，增加了同樣意思的其他證明，尤其是1930年1月9日陳毅的報告〈關於毛澤東和朱德在第四軍中的問題〉，由蘇聯人轉交給中國，可在蘇聯檔案館查考（*Rgaspi*, 514/1/1009, p. 5），陳毅説毛澤東在很多革命戰士中非常不受歡迎，因為他的行為專制，同時説朱德寬厚、説話喜歡吹牛。

52 *Jung*, pp. 60–61（根據1996年作者在當地對袁文才的親人進行的採訪）。

53 1929年4月，賀子珍生下一個女孩，這個女孩子生下來半個小時後，賀子珍將孩子交給當地的農民，留了一封信和15塊銀元，因為這是長征時習慣的做法——再也沒有人談到這個小女孩。賀子珍後來説她的婚姻不幸福。

54 *Jung*, pp. 78–91. 1990年翻新楊開慧在長沙的老屋時，人們從牆磚縫隙裏找到了1928年10月至1930年1月28日楊開慧寫的八封信。只有頭幾封信記敘了她對毛澤東的愛和最初的疑慮。最後一封信充滿了絕望，一直沒有公開，家人也不知道內容。張戎和喬・哈利戴可能讀過這封信，在他們的書中記錄了信的內容。楊開慧傾吐了被深愛的毛澤東拋棄的痛苦。

55 接下來一直到古田會議的資料來自《金》（1，頁200–210）和《年譜》（1，頁277–293）。有些文件在長征途中已經丟失。部分資料研究人員仍然無法查考，因為過於敏感。只有得到批准的中國歷史學家們才能查考這些資料。各種資料，尤其是南昌檔案館的資料在等待耐心的研究員。在最近的20年中出版了一些「內部發行」的書，例如有爭議的1929年7月閩西中國共產黨第一次代表大會的報告中的部分內容就是按照這種方式出版的。

56 用那個時代的話說，叫「由下而上的民主制」。我們知道，事實上，這種中央和根據地之間的往來制度由中央控制，是為了杜絕「極端民主」。

57 他患了一種特殊的神經衰弱，我們知道1925年春天他第一次患這個病，政治上的挫折在身體上表現為深層次的抑鬱。

58 1971年8月29日到10月4日，中央的老領導舉行聚餐，《金》，頁201。張戎和喬・哈利戴描寫江華的回憶讓毛澤東很難堪。江華是林彪這封信的收信人之一，在七大上支持毛澤東（*Jung*, p. 70）。1949年以後，江華成為將軍，是福建的主要負責人之一。

59 這些地方都在一條50公里長的公路旁邊。

60 *Jung*, p. 75. 張戎把這次退隱寫成到一個風景秀麗的別墅去度假。她使用了那時毛澤東的親信曾志1994年9月24日接受的採訪。2000年，曾志在香港出版了回憶錄《一個革命的倖存者》。書中寫道，毛澤東每天喝很多牛奶，吃一公斤肉，喝肉湯。她想要塑造一個具有諷刺意義畫像的意願很明顯。毛澤東彼時的言行舉止仍然粗魯，但很早便顯露出對豪宅的喜好（*Jung*, p. 59）。要強調的是這些別墅也是指揮部所在地，毛澤東想在裏面安置一個仍然不穩定的權力機關。因此，不應從中看出「土匪」的行為。很多現場的指揮將領都有所謂「強盜」行為 —— 福煦、貝當、隆美爾和艾森豪威爾在指揮作戰中也是如此。

61 後來朱德說他很遺憾失去了一位勇敢、善於打仗的好同志。

62 全文的英文翻譯版見 *Mao's Road* 3。

63 1929年7月28日，12月2日和6日，1930年2月2日。張戎和喬・哈利戴說此時毛澤東被稱為「領袖」，這是到那時為止只用在斯大林身上的稱呼（*Jung*, p. 75）。這樣的說法不對。這一稱呼一直到1935年12月13日長征結束後才出現在《真理報》上。

64 德國人愛斯拉（Gerhart Eisler）和波蘭人瑞爾斯基（Rylsky），中國人稱他們為「毛子」。

65 《年譜》1，頁287–289；*Short*, p. 215.

66 我主要參考了《金》，書中引用了1971年9月27日和10月4日元老們宴會上陳毅講的話（1，頁204，註釋1）。問題是，陳毅當時是缺席的，因為他正在上海為政治局9月28日的信定稿。因此他的話是42年前由參加第八次代表大會的人轉述的。然而，陳毅是個誠實有道德的領導人，一生都是如此。所以我選擇了接受這些間接的證據，因為我無法查考相關的檔案資料，不過我知道主要的資料是陳毅可以在檔案中查閱到的毛澤東的一封信。金沖及引用的第二個證據是一份1930年5月16日由熊壽祺起草的報告，當時他是中共紅四軍軍委代理書記（頁204，註釋2）。金沖及引用的第三個證據是方志敏的親信涂振農於1930年9月和10月被閩西中央委員會派到當地調查時寫的關於當地政治情況的報告（頁208，註釋1）。這份報告側重於毛澤東在11月的最後10天回到前敵委員會的情況。關於這些報告，我只掌握了金沖及引用的內容。

67 坐着四名男子抬的轎子走30公里山路，一路上還不時被事故耽擱，足以耗盡任何人的體力，即使是健康的人。

68 *Mao's Road* 3, pp. 192–194;《年譜》1，頁290。

69 《年譜》1，頁291。我沒有這次教育運動期間發表的文章，只有《毛澤東年譜》的作者在書中有所介紹。雖然這次運動中用的語言讓我有延安時代的感覺，不過這次運動是毛主義最早的表現之一。

70 《年譜》1，頁292。

71 *Œuvres choisies*, Editions Sociales, pp. 122–131. 在1951年北京出版的《毛澤東選集》中，所有在1947年晉察冀根據地第一次出版時有的批評林彪的內容都被刪除了。

72 *Mao's Road* 3, pp. 232, 290.

73 《毛澤東選集》（北京：人民出版社，1991），卷二，頁547。

74 沒有徐向前，這是令人驚訝的事情。徐向前從1929年4月開始發展鄂豫皖蘇維埃根據地（湖北、河南和安徽的邊界）。這個根據地主要在1931年發展得很快。其他的例子涉及湘鄂西根據地（湖南西北和湖北西南）、白雲山根據地（在江西的中部、東固和富田附近）、閩浙贛根據地（福建、浙江、江西）。

75 《年譜》1，頁297–298；*Mao's Road* 3, pp. 268–269; *Short*, p. 236.

76 1930年2月16日，由前敵委員會在批鬥會議後發布（*Mao's Road* 3, p. 288）。

77 曾山(1899年11月10日–1972年4月16日),生於蘇維埃中心地區興國的一個革命家庭,從1927–1928年開始參加革命。父親是吉安的一名教師。在內戰期間,他的兩個哥哥和兩個嫂子被國民黨殺死。曾山是毛澤東在江西時的親信。他與李文林以及東固的共產黨員關係不和。在長征時期他留在當地堅持鬥爭,後轉移到華東。從1945年開始成為中央委員會成員,直到他去世。他負責處理與共產國際的關係,任內政部長。

78 指共產黨在富田、東固、吉水、鹽阜和吉安的組織。

79 關於批鬥會議的秘密決議和處死「四大黨官」的情況參考了韋思諦的〈富田事件的起源〉("The Origins of Futian Incident"),收錄在 Tony Saich and Hans van de Ven, *New Perspectives on the Chinese Communist Revolution*, Armonk, M. E. Sharpe, 1995, pp. 98–99中。1983年,韋思諦在寧崗永新地區遇到了許多退伍軍人和當地的史學家。他還參考了在江西南昌檔案館工作的兩位歷史學家寫的著作中有價值的信息,戴向青、羅惠蘭:《AB團與富田事變始末》(鄭州:河南人民出版社,1994)。十到十五年後,肖特和張戎查考了同一消息來源。肖特列舉了韋思諦的這篇文章(*Short*, pp. 236–237)。相反,張戎和喬・哈利戴沒有引用韋思諦的這篇文章,甚至在45頁的參考書目中沒有提到任何韋思諦的書籍和文章,這令人奇怪。

80 因此郭士俊、羅萬、劉秀啟、郭象賢成了第一批因為政治分歧被自己的政黨處死的共產黨員。

81 事實上,警惕性更高的王佐設法騎馬逃脫了,但由於暴風雨,在過河時被淹死了。20世紀90年代,有一部厚厚的傳記問世,為袁文才和王佐平反昭雪,提醒大家他們在1927年已經加入了中國共產黨,在1927年至1928年的冬天,幫助過遇險的毛澤東。江西黨委指控他們重新變成土匪,似乎對他們的死亡負有責任。這本最近的傳記提到黨的六大通過的左傾政治在此事件中起了作用,主導永新黨委的本地人和寧崗的客家人之間的衝突也是原因之一。毛澤東本人不贊成這些謀殺,1965年,他還看望過袁文才和王佐的遺孀。

82 關於1930年毛澤東和李立三的關係,我參考了 *Saich*, pp. 288–290。兩人之間的關係開始很糟糕:1915年年底,毛澤東通過長沙的報紙刊登「徵友啟事」，請年輕的愛國者與他聯繫。彼時日本打算將「二十一條」強加給袁世凱，並成為中國的「保護國」。1936年，毛澤東對斯諾(*Snow*)說：「我從這個廣告得到三個半人響應。那『半』個響應來自一個沒有明確表態的青年，名叫李立三。李聽了我要說的一切之後，沒有提出任何明確建議就走了。我和他的友誼從來沒有發展起來。」(*Nora*, pp. 114–115)李立三的父親是私塾的先生，買了一些地，1927年春天，雖然黨組織介入，仍然被農協的積極分子以「土豪劣紳」的罪名處死。當時毛澤東拒絕處罰農民運動中過分的行為。這兩個人的一切都相反：李立三將革命的希望寄託在工人階級和大城市的居民身上，而毛澤東革命戰略的基礎在農村。

83 毛澤東在1930年10月14日寫給中央的信件的第九條中肯定李立三6月11日的信和周恩來8月24日的報告「判斷正確，完全贊同」。然而李立三的信肯定革命將在全國範圍內爆發，並且明確批評毛澤東的游擊戰略是「農民思想」。周恩來的報告為毛澤東的游擊思想辯護，認為革命已經到來的看法不成熟。斯圖爾特・施拉姆在《通向權力之路》卷三(*Mao's Road* 3)中將這封信翻譯成英文，他覺得這封信令人「目瞪口呆」。

84 *Mao's Road* 3.

85 *Saich*, pp. 428–439.

86 這篇〈尋烏調查〉參見*Mao's Road* 3, pp. 297–418。1931年2月2日，毛澤東為其增加了一篇序言。羅伯特・R・湯姆森(Robert R. Thomson)在《毛澤東尋烏調查》(*Mao Zedong: Report from Xunwu*, Stanford, Stanford University Press, 1997)中發表了英文譯文和評論以及尋烏的一些照片。中文版的印刷在1937年因為中日戰爭爆發而中斷，直到1982年才得以出版。最好的版本是1993年的：一組調查員循着毛澤東的足跡在武夷山區走訪了5個縣，歷時51天，修改了因為客家話難以理解造成的800處錯誤。

87 *Mao's Road* 3, p. 419. 開始名為〈調查工作〉("sur le travail d'enquête")，後改為〈反對本本主義〉("contre le dogmatisme")。1961年，毛澤東做了評註。

88 《年譜》1，頁311。

89 此次會議名為「汀州會議」，兩篇主要的文章一篇關於富農問題，一篇關於流氓問題。*Mao's Road* 3, pp. 433–449. 也可參考《年譜》1，頁310–311。

90 關於收割和徵收地租時的緊張情況，見夏征農的小説〈禾場上〉，收錄在Harold R. Isaacs, *Straw Sandals: Chinese Short Stories, 1918–1934*, Cambridge, MIT Press, 1974, pp. 371–394。夏征農1904年出生在南昌。

91 *Mao's Road* 3, pp. 433–449.

92 傅伯翠(1896–1993)，福建上杭人。加入孫中山的中華革命黨，1927年任中共上杭北四區支部書記，1929年支持毛澤東，1930年3月任閩西蘇維埃政府執行委員兼財政經濟部部長，因為反對閩西特委領導的激進的土地改革，於1930年12月被開除出黨。國民黨重新佔領該地區後，任縣長，1949年重新回歸共產黨，1986年重新入黨。

93 法國人通常把這個詞翻譯成「流氓」，這是不準確的：更確切的意思是指沒有體面工作和固定住所的「遊民」，屬無產階級(這個詞來自德語lumpenprolétariat)，毛澤東認為中國有兩千萬遊民，佔人口的5%，分為8種類型：(1)土匪；(2)小偷；(3)妓女；(4)僱工；(5)戲子雜耍；(6)信使；(7)職業賭徒；(8)乞丐。毛澤東還補充了二十餘種其他職業，算命的、行腳的醫生和教員、武術教頭、鴉片煙館和妓院中的職員、和尚、道士和巫師……以及「皈依基督教的人」。

94 涂振農(1896–1951)，江西人，1921年加入國民黨，1925年加入共產黨。1930年6月底到10月初支持毛澤東，1930年10月7日被任命為在吉安建立的江西蘇維埃的行政人員，在抗日戰爭期間非常活躍，1942年被國民黨逮捕，後叛變。1943年重新加入國民黨，寫了很多反對共產黨的文章，參與培訓特務，後被捕，1951年作為反革命分子被處決。

95 《年譜》1，頁310–311；*Short*, p. 221.

96 《年譜》1，頁315–322；*Mao's Road* 3, pp. 480–490; Peng Dehuai, *Memoirs of a Chinese Marshal*, pp. 293–302.

97 《金》1，頁221。

98 *Short*, p. 611，註釋271，引自Alexander M Grigoriev, *Revolyutsionnoe Dvizheniye*, pp. 206–207。這篇文章的全文仍然不為人知，沒有公布於眾，不過格利戈里耶夫引用了大段節錄。

99 *Mao's Road* 3 (1930年9月17日的報告)。

100 後來毛澤東自己寫過一篇佔領吉安的文章（1933年8月13日），像20世紀20年代一樣以「子任」的筆名發表在《紅星報》上。英文譯文見*Mao's Road* 4, pp. 546–547。他繪聲繪色地描述土豪劣紳、反動資本家、牧師和神父像豬羊一樣被捉住。不過，他承認敵軍秩序井然地離開了這座城市。

101 毛澤東的父母安排過他和羅小姐的婚事，但沒有操辦完成。

102 楊開慧的姓氏「楊」在中文裏可指「楊樹」。

103 *Short*, p. 614, note 16. 引自《中央革命根據地史料選編》，卷一，頁264–322。也可參閱*Mao's Road* 3, pp. 710–712（1930年底，毛澤東以前敵委員會的名義寫信回覆江西執行委員會對他的指責）。

104 Hsiao Tso-liang, *The Land Revolution in China, 1930–1934: A Study of Documents*, Seattle, University of Washington Press, 1969, pp. 12–14.

105 *Mao's Road* 2, pp. 589–591.

106 Stephen Averill, "The Origins of the Futian Incident," Tony Saich and Hans van de Ven, *New perspectives on the Chinese Communist Revolution*, Armonk, M. E. Sharpe, 1995, chap. 4, pp. 75–115.

107 1930年3月，贛西南特委建立了東南西北四路行動委員會，我在本書中將「路」翻譯成「線路」而不是「道路」。

108 *Mao's Road* 3, pp. 592–655 et pp. 670–703.

109 毛澤東對於社會職業的分類非常模糊，根據他要達到的目的而改變。此處他把資本家和富農分為一類，因為他們都「富有」，這不是馬克思主義的分類，而是民粹主義的分類。

110 *Mao's Road* 3, pp. 594–655. 1930年10月底的羅坊會議期間，有八位贛南地區的負責人來參加會議，毛澤東認為他們的家庭代表了贛南地區的「典型家庭」情況，找他們詢問了幾個小時了解情況。他把這次調查寫入在1931年1月26日的一篇前言中。

111 這些描寫和畢仰高對於20世紀30年代農民的描寫不謀而合，請參閱Lucien Bianco, *Jacqueries et révolution dans la Chine du XXe siècle*, Paris, Editions de la Martinière, 2005. 尤其是第十七章〈奪取權力的農民和共產主義者〉（"paysans et communistes dans la conquête du pouvoir"），頁429–455。

112 *Short*, pp. 238–240. 主要引用了21歲的紅色將領肖克的回憶：第四軍中有一千三至一千七百名軍官和士兵被當做AB團分子處死。

113 Chen Yung-fa, "The Futian incident and the Anti-Bolshevik League: the 'terror' in the CCP revolution," in *Republican China*, 1994, vol. 19, no. 2, pp. 1–51.

第七章　失敗（1931–1934）

1 《西遊記》，16世紀吳承恩所著，改編自唐代僧人玄奘（602–644）從長安（現西安）出發至印度取經的經歷。途中神猴孫悟空憑藉七十二般變化，戰勝了路上的種種困難，保護唐僧西天取經。

2 這個逸事參見Simon Leys, *Images brisées*, Paris, Robert Laffont, 1967, p. 167. 埃德加·斯諾的描述參見參見其著作，Snow, *La longue révolution*, Paris, Stock, 1973, p. 217.

3 我們聯想到尼基塔·赫魯曉夫《回憶錄》中的一段描述，敘述了他在斯大林身邊幾年的經歷：「血一直從手臂流到手肘。這是我意識到的最恐怖的事情。」毛澤東寫給康生的信請參閱文革時期紅衛兵編印的出版物《毛澤東思想萬歲1967–1969》，譯文參見*Current Background*, no. 891, 892.

4 *Short*, chap. VIII, "Futian: Loss of Innocence." 書中肖特基於一份書面記錄資料，詳細敘述了富田事件的所有信息，並且對曾經參觀過的地方進行了珍貴的描述。Jung Chang and Jon Halliday, *Mao, The Unknown Story*, pp. 92–104，關於富田事件，兩人再次把蘇聯檔案中有關共產國際和中國共產黨的珍貴信息和一些口頭謠傳混淆在一起。與這兩位不同，肖特主要參考了Stephen Averil, "The Origins of the Futian Incident," in Tony Saich and Hans van de Ven, *New Perspectives on the Chinese Communist Revolution*, Armonk, M.E. Sharpe, 1995, pp. 79–115. 張戎和菲利普·肖特兩人都借鑒了Chen Yung-fa, "The Futian incident and the Anti-Bolshevik League: the 'terror' in the CCP revolution," in *Republican China*, 1994, vol. 19, no. 2, pp. 1–51. 上述這些作者對富田事件的分析主要基於中國大陸近

十幾年出版的相關文集，尤其是戴向青、羅惠蘭撰寫的《AB團與富田事變始末》(鄭州：河南人民出版社，1994)。南京大學教授高華在書中指出血腥清洗並非是毛澤東率先發起的，事實上，是李立三派的李文林於當年夏季首先發起針對政敵的清洗。高華：《紅太陽是怎樣升起的》(香港：中文大學出版社，2000)。之前的著作僅具有歷史價值，如Ronald Suleski, "The Futian Incident," in Ronald Suleski and Daniel Bays, *Early Communist China: Two Studies*, Michigan papers in Chinese Studies, University of Michigan press, 1969; "The China Incident Reconsidered," in *The China Quarterly*, 1982, no. 3, pp. 97–104. 金沖及(《金》1，頁243)和逄先知(《年譜》1，頁327–328)將這個事件描述為國民黨第一次圍剿戰爭時期一個令人遺憾的事件(一個錯誤)。毛澤東在12月20日致〈總前委答辯的一封信〉中把這個事件定義為「反革命事件」。英語譯本見*Mao's Road* 3, pp. 704–713.

5 李文林隨即被釋放，但被剝奪一切職權。

6 *Short*, p. 242. 引自戴向青、羅惠蘭：《AB團與富田事變始末》，頁99。

7 陳永發列舉了李韶九所採取的中國古代酷刑：「地雷公燒香頭」、「點天燈」、「燒香火」、女的脫光全身衣服、用刀劃胸部、用燈燒陰戶。顯然他們甚麼都不知道。這些刑罰只是為了滿足李韶九個人的性虐快感。

8 以上內容引用自*Jung*, p. 98。後者曾參閱蘇聯國家社會政治歷史檔案("Archives d'histoire socio-politique de l'État russe," RGASPI, fonds 514)。資料提及江西行委派代表團將一份文件送至上海，共產國際駐中國共產黨代表瑞爾斯基接收了這份文件，並將它與其他文件一起送回莫斯科，因此這份文件的真實性毋庸置疑。

9 HsiaoTso-liang, *Power Relations*, pp. 98–102.

10 *Mao's Road* 4, p. 184. 1936年12月毛澤東致紅軍湖南籍政治領導人袁國平(1905–1941)的信和〈中國革命戰爭的戰略問題〉，收錄在《毛澤東軍事文集》中。*Mao's Road* 5中的描述比官方版本更詳細，並且沒有經過任何修改。

11 秦孝儀編：《總統蔣公大事長編初稿》(台北：中正文教基金會，1978)，頁376。*Jung*曾引用其中部分內容，p. 101。

12 《年譜》1提及的城市分別是宜黃、樂安、南豐、廣昌、寧都、石城、于都和瑞金。我們注意到其中不包含任何江西西部和北部的城鎮，就好似共產黨勢力整個向東平轉移了。事實上紅二十軍出走事件直至1931年7月才平息，此前贛江左岸的城鎮均不受紅一軍控制。

13 高華：《紅太陽是怎樣升起的》。

14 《年譜》1，頁338–339。「全權處理富田事變」的中央代表團主要由任弼時和王稼祥組成。

15 王明，原名陳紹禹，曾在莫斯科中山大學學習馬克思列寧主義，是當地中國共產黨的學生領袖。在米夫的推動下王明登上中國共產黨的領導地位。他們自詡為「國際派」，毛澤東不喜歡他們，嘲諷他們是「28個布爾什維克」。

16 Thomas Kampen, *Mao Zedong, Zhou Enlai and the Evolution of the Chinese Communist Leadership*, Grande-Bretagne, Insitute of Asian Studies, Biddles ltd. Guilford and King's Lynn, 2002. 作者指出「國際派」(28個布爾什維克)從未建立起一個緊密的有紀律性的團體，也從未集體在黨內與毛澤東作鬥爭，推行第三次左傾冒險主義路線。事實上，毛澤東反而有時與他們結成聯盟。

17 *Saich*, p. 245; *Mao's Road* 4, p. 43 et pp. 171–174.《年譜》1，頁353–354；*Short*, pp. 245–247.

18 鄧發(1906–1946)，廣東人，海員，20世紀20年代參加工會工作，後任中華蘇維埃中央革命軍事委員會政治保衛處處長，為人十分冷酷。副手李克農(1898–1962)，兩人均是周恩來的得力助手。

19 李韶九在根據地時被撤職，紅軍長征後被富田事件的一個受害者打倒。

20 *Mao's Road* 4, p. 120，于都郊外。

21 Ibid., pp. 89–104.

22 *Mao's Road* 3, pp. 714–716：〈八個大勝利的條件〉。這是毛澤東在黃陂紅一軍前委擴大會議上發表的講話。其中第三大條件談到「我們的戰略好，着着勝利，敵人的戰略是着着失敗。敵人在我們軍隊中安的AB團暴動，都被我們打的精光，殺了幾十個總團長，共總打了四千多AB團。對付他們，我們不能採取速戰速決，我們要穩紮穩打，處決更多的小蔣介石，消滅紅軍內部的叛徒，加強團結」。看來毛澤東對這場肅反運動毫無悔意，他把肅反交給了政治保衛處負責。

23 Xiang Lanxing, *Mao's General: Chen Yi and the New Fourth Army*, Lanham, University Press of America, 1998, chapter 1.

24 龔楚：《我與紅軍》(香港：南風出版社，1954)，頁266–267。*Jung*引用了部分內容，p. 100。

25 毛澤東與朱德相識在井崗山，井崗山的地名在中文中的意思是一連串的井。

26 Hu Chi-hsi, *L'armée rouge et l'ascension de Mao*, Paris, édition de l'École des Hautes Études en Sciences sociales, 1982, p. 52.

27 *Mao's Road* 4, pp. 179–180. 毛澤東同意多起死刑判決，有兩人被認定是AB團成員遭到加刑兩年，犯其他過錯的另兩人則得到減刑。

28 《年譜》1，頁345。毛澤東在這三次反「圍剿」中起了重要作用。*Mao's Road* 4, pp. 5–176. 據統計，1931年毛澤東向各軍事指揮官下達36條命令。

29 四中全會代表團主要由任弼時、王稼祥和顧作霖組成。任弼時(1904–1950)，原名任二南，湖南人，1921年前往莫斯科，進入東方勞動者大學後改名中山大學學習。1922年加入中國共產黨，擔任共青團中央領導人。四中全會後當選政治局委員。王稼祥(1906–1974)，安徽人，1925年加入共青團，曾在莫斯科中山大學學習，1928年加入共產黨。1930年回國後任中共中央宣傳部幹事，1931年進入中央政治局。顧作霖(1908–1934)，江蘇人，1926年入黨，1930年成為中共長江局委員。

30 《年譜》1，頁337。*Short*, p. 229.

31 胡漢民(1879–1936)，國民黨內最受尊重的元老。1931年2月28日，為抗議蔣介石草率頒布憲法，加強自身權力，胡漢民辭去立法院院長一職。*CHOC* 13, pp. 128–129. 蔣介石下令逮捕胡漢民，聲稱「為保留住他以往的光輝」。

32 《年譜》1，頁355。

33 同上，頁362。

34 國民黨二十六路軍，原隸屬於馮玉祥，士兵多在西北招募，極不適應南方的天氣和食物，全體指揮官對蔣介石均無好感。

35 《年譜》1，頁354。*Short*, pp. 253–254.

36 同上，頁354。《金》，頁270–271。*Short*, pp. 253–263.

37 本段內容借鑒了 Hu Chi-hsi, *L'armée rouge et l'ascension de Mao*, pp. 29–46.

38 *Mao's Road* 4, p. 159.

39 巴威爾・米夫(Pavel Mif),原名米哈依爾・亞歷山大羅維奇・弗爾圖斯(Michel Alexandrovitch Fortus, 1901–1938),出生於烏克蘭的赫爾松省一個猶太人家庭,擔任莫斯科中山大學校長,直屬於斯大林。曾與王明一同來到中國糾正「立三路線」。返回蘇聯後擔任共產國際遠東局局長,後在政治上慢慢引退,仍然在劫難逃,1938年在斯大林的大清洗中被處決。

40 原文參見*Saich*, pp. 530–535,這裏引用*Mao's Road* 4, p. 56.

41 *Mao's Road* 4, pp. 56–66.

42 《年譜》1,頁339–341。

43 同上,頁354。

44 抽肥補瘦,抽多補少。李立三提出「抽多補少」的土改方法,毛澤東批評這種做法,提出不僅要抽多補少,還要抽肥補瘦,即把富農的優質土地與貧農的貧瘠土地作交換,是一種非常極端的改革立場。王明混淆了兩者的提議及兩人的立場。

45 此三篇文章為1931年2月8日蘇區中央局頒布的〈土地問題與反富農策略〉,1931年8月朱德和項英簽發的〈中央革命軍事委員會第2號通知〉以及1931年2月27日中央革命軍事委員會總政治部致江西蘇維埃政府(曾山)的信〈民權革命中的私人財產體系〉。參見*Mao's Road* 4, pp. 18–21和p. 138。這裏我主要參考了第三份資料,該資料是毛澤東經過與黃陂的一戶農民討論了解2月8日的法令實施情況後親自撰寫的。

46 《年譜》1,頁357。

47 同上,頁359。

48 共產國際對日本侵略東三省的分析是由王明通過王稼祥向博古傳達的。分析認為日本建立滿洲國是作為侵略西部利亞的軍事基地,為進攻蘇聯做準備。

49 在我看來,張戎與哈利戴在其著作中關於這點的分析是有根有據的。pp. 99–104的註釋中引用了多卷1931年3月富田事件相關檔案。

50 《年譜》1,頁359–360;*Short*, p. 254;《金》,頁272–275;*Jung*, pp. 105–106.

51 這段對第一次全國蘇維埃代表大會的描述經過了艾格尼絲・史沫特萊的渲染。Agnes Smedley, *China Red Army Marches*, New York, International Publishers, 1934, pp. 287–311.

52 *Mao's Road* 4, pp. 206–208.

53 Ibid., p. 154.

54 Ibid., p. 166.

55 Ibid., pp. 160–162. 1931年12月1日，毛澤東建議蘇維埃政府與外國公司簽訂合同，允許其繼續從事商業活動，但得將公司國有化。事實上，這條政策主要針對粵贛交界處大庾山的鎢礦開採。1932年，鎢礦在軍事管理下重新開始開採。

56 *Mao's Road* 4, p. 210. 該蘇區根據地位於井崗山。毛澤東曾批評道：「過去我們鼓勵士兵去白區打家劫舍，搶大米回來的做法，是極其錯誤的，危害了根據地的聲望。」1932年2月26日攻佔福建上杭後，毛澤東再次向紅軍重申不可錯誤地將中農劃分為富農。*Mao's Road* 4, pp. 187–193. 這是毛澤東在這一年中唯一一次談及土地問題。

57 *Mao's Road* 4, pp. 163–166. 顧順章，1904年左右出生於上海吳淞或武漢，早年在南洋兄弟煙草公司做鉗工，曾加入過青幫。1925年五卅運動時，在罷工中表現活躍，之後進入上海市總工會工作並加入中國共產黨。長期在上海與周恩來共同負責中共地下活動，表現十分出色。顧順章借助公開的身份——著名魔術師李明——穿行於各個城市。1931年4月24日在漢口被國民黨警察逮捕，旋即投降，供出共產黨許多重要領導人，包括向忠發和惲代英在內的十多位領導人被捕殺。顧順章也指認了周恩來，多虧滲透在情報機關高層的中共特工及時通知，周恩來倖免於難。後來顧順章再次秘密與共產黨接觸。國民黨方面發現顧順章籌備刺殺陳立夫以重新獲取共產黨的信任，1936年春在南京將其槍斃。請參閱Frederick Wakeman, *Policing Shanghai 1927–1937*, Berkeley (Ca), University of California Press, 1995, pp. 151–161.

58 *Mao's Road* 4, p. 193 et pp. 239–240.

59 這裏指江西撫州，與福州的發音相同，但不是指福建首府福州。撫州城大小與吉安相仿，位於撫河上中游，南昌東南75公里處。

60 《年譜》1，頁364。

61 「國際派」，毛澤東嘲諷為「二十八個半布爾什維克」，指二十八個與米夫親近，在莫斯科中山大學學習的共產黨學生，他們計劃奪取中國共產黨的領導權，幫助斯大林掌握所有的共產黨。其中著名的有陳紹禹(又名王明)、任弼時、王稼祥、秦邦憲(1907–1946，又名博古)、張聞天(1899–1976，又名洛甫)、沈澤民(1898–1934)。王明1931年9月從上海出發前往莫斯科，把黨中央的領導權交給博古。此前，1931年6月15日牛蘭夫婦在上海被捕，兩人負責領導共產國際在中國和印度支那的秘密活動，是上海的秘密交通站負責人。牛蘭被捕後，共產國際和中國共產黨的聯繫中斷。參見Frederick S Litten, "The Noulens Affair," *The China Quarterly*, no. 138, juin, 1994, pp. 492–512. 牛蘭(Hilaire Noulens)，本名雅各布・魯德尼克(Yakov Rudnik)(1894年3月24日–1963年3月13日)，烏克蘭人；莫伊森科(Tatyana Moiseenko，1891年8月10日–1964年4月13日)偽裝為牛蘭的妻子。關於牛蘭事件的詳細經過以及逮捕後的審訊可以參閱Frederick Wakeman, *Policing Shanghai 1927–1937*, Berkeley (Ca), University of California Press, 1995, pp. 147–151.

62 右傾機會主義者，是斯大林對布哈林及其支持者的稱呼。

63 《年譜》1，頁366。*Jung*, pp. 115–116. 似乎毛澤東每次經歷政治失敗都導致暫時性的抑鬱，伴有腸道疾病復發，比如一整個星期便秘。我們注意到毛澤東生病時更相信西醫治療。

64 《金》，頁280–284。《申報》2月20日刊登周恩來的聲明，宣布放棄共產主義，投降國民黨。張戎在毫無證據的情況下推測這是毛澤東的陰謀，目的是讓周恩來聲名狼藉。

65 聶榮臻，1899年出生於四川一個富裕的農民家庭，曾前往法國和比利時勤工儉學，起先就讀於格勒諾布爾和沙洛瓦，而後在雷諾和勒克魯佐工作，後來前往蘇聯。1925年回到中國，成為中國共產黨軍事委員會委員。曾參加南昌起義、海陸豐起義和廣州起義，1931年來到江西，擔任林彪的政治委員。金沖及參考了聶榮臻1983年出版的回憶錄，其中有對毛澤東1931–1934年在江西經歷的詳細描述。

66 《金》，頁283。書中附有3月21日林彪和聶榮臻向周恩來請示的完整電文。《年譜》1，頁368。

67 Hu Chi-hsi, *L'armée rouge et l'ascension de Mao*, pp. 61–63. 主要參考了一些已故目擊者的回憶，如劉忠發表在《星星之火可以燎原》(1959–1963年間)的文章，以及彭德懷1932年7月22日刊登在《政治生活》上的一篇文章。

68 *Jung*, pp. 117–119. 作者引用了艾威特於1932年3月–10月從上海發往莫斯科的一封信函。信函目前藏於共產國際檔案卷宗，主要涉及共產國際與中國共產黨的關係。

69 陳濟棠(1890–1954)，粵系軍閥，1931年5月蔣介石軟禁胡漢民後，他趁機發動兩廣兵變。1932年，廣東在其治理下幾乎處於獨立狀態。第四次「圍剿」戰爭時，蔣介石任命陳濟棠為贛、粵、閩、湘邊區「剿匪」副總司令。他作戰顧慮重重，遲疑不決，但是當紅軍進入廣東境內的梅縣附近時，立刻頑強抵抗。

70 《年譜》1，頁370–372。《金》，頁286–288。

71 *Mao's Road* 4, pp. 215–216.

72 *Jung*, p. 117，書中引用了哈里森・索爾茲伯里(Harrison Salisbury)對吳繼平的採訪，請參閱現藏於哥倫比亞大學的《索爾茲伯里論文集》(*Salisbury Papers*)。

73 社論在批評毛澤東的觀望主義時，使用了一個中國成語「守株待兔」。

74 紅三方面軍由彭德懷指揮。後者鼓勵在這期紀念性的內容中刊登政治路線。

75 *Hu Chi-hsi*, pp. 68–69.

76 劉伯承(1892–1986)，出生於四川一個行腳戲班子的家庭，曾接受中國私塾教育，但在科舉考試中名落孫山。1911年辛亥革命爆發，劉伯承投身革命，不幸失去一隻眼睛。1926年加入中國共產黨，參加南昌起義。1928–1930年在莫斯科伏龍芝軍事學院學習兩年。1931年回到瑞金，建立紅軍軍事學院並任院長。他對克勞塞維茨計劃和蘇聯紅軍十分推崇，翻譯了許多蘇聯軍事著作。

77 *Hu Chi-hsi*, p. 68以及第三章註釋86。

78 《年譜》1，頁373–374；*Short*, p. 260; *Mao's Road* 4, pp. 217–218：〈5月3日毛澤東致周恩來的信〉("lettre du 3 mai de Mao à Zhou Enlai")。

79 〈贛東戰爭〉("La guerre à l'est de la Gan")，1932年7月11日，頁1–20，余則鴻：〈關於在根據地外作戰和鞏固我們的後方〉("Àpropos des attaques hors de notre territoire et de la cnsolidation de nos arrières")，*Hu Chi-hsi*曾引用過這段內容(p. 69)。請參閱陳誠作品集《石叟集》(*Shi Sou Collection*, Hoover Institution, Stanford University)，卷一。第二年余則鴻就為自己的大膽言辭付出了代價，在「反羅明路線」鬥爭中，他被當作毛澤東的支持者遭到博古的迫害。

80 這些地區指南豐、南城、宜黃、樂安和撫州。

81 這裏我參閱了*Hu Chi-hsi*, chapitre III, pp. 47–83.

82 *Mao's Road* 4, p. 220.

83 *Mao's Road* 4, pp. 280–289.《年譜》1，頁386–388。在這場關於軍事策略的爭辯中，毛澤東表現活躍，談及的一些問題十分實在。1932年9月，他建議患爛腳病的戰士清晨行軍前洗腳，還告訴戰士如何防蚊。爛腳病，俗稱「香港腳」，嚴重的患者走路時腳劇疼無比，幾乎不能行走。當時的紅軍部隊就跟1939–1940年時期的法國軍隊一樣，腳是受到最多照料的部位。

84 寧都會議部分內容尚不為人知。胡績溪弄錯了會議召開時間，誤認為是在8月召開的。William Dorill, "Rewriting History to Further Maoism: the Ningtu Conference of 1932," in Hsiung James Chieh, *The Logic of Maoism*, New York, Praeger, 1974. 這篇論文大部分內容已經過時。關於寧都會議的資料中既沒有毛澤東本人發表的演説，也沒有對會議的詳細描述，只能證明劉伯承當時參加了會議。唯一的官方資料是1932年10月21日刊登在共產黨通訊〈蘇區中央局寧都會議經過簡報〉上的。本書的描述主要參考該份材料。《年譜》1，頁389–390；《金》，頁296–298。金沖及引用的證詞大部分都是後來的回憶，明顯受到共產黨官方黨史的影響。*Short*, pp. 262–263陳述的內容與《年譜》及《金》的叙述並無不同。

85 *Jung*, pp. 120–121.

86 *Kampen* (o. c, p.61) 認為命令正式頒布的時間是10月26日，《年譜》1，頁389–390上記載的也是這個日期。1933年5月8日，周恩來被任命為全體紅軍總政治委員。

87 《年譜》1，頁391。尼爾森・傅(Nelson Fu)，中文名傅連暲(1894–1968)，出生於汀州，曾師從一位傳教士，信奉基督教。南昌起義後，他開始與共產黨接觸，1928年上井崗山。1932年他將傳教士建立的福音醫院改為紅軍中央野戰醫院並建立醫學院。1952年擔任衛生部部長。傅連暲充滿人道主義精神，對窮人的健康尤為關注，「文化大革命」時遭迫害而死。

88 《金》1，頁289。傳記引用了中央政治局1936年9月的一個註釋。毛澤東曾表示上海黨中央致電通報蘇區中央局，批評毛澤東傲慢的宗派主義，撤銷了他的一切職務。

89 這個觀點得到約翰・魯(John E. Rue)的支持，見John E. Rue, *Mao Tse-tung in Opposition, 1927–1935*, Stanford, Stanford University Press, 1966.

90 即「首相」。中國共產黨根據列寧思想提出堅持共產黨領導國家，確切地說，行政權由黨掌握。

91 *Mao's Road* 4. 葉劍英(1897–1986)，廣東梅縣客家人，出生於一個富裕的商人家庭。1919年從雲南講武堂畢業後，追隨孫中山先生參加辛亥革命，在黃埔軍校擔任教官，在黃埔的時候認識了周恩來。後葉劍英參加北伐戰爭，1927年加入共產黨，被送往莫斯科伏龍芝軍事學院學習兩年。歸國後在上海組織地下黨工作，後與周恩來一起抵達中央蘇區。

92 劉伯承曾取笑林彪的士兵由於缺乏軍事知識，把防空大炮的取景器扔在了稻田裏，把防毒面具的過濾器拆了下來。

93 *Hu Chi-hsi*, p. 74.

94 《史話》第9期，頁2–3。*Hu Chi-hsi*曾引用(p. 75)。標題是〈主動發動勝利的攻擊，粉碎敵人的進攻〉("Lançons une offensive victorieuse; écrasons la grande offensive de l'ennemi")。

95 這裏我採用胡績溪的觀點，他與肖特的觀點相反(*Short*, p. 275)，認為第四次反「圍剿」戰役在戰術上小心謹慎，與毛澤東前三次反「圍剿」戰役的戰術相同，然而在戰略上是恰恰相反的。戰役一開始，周恩來和博古之間產生了嚴重的衝突，後者要求紅軍攻佔南豐。經過兩天流血奮戰，紅軍仍然未能拿下，2月14日周恩來決定放棄南豐。

96 *Hu Chi-hsi*, pp. 79–80.

97 *Kampen*, o.c, p. 62.

98 《年譜》1，頁391–394。

99 *Saich* (pp. 596–602) 談到羅明1933年1月21日所作的報告〈對工作的幾點意見〉以及2月15日中央蘇區中央政治局關於福建—廣東—江西省委的決定，對「羅明路線」做出批評。《年譜》1，頁393–400，「反羅明路線」運動首先在福建爆發，很快蔓延到江西。

100 關於這項運動的詳細情況可以參閱李維漢的回憶錄《回憶與研究》以及羅明本人的回憶〈關於羅明路線問題的回顧〉，收錄在《中國黨史資料》(1982)，卷2，頁234–270。

101 *Hu Chi-hsi*, pp. 97–108.

102 *Mao's Road* 4, p. 361;《年譜》1，頁403。

103 *Short*, p. 266，引用了一些老兵的回憶資料。

104 *Jung*, p. 124. 此段引文出自汪東興的回憶錄：《汪東興回憶毛澤東與林彪反革命集團的鬥爭》(北京：中國當代出版社，1997)，頁116。

105 《紅樓夢》法文全譯本由李治華(Li Tche-houa)和雅克琳．阿雷扎依絲(Jacqueline Alezais)翻譯並註釋，Gallimard, La Pléiade. 2 vol., 1981.

106 Alain Roux et Wang Xiaoling, *Qu Qiubai (1899–1935), Des mots de trop (Duoyu de hua): L'autobiographie d'un intellectuel engagé chinois*, Paris-Louvain, Centre d'études chinoises de l'INALCO, Éditions Peeters, 2005. 瞿秋白於1931年後在上海組織地下工作，1934年1月在黨中央的安排下抵達瑞金。

107 *Mao's Road* 4.《毛澤東軍事文集》，卷一，頁325–329。

108 *Mao's Road* 4. 引用自毛澤東的《詩詞對聯》，頁44。

109 根據*Mao's Road* 4對毛澤東所著文章做出的統計。

110 *Mao's Road* 4, p. 327. 這也許是中國勞改制度——中國的強制收容制度——最初的雛形。

111 一名法國國家農業研究協會的專家證實這些東西都是可食用的，只是味道難吃，不耐饑餓，而且烹飪困難。

112 最初由羅素爵士提議。

113 《申報》、《上海報》、《華北新聞日報》，1934年4月23日至3月6日報道。美亞絲綢廠罷工源於廠方打算降低1,000名工人的工資，消息傳出，9家絲綢工廠的3,000名男工以及350名女工童工於3月11日至4月10日組織罷工，指揮部設立在法租界內，造成兩件嚴重意外事件（包圍警察局要求釋放被捕的工會成員），罷工最後以工人的失敗告終。當時新聞媒體對此作了大篇幅報道。毛澤東提出的數據完全是主觀臆想。關於這場罷工的詳細描述，請參閱 Alain Roux, *Le Shanghai ouvrier des années trente: coolies, gangsters et syndicalistes*, Paris, L'Harmattan, 1993, pp. 182–186.

114 指紅軍軍服。

115 Lötveit Trygve, *Chinese Communism (1931–1934): Experience in Civil Government*, Lund, Suède, 1973. 但是我們發現1932年6月20日，人民委員會頒布由毛澤東簽署的一篇建議文，文中提議組織委員會保護婦女權利，提高生活條件。*Mao's Road* 4.

116 *Mao's Road* 4, pp. 588–622.

117 《尋烏調查》中寫道，情侶們藉口撿樹枝去附近的小山市，「雙方見面不再覺得尷尬」。請參閱湯若傑（Thompson Roger）翻譯的《毛澤東尋烏調查》（*Mao Zedong: Report from Xunwu*, Stanford University Press, 1990, pp. 216–217）。

118 《年譜》1，頁402–403。

119 以下關於「查田運動」的文章出自 *Mao's Road* 4。

120 當地人口稀少，一個鄉有400–500戶家庭，1,500–2,000居民。根據當地的實例，每個鄉大約有十幾到二十幾個地主或者富農家庭。

121 平均180個鄉。

122 載《鬥爭》，1933年8月29日。

123 此文在1950年出版的《毛澤東選集》卷一中經過較大的改動。*Mao's Road* 4 中收錄1933年的版本。我在書中引用的段落在1950年版中已經消失。關於長岡、才溪和石水三鄉的調查，參見上書頁588–622。

124 Parks M. Coble, *Facing Japan. Chinese Politics and Japanese Imperialism (1931–1937)*, Cambridge, Harvard University Press, 1991, pp. 120–148. 中國軍隊向南撤退至北平以北20公里處。日本加強了熱河和察哈爾兩省的

軍事力量，日本關東軍可以從遼寧的軍事基地直接威脅整個華北平原。

125 奧托・布勞恩（Otto Braun，1901年出生於慕尼黑，1974年8月逝世於東柏林），又名華夫、李德。德國共產黨員，1927年從柏林的墨阿比特監獄越獄後逃往莫斯科，在伏龍芝軍事學院學習。面對國民黨穩紮穩打的進攻策略，他採用搭築封鎖線的防禦策略加上短促突擊的進攻策略，企圖突破敵人的包圍。這個策略與毛澤東的軍事策略截然相反，1934年5月和6月期間在紅軍內部引發激烈討論，林彪曾寫下相關爭論。請參閱 *Hu Chi-hsi*, pp. 197–217 以及林彪對奧托・布勞恩的批評，p. 218–229。奧托・布勞恩是唯一從頭至尾跟隨紅軍長征的歐洲人。1975年，其回憶錄《中國紀事：1932–1939》（*A Comintern Agent in China 1932–1939*）在民主德國出版，1982年由倫敦赫斯特出版社翻譯成英文出版。回憶錄撰寫於中蘇關係冷卻之際，書中對毛澤東有諸多批評，但是對這段時期的紅軍有十分有趣詳細的記錄。

126 伊斯曼（Llyod Eastman）的書中有一個章節對這段失敗的兵變有詳細的描述。Llyod Eastman, *The Abortive Revolution: China Under Nationalist Rule, 1927–1937*, Cambridge, Harvard University Press, 1974. 也可見《年譜》1，頁415。

127 我們在 *Saich* 中找到了協議的英文譯本（pp. 605–606）。雙方簽訂人分別是十九路軍的徐名鴻和共產黨的潘健行（潘漢年）。

128 陳銘樞（1890–1965），廣東人，曾參加北伐，1929–1931年擔任廣東省省長，1931年指揮「剿共」。長期與蔣介石作對。1933年5月從國外歸來後參與「福建事變」（1933–1934年冬），組建社會民主黨。不久被蔣介石平息。

129 蔣光鼐（1888–1976），粵系軍閥。

130 李濟深（1886–1959），原籍江蘇。「福建事變」後擔任中華人民共和國政府主席。

131 英文譯文請參閱 *Saich*, pp. 606–609.

132 *Mao's Road* 4.

133 下文參閱了托馬斯・康蓬（Thomas Kampen）著的《毛澤東、周恩來與中共領導權的變遷》（*Mao Zedong, Zhou Enlai and the Evolution of the*

Chinese Communist Leadership, Nordic Institute of Asian Studies, Biddles Guilford and King's Lynn, 2000, pp. 63–65）；*Saich*, pp. 520–521; *Mao's Road* 4, introduction；《年譜》1，頁420。以及*Otto Braun*, p. 49.

134 博古報告的英文版收錄在*Saich*, pp. 609–622.

135 *Mao's Road* 4, pp. 656–714.《毛澤東選集》卷一中收錄了大量相關摘錄，題名為〈我們的經濟政策〉和〈關心群眾生活，注意工作方法〉。這些題目大多是1950年添加上去的。

136 事實上該法律一直到1934年4月8日實施法令頒布時才正式生效。

137 1933年11月，毛澤東在這兩處地方作調查研究。

138 《年譜》1，頁424–425。

139 *Otto Braun*, p. 71. Gunther Stein, *The Challenge of Red China*, New York, 1971, p. 118中轉述了毛澤東當時的表達，大約意思為「在當時的情形下，我唯一做的事情就是等待」。

140 《金》1，頁323–333。

141 這是奧托・布勞恩所用的詞匯，指的就是「博古－周恩來－奧托・布勞恩」三人領導核心，與之相對的是「毛澤東－洛甫－王稼祥」三人團。

142 毛澤東在何長工的陪同下視察前線，後來何長工還負責與陳濟棠的特使談判為紅軍轉移留出一條通道。毛澤東在〈清平樂・會昌〉一詞中暗暗指代了這些事情。「會昌城外高峰，顛連直接東溟。戰士指看南粵，更加鬱鬱葱葱。」

143 《年譜》1，頁432。

144 龔楚，《我與紅軍》頁395–399。此書寫於冷戰時期，作者曾在紅軍中擔任要職，1934年秋天叛變。書中詳細描述了當時蘇區百姓艱苦的生活和紅色恐怖。龔楚長期被北京當局視作叛徒，1991年，91歲高齡時終於獲准返回大陸定居，在家鄉辭世。

145 張戎和哈利戴曾參考當時的電報往來。*Jung*, pp. 126–128.

146 *Jung*, pp. 126–134; Otto Braun, *A Comintern Agent in China*, pp. 87–88.

147 紅六軍未能在贛南打開國民黨的包圍圈，但是為後來紅軍主力兩個月後的長征探索了道路。

148 方志敏於1935年1月被俘，關在籠子裏在南昌示眾，1935年7月6日在南京被處決。

149 關於這一點可以參考Gregor Benton, *Mountain Fires*, pp. 20–25. 作者提出這種選擇並非完全出於政治考量。毛澤東的許多親人都留在中央根據地，包括毛澤覃，因為他非常善於組織游擊戰。但是，毛澤東的另一個兄弟毛澤民隨著紅軍一同長征。

150 托馬斯・康蓬(Thomas Kampen)指出洛甫對毛澤東的支持證實了在1931–1934年「二十八個半布爾什維克」是一個緊密結構化的團體。Thomas Kampen, *Mao Zedong, Zhou Enlai and the Evolution of the Chinese Communist Leadership*, pp. 49–65.

151 《年譜》1，頁436。

第八章　毛澤東的報復(1934年10月–1937年9月)

1 長征相關的敘述與傳記大致以1980至1985年為界限分為兩個階段。1980年以前的作品大都把這段歷史描述成一段光輝的傳奇，對歷史的真實性有一定歪曲。這種描述最早出現在Edgar Snow, *Étoile rouge sur la Chine*中毛澤東對長征的敘述(pp. 155–177)。此類著作還有Claude Hudelot, *La Longue Marche*, Paris, Julliard, Archives, 1971; Georges Walter et Hu Chi-hsi, *Ils étaient cent mille: La Longue Marche*, Paris, Lattés, 1982; Dick Wilson, *Mao 1983–1976*, pp. 181–196；以及Hu Chi-hsi (texte) et Dupuis (dessins), *La longue Marche: Mao Tsé-toung*, Montréal, Dargaud, 1981. 1985年以後中國出版了新的相關資料，歷史的真實性漸漸得到重視。首先是中國大陸的歷史學家創作了多部關於遵義會議的作品。李志光和陸友山：〈關於遵義政治局擴大會議若干情況的調查報告〉(1983年)，收錄在《中國黨史資料》，第六期，頁16–34。本傑明・楊(Beijamin Yang)和托馬斯・康蓬分別對調查報告進行過分析和評論，Beijamin Yang, "The Zunyi Conference in Mao's Rise to Power: A Survey of Historical Studies of the Chinese Communist Party," *The China Quarterly,* no. 106, June, 1986; Thomas Kampen, "The Zunyi Conference and Further Steps in Mao's Rise to Power," *The China Quarterly*, no. 107, march, 1989. 中共中央黨史資料徵集委員會和中央檔案館編輯出版《遵義會議文獻》(北京：北京人民出版

社，1985），書中收錄了2月28日中共中央致政治局擴大會議上缺席委員的電報，法文譯本參見*Saich*, "Les grandes lignes de la résolution aboptée par le Bureau Politique élargiayant trait aux expériences et aux leçons dans la mise en échec (sic!) de la cinquième campagne d'encerclement," 1996, pp. 640–643 [document D22] 和陳雲2月8日起草的〈遵義政治局擴大會議傳達提綱〉("compte rcndu de l'essentiel de la Conférence de Zunyi," pp. 643–648 [document D23])。陳雲前往莫斯科時把《傳達大綱》呈交給共產國際。另外還有一些珍貴的回憶錄獲准出版，如李維漢的回憶收錄在《毛澤東選集》中，1987年在北京出版，頁641–642。本書的研究主要參考了包含新資料的著作，按可信性程度排序：Harrison Salisbury, *The Long March: The Untold Story*, New York, Harpper and Row, 1985（書中收錄了珍貴的地形細節，但內容比較「官方」）。Benjamin Yang, *From Revolution to Politics: Chinese Communists in the Long March*, Westview, Special Studies on China, Boulder (essentiel), 1990. *Short*, pp. 281–310. *Mao's Road* 4 and 5，這兩卷著作使用了許多珍貴難得的資料。《金》，頁334–368以及《年譜》1，頁436–482也屬後一階段的歷史編纂。黃鎮在長征期間所作的多幅畫作與草圖尤其珍貴。黃鎮畢業於法租界內的上海美專，歷任駐法國大使，駐聯合國代表，基於1938年上海複社出版的《西行漫記》的基礎上創作《長征畫集》(北京，1962)。*Jung*, pp. 125–174，提出長征由蔣介石遙控指揮，毛澤東則利用這一契機絆倒對手張國燾。這個觀點我認為毫無説服力，在後文中我會對兩位作者提出的觀點與事件進行分析。

2 這個時期中央與紅四軍失去聯絡。張國燾帶領四萬五千人，撤出湖北的鄂豫皖根據地後開始長征，同年末在四川東北建立新的根據地。一年後，1935年11月，賀龍指揮紅二軍兩萬人開始長征，轉移至貴州雲南地區。因此1934至1936年有三支紅軍隊伍進行長征。

3 根據王建英在《中國共產黨組織史資料彙編》(北京：紅旗出版社，1983)中對長征行軍的詳細敘述，本傑明・楊在《從革命到建設》(*From Revolution to Construction*)(*Yang*)一書中指出，長征中朱德任總司令，周恩來任總政治委員，劉伯承任參謀部長，王稼祥任政治部主任，李富春任政治部副主任(出於王稼祥受傷的原因)(p. 100)。紅軍主力分為三路軍，左路軍是林彪的紅一軍團和羅炳輝的紅九軍團，右路軍是彭德懷的紅三軍團和周昆的紅八軍團，負責為軍委縱隊開路，軍委縱隊由葉劍英和李維漢指揮。董振堂率領紅五軍團負責斷後保護。

4 兩門大炮每門需要60個人搬運。一台出發不久後即被扔掉，第二台1935年1月28日在貴州土城戰役中打完了最後三發炮彈後被推入赤水河中。

5 毛澤東和他的偶像拿破崙一樣騎術十分普通。

6 王稼祥受傷後在沒有麻醉的情況下進行了八個小時的手術。術後高燒不斷，不得不打嗎啡止痛。1936年前往莫斯科治療，手術成功並戒去嗎啡癮。

7 Harrison Salisbury, *The Long March: The Untold Story*, New York, Harpper and Row, 1985, p. 68 (*Harrison*).

8 *Harrison*, p. 104. 紅軍最初的裝備是676匹馬，33,243枝槍，651頂機槍，38門迫擊炮，2門山炮，1,801,640發子彈，2,543發炮彈，76,526顆手榴彈。所有武器彈藥補充均依靠戰鬥中從敵人處繳獲。

9 《年譜》1，頁437。1982年何長工本人在一次會面中向胡績溪透露了這個秘密使命。請參閱*Dicobio*, pp. 229–230中何長工的詞條。

10 何鍵（1887–1956），出生於湖南醴陵，職業軍人，早年投靠北洋政府，在唐生智旗下參加北伐。1927年5月，屠殺湖南農民團體。他與蔣介石關係並不密切。1929年3月起任湖南省主席，湖南是當時的戰略要省，他統治湖南長達九年，軍閥中只有閻錫山擔任山西省省長時間超過他。這可能是出於平衡蔣系和南方兩廣軍閥的關係。1937年11月何鍵調任軍需部長，湖南省主席由蔣介石的一名親信擔任。1945年後引退，回家鄉休養，後在台灣過世。何鍵為人極端保守，是個堅定的反共分子，1930年殺害了楊開慧，幾乎把湖南省境內的共產黨連根鏟除。我們很難想像這樣一個人會像張戎說的那樣為了討好蔣介石，1934年11月故意放棄摧毀紅軍的機會，更何況他與蔣介石關係本就不是非常和睦。紅軍強渡湘江時，他的隊伍只是晚了48小時。

11 本書中我對長征開始至遵義會議期間的描述主要參考了*Yang*, pp. 100–128和*Harrison*, pp. 91–104。

12 興安，此處有著名的「空中運河」靈渠，自唐代以來就是船隻從湘江通往灕江的必經之路。

13 *Jung* p. 138.「…… 著名的長征在很大程度上是蔣介石計劃的。」作者在第136頁提出了一些證據。大部分證據出自秦孝儀1978年在台北出版的《總統蔣公大事長編初稿》。張戎等應該與她交流過。後者編寫該書時可能參考了蔣介石的日記。其中有不少爭論，有些觀點至今仍然十分鮮見：蔣介石在書中試圖重構歷史，對過去的歷史事件重新整理，展示出一種事後的英明。他提及長征時期的各種權謀其實是為了掩蓋自己的軍事才能不足，這一點在後來的戰役中已經表現出來。另一項證據同樣不太可信。張戎引用了蔣介石的秘書晏道剛的轉述。此人被共產黨俘虜，20世紀60年代在北京出版懺悔錄（《文史資料》第62期）。鑒於當時編寫和出版的情形，對這份資料的使用應十分謹慎。但張戎等人不是這樣理解的。

14 這裏指上一章中提到的「牛蘭夫婦事件」。當時中間人士是孫中山遺孀宋慶齡，也是蔣介石的姻親。張戎在文中稱宋慶齡也是蘇聯共產國際的代表，*Jung*, p. 140註解。

15 實際上一直到西安事變後，斯大林需要蔣介石在亞洲牽制日本，才同意蔣經國回國。1937年3月25日，蔣經國攜蘇聯妻子芬娜和兩個孩子回到中國。

16 *Short*, p. 10. 根據許多老兵的回憶詳細描寫了當時的情形。戰士們冒着大雨，沿着岩壁上的一條只有30厘米寬的小路前進。路面太窄，士兵們只能放棄擔架，把傷員背在身上趕路，大部分的馬匹都失足掉落懸崖。當地的苗族也不太好客，畢竟他們自己物資也十分短缺。

17 *Jung*, p. 137.「毫無疑問，蔣介石故意放跑共產黨中央領導和紅軍主力。」

18 張戎等在著作第137頁深入分析了以上數據，並給出兩個證據。第一個證據出自李德回憶錄的英文譯本（pp. 91–92）。然而他本人對紅軍湘江戰役的失利負主要責任，極有可能故意縮小這場戰役的傷亡人數。第二個證據出自國民黨軍史辦公室出版的六卷本《剿匪戰事》中的湘江戰役報告（p. 186）。這本著作1967年在台北出版，極有可能在蔣介石的授意下故意美化何鍵。畢竟他既不屬蔣系，又已經過世十多年了，而且湘江戰役是國民黨在紅軍長征期間對共取得的最大勝利。

19 12月召開的通道會議、黎平會議和猴場會議直到80年代才漸漸得到重視。李德的回憶錄1980年被翻譯成中文，在第124頁中提到了通道會議。在西方作者中，只有本傑明・楊、斯圖爾特・施拉姆和肖特提及這個會議。後者引用了《中共中央文件選集》第10卷收錄的三場會議表決通過文件，1995年1月肖特還前往黎平和遵義博物館參觀了原件。參見《中共中央文件選集》(北京，中共中央黨校出版社，1989)，頁441–446。《金》1，頁337–340和《年譜》1，頁339–342。上述兩份資料中只談到博古、李德、周恩來、洛甫、王稼祥和毛澤東六人出席了會議。其中博古因病缺席了黎平會議，周恩來主持召開上述會議。但是基本能確定朱德和陳雲兩人作為政治局常委也出席了會議，畢竟已證實出席會議的王稼祥當時只是候補委員。

20 次月何鍵率軍奪回遵義，俘虜了這名軍閥，並槍斃了他。

21 遵義會議的參考文獻在本章的第一條註釋中已經説明。1945年黨史決議中認為遵義會議結束了中國共產黨1927年以來的三條「左傾冒險主義」路線，然而一直到20世紀80年代隨着相關決議和當事人的回憶錄陸續出版後，這場會議才為歷史學家所熟知。這些新資料也對這場會議的決定性作用提出了質疑。

22 李卓然，紅五軍團政治委員。

23 王明當時在莫斯科，是共產國際的領導成員。

24 Otto Braun, *Mémoires*, p. 104.

25 轉引自《聶榮臻回憶錄》(北京：解放軍出版社，1986)，頁10。

26 這篇決議內容部分由毛澤東起草，1942–1945年延安整風運動期間，毛澤東認為博古的政治路線完全是錯誤的，故該決議沒有收錄在《毛澤東選集》中。

27 *Saich*, p. 644.

28 最後兩天例外。

29 *Saich*, p. 643. 西康省，境內多山，所轄地現為川西和西藏東部，多數地區是以藏族為主的少數民族聚居地。共產黨曾設想在大渡河和邛崍山之間建立新的蘇維埃根據地，海拔3,000–5,000米，俯瞰富饒的赤水盆地。

30 徐向前(1901年–1990年9月21日),出生於山西五台一個沒落讀書人家,畢業於黃埔軍校。1927年加入共產黨,曾參加廣東罷工和海陸豐起義。後在鄂豫皖根據地指揮紅四軍作戰。長征時曾跟隨張國燾南下,後帶領部隊回到延安。1945年七大當選中央委員,1949年4月指揮紅軍解放太原。1955年9月被授予開國十大元帥之一。

31 *Yang*, pp. 129–161.

32 *Jung*, pp. 148–150.

33 參見《聶榮臻回憶錄》(北京:解放軍出版社,1983),上卷,頁286。

34 *Harrison*, p. 165.

35 毛澤東曾規定以花炮作信號:三次表示大勝,兩次表示小勝,一次表示戰敗或者損失慘重。紅軍這兩個月在戰場上花炮一直都只響過一次。

36 《年譜》1,頁453。

37 同上,頁455。這一時期的情形沒有檔案記載。我主要參考了 *Short*, pp. 285–286; *Jung*, pp. 170–172(法語版)主要資料來源是李德的回憶錄以及一些老兵後來的回憶,尤其是李銳、黃克誠和洛甫的回憶。

38 當地可以聽到雲南、貴州和四川三省的雞叫,故名雞鳴三省村。

39 1935年12月潘漢年重新回到上海,與蘇聯建立電報聯繫,電台安置在宋慶齡家中。

40 *Jung*(法語版)曾做過引用,p. 173。根據俄羅斯國家社會政治史檔案館(RGASPI),495/18/10011, pp. 13–14. 參見1935年10月15日陳雲向共產國際執行委員會秘書處提交的報告以及相關註解。1936年2月陳雲起草了另一篇報告,在《共產國際》上發表,向世人介紹了中國共產黨悲壯的長征以及在西北建立的新的革命根據地。

41 圍棋,日語「go」,是一種圍剿對方棋子的游戲。

42 朱德在接受艾格尼絲 · 史沫特萊的採訪時曾詳細敘述長征情形。Agnes Smedley, *La Longue Marche: Mémoires du maréchal Chu Teh*, Éditions Richelieu, Imprimerie nationale, Paris, 1969, p. 118. 英文原版1956年出版。

43 飛奪瀘定橋戰役的傳奇經過最早由毛澤東於1936年向埃德加 · 斯諾談起,後來朱德接受艾格尼絲 · 史沫特萊採訪時作了相同敘述。戰役突擊隊指揮楊成武後來在回憶錄中也證實毛、朱兩人的敘述,哈里森 · 索爾茲伯里和本傑明 · 楊在著作中轉述了他的回憶。然而張戎等提出不同的觀點，他們認為當時瀘定橋上橋板被拆去，廖大珠率22個突擊兵冒着槍林彈雨爬着光溜溜的鐵索鏈向橋頭猛撲的經過都是杜撰的。這23名勇士的英勇事跡是日後人們美化的(*Jung*, pp. 173–175)。鄧小平和彭德懷曾告訴身邊人奪取瀘定橋並非十分困難，當時國民黨軍官指揮不力，火力不強。我認為張戎是為了增強自己主觀臆斷的觀點「長征是蔣介石特意安排的」的可信性，完全否認奇襲瀘定橋的功績，把一場英雄般的戰鬥説成一場小型武裝衝突是十分過分的。孫淑媛最新出版的著作中引用了多名目擊者的回憶，證實當時在這座著名的橋樑上確實發生過戰鬥，即使戰鬥的規模有限。Sun Shuyuan, *The Great Road*, Harper Collinsmars, 2006.

44 《年譜》1，頁458。

45 即「三民主義力行社」，是創建於1932年的秘密社團，主要為蔣介石綁架甚至暗殺政敵。

46 關於兩軍兵力的真實人數在歷史學家當中一直存在爭議，*Short*做了很好的小結，參見註釋42，p. 622。共產黨官方資料上稱當時紅一軍兩萬人，紅四軍八萬人，這一數據不太可靠。張國燾在回憶錄中記載紅一軍一萬人，紅四軍四萬五千人。李德指出紅一軍在會理會議期間人數為兩萬人(vol. 2, p. 379)，之後長征途中仍有減少，尤其在翻越夾金山時損失了四至五千名士兵。張國燾對於自己部隊人數的記載應該不會有錯。

47 張國燾在回憶錄中稱兩河口會議只持續了三個小時，可能故意降低了會議的重要性(pp. 383–389)。而中國最新出版的毛澤東傳記中提出會議整整開了三天，這個數字應該比較可信。《金》，頁355 –356。

48 他得到向西派遣第二縱隊的承諾。

49 陳昌浩，「二十八個半布爾什維克」之一，曾編譯恩格斯作品。他能説一口流利的俄語，經常用俄語與李德交流。他被認為張國燾應該為西路軍兵敗甘肅負責。

50 這種安排實際上是讓紅一軍的將領指揮張國燾的紅四軍，讓紅四軍的指揮帶領毛澤東的紅一軍，以增加兩軍戰士的團結一致。

51 《年譜》1，頁468；*Short*, p. 292.

52 Cf. Les *Mémoires* d'Otto Braun, p. 136; *Harrison*, pp. 266–276.

53 這個損失主要集中於加入毛澤東右路軍的紅四軍。

54 *Mao's Road* 5中對這幾週的情形有詳細描述。對於張國燾9月9日的密電一直存在爭議。即使這份密電真實存在，也從未對外公布過。請參閱Benjamin Yang, *From Revolution to Politics*, pp. 158–159; *Harrison*, pp. 274–276. 哈里森曾與李先念會面，後者證實讀過密電，並記得其中的一句話：「徹底開展黨內鬥爭」。這與金沖及的《毛澤東傳》中的陳述相符，毛澤東在說到這份電報時稱「張國燾意圖分裂黨，犯了極大錯誤」。葉劍英可能截獲並破譯了這份電報，立刻通知毛澤東。1982年5月20日–1985年5月20日《黨史研究資料》數期內容對此展開辯論。呂黎平當時在左路軍參謀部工作，證實見過此密電，電文還要求他們「加入反對毛澤東」，可見李先念的話是可信的。1937年3月31日黨中央通過決議，譴責「張國燾自恃軍隊人數眾多，想要重組黨中央機關」（*Saich*, p. 755）。但是歷史學家王年一曾經詢問左右兩路軍的電報員，兩人證實均未見過這份電報。根據目前的資料情況，對於這份密電究竟是否存在仍有疑問，但是張國燾當時利用軍事施壓是不爭的事實。

55 Edgar Snow, *Red Star over China*, New York, Grove Press, 1969, p. 432; *The Other Side of the River,* New York, Random House, 1962, p. 141: interview de Mao en 1960.

56 Peng Dehuai, *Memoirs of a Chinese Marshall*, p. 378.

57 Benjamin Yang, *From Revolution to Politics*, p. 165. 引用了王志勛的文章〈對長征目的地新的討論〉，載《黨史通訊》，1984（12月號），頁39。

58 張戎和哈利戴書中關於長征的描述完全是在糊弄人，他們把臘子口戰役再次描述成一次小型武裝衝突，但是又提不出任何可信的證據。*Jung*, p. 187, note 1.

59 《聶榮臻回憶錄》（北京：解放軍出版社，1983），上卷，頁290。

60 《年譜》1，頁477。一年後張國燾的紅四軍執行打通甘肅的「寧夏戰役計劃」，前往新疆建立根據地，被穆斯林馬氏兄弟打敗，幾乎全軍覆滅。毫無疑問，如果毛澤東當時沒有改變計劃前往陝北，恐怕也難逃厄運。

61 《年譜》1，頁481。彭德懷為人謙虛謹慎，把這首詞的最後一句改為「唯我英勇紅軍」。

62 〈清平樂．六盤山〉寫於1935年10月，英語譯本請參閱 *Short*, p. 297.

63 J. Myrdal, *Un village de la Chine populaire*, Paris, Galimard, 1964, photos 1–5. John Lossing Buck, *Land Utilisation in China*, Nankin, 1937, vol. I, p. 139–144; Georges Cressey, *Géographie humaine et économie de la Chine*, Paris, 1939, p. 233.

64 回族，指信仰伊斯蘭教的民族，屬少數民族。

65 Pauline Keating, *Two Revolutions: Village Reconstruction and the Cooperative Movement in Northern Shaanxi, 1935–1945*, Stanford, Stanford University Press, 1997.

66 劉師培（1884–1919），國民黨文人，提出中國的傳統可以追溯到黃帝時期，曾加入同盟會，後由於害怕同盟會宣傳的現代共和理念，1907年投降清廷。

67 劉志丹（1903年10月4日–1936年4月14日），出生於河北保安一個富裕的家庭，哥老會秘密團成員，是當地游擊隊的首領，組織農民游擊活動。1936年4月14日在山西西部一場戰鬥中犧牲。為了紀念他，中央將保安縣更名為志丹縣。張戎和哈利戴提出是一個姓裴的人從200米以外開槍暗殺了劉志丹。這個人是秘密特工，專門為毛澤東除掉潛在的政治對手，「這樣的死法太使人懷疑劉志丹是被裴或警衛員暗殺的」（*Jung*, p.195），這一觀點同樣沒有任何證據支撐。

68 高崗（1905–1954），出生於陝西省橫山縣一個小地主家庭，在榆林中學學習期間認識了劉志丹，兩人的老師是共產黨員，在恩師的影響下投入革命，在山西中部地區組織運動。

69 徐海東（1900–1970），出生於湖北武漢附近一個目不識丁的窑工家庭，曾在軍閥手下做事，北伐時期加入大名鼎鼎的張發奎率領的國民革命軍第四軍，擔任排長。1925年加入共產黨，在湖北一帶組織游擊活動，發展壯大為鄂豫皖根據地。徐海東作戰十分英勇，蔣介石對之恨之入骨，1933年屠殺了他的70名親族。

70 直羅鎮戰役，位於延安以西50公里。

71 關於「一二．九運動」，請參閱 John Israel, *Student Nationalism in China, 1927–1937*, Stanford, Stanford University Press, 1966.

72 毛澤東和黨中央的宣言撰寫於1935年11月13日，號召中國人民趕走蔣介石和國民黨。毛澤東在接受採訪時再次重申觀點，刊登在《紅色中華》1935年11月25日第241期。

73 1935年4月「國際派」閻紅彥秘密返回中國，負責重新與中國共產黨建立電台聯繫。1934年8月16日上海向瑞金發出最後一份電文後，電台聯繫中斷。閻紅彥1934年7月來到上海，1935年12月初才抵達瓦窑堡（《年譜》1，頁502）。1936年5月，劉長勝奉命携帶一台電台和密碼本抵達陝北。此時另一行七人帶着電台在蒙古遭到劫匪攻擊，電台被奪。

74 《年譜》1，頁489。林育英（林彪的叔叔）當時只是憑記憶轉述共產國際相關決定，出於安全考慮，他沒有把文件原件帶在身上。他取道蒙古回到中國，傳達完後原路返回蘇聯。《八一宣言》實際上是在莫斯科起草，並以中共中央的名義對外發布的。因此宣言的起草地並非在毛兒蓋。而且，由於長征期間紅軍與莫斯科和上海失去電台聯絡，當《八一宣言》公布時，所謂的起草人還尚不知情。

75 《年譜》1，頁490。

76 *Mao's Road* 5, pp. 54–56.

77 當時共產黨的中心口號仍然是「反日討蔣」，共產黨希望能夠處決蔣介石。

78 *Mao's Road* 5, p. 66.

79 《年譜》1，頁497–499。*Mao's Road* 5, pp. 77–83. 出席這次政治局會議的有毛澤東、洛甫、周恩來、王稼祥、博古、劉少奇、凱豐、鄧發、李維漢、楊尚昆、郭洪濤和張浩。12月25日會議投票通過《中央關於目前政治形勢與黨的任務決議》，可以參閱*Saich*, pp. 709–723。12月23日報告的《中央關於軍事戰略問題的決議》由毛澤東起草，請參閱*Mao's Road* 5, pp. 77–83.

80 報告內容收錄在《毛澤東選集》卷一，內容略作修改。參見《毛澤東選集》（北京：人民出版社，1991），第2版，卷一，頁142–169。

81 影射1934年福建事變。

82 這令我們想起1933–1934年彭德懷暗指毛澤東視野狹窄。

83 影射張國燾失去鄂豫皖根據地，而張國燾只談紅軍丟了中央根據地。

84 盤古，中國古代神話的創世神。傳說天地初始一片混沌，盤古利用神力開天闢地。

85 第二中央委員的名單始終未對外公布，因為其中有些人後來加入了毛澤東的陣營。

86 張國燾1936年1月22日的電報以及黨中央的回電請參閱*Saich*, pp. 740–741, documents E.10 et E.11.

87 在胡漢民的唆使下，陳濟棠和李宗仁宣布兩廣獨立。

88 《年譜》1，頁542。譯文收錄在*Mao's Road* 5, pp. 533–539. 電報由林育英、周恩來、洛甫、林彪、王稼祥、博古、凱豐、徐海東、毛澤東、鄧發、彭德懷和張子華聯合署名，電報接收方是朱德、張國燾、劉伯承、徐向前、陳昌浩、任弼時、賀龍、蕭克、關向應和夏曦。

89 湘鄂川黔根據地，位於湖南、湖北、四川和貴州交界處，以桑植鎮為中心。

90 毛澤東匆忙率領部隊北上，很可能沒來得及帶上電報密碼本。故賀龍和任弼時率領紅二、紅六軍長征所發電報都是張國燾接收並由他指揮兩軍路線，然而賀龍和任弼時都是支持毛澤東的。

91 根據不同老兵的敘述，這些地區糧食短缺，在賀龍與任弼時的紅二、紅六軍抵達之前，紅四軍把所有的東西都吃完了，於是他們只能忍饑挨餓，「餓到想吃死人」(的頭髮)。

92 中國官方的歷史把西路軍征戰兵敗的過錯歸咎於張國燾，以掩蓋毛澤東在這件事情上的決策錯誤。

93 倪家營子戰鬥，紅軍孤軍奮戰，最後僅餘二千人倖存。大部分被俘戰士都被活埋。

94 1938年4月18日張國燾被共產黨開除黨籍，5月張國燾刊登致中國人民的信，信中批評共產黨在第二次國共合作中「虛偽的政治」。這封信以及相關批評請參閱*Saich*, pp. 75–764, document E15, E16.

95 Edgar Snow, *The Other Side of the River*, New York, Random House, 1962. 書中斯諾回顧了1936年7–8月對毛澤東和周恩來的採訪，對有些內容作了修改，p. 142。毛周兩人都認為1935年9月11日發生的事件是「一生中最關鍵的時刻」。這些話可以在1968年再版的《紅星照耀中國》修訂版中得到證實，p. 432。

96 如果您需要查看這些公開講話，請參閱*Mao's Road* 5。講話一再重複相同內容，本書不再一一列舉。

97 這裏指曾養甫。共產黨一方代表是張子華，擔任中共上海中央局組織部秘書，奉命前往南京會面，雙方都帶了委託文件開始了試探性的接觸。

98 蔣介石的中央軍抵抗日本不力，各地紛紛成立抗日先鋒軍：1936年6月初，參與兩廣獨立的廣西桂系軍閥白崇禧率領「抗日遠征團」進入湖南，北上抗日。

99 在這場戰鬥中劉志丹犧牲了。

100 *Mao's Road* 5, pp. 529–532.

101 Ibid., pp. 511–512.

102 7月6日，中國陝北革命根據地與蘇聯的電台聯繫終於重新建立。

103 *Mao's Road* 5, pp. 557–558. 斯圖爾特．施拉姆早在《毛澤東》(*Mao Tse-tung*)一書中就記錄了這一宣言。Collection U Armand Colin, 1963, pp. 234–253.

104 關於埃德加．斯諾(1905–1972)和海倫．福斯特(1907–1997)的介紹，請參閱Bernard Thomas, *Edgar Snow in China: Season of High Adventurism*, Berkeley, University of California Press, 1996; John Maxwell Hamilton, *Edgar Snow: A Biography*, Bloomington, Indiana University Press, 1998以及Robert M. Fransworth, *From Vagabond to Journalism: Edgar Snow in Asia, 1928–1941*, University of Missouri Press, 1996.

105 《芝加哥論壇報》、《曼徹斯特衛報》、《太陽報》、《每日先驅報》以及華盛頓綜合新聞協會。1936年6月14日–10月21日斯諾前往蘇區採訪，主編支付了450美元(1,334.50中國法幣)，其中不包括版權費。

106 埃德加．斯諾於1930年3月–1931年5月在印度旅行期間接觸到馬克思主義，他曾經向印度著名共產黨人蘇哈西妮(Suhasini)請教。來到中國後，他在北京清華大學圖書館大量閱讀馬克思主義著作，這些作品主要由英國左派社會黨人賴斯基教授(Harold Laski)、約翰．斯朱科(John Stracky)以及編輯維克多．戈倫茨(Victor Gollancz)在倫敦出版。後者後來還在英國出版了《紅星照耀中國》。斯諾不信任蘇聯，因而從未加入過共產黨，但是他堅定地反對日本軍事擴張以及各種形式的法西斯主義。在斯諾眼裏，國民黨政府就代表了法西斯。

107 埃文斯．卡爾遜(Evans Carlson)，海軍陸戰隊隊員，後退役。他認為中國共產黨對革命團結一致就像美國獨立戰爭時的美國人反對英國人一般。

108 黃華，1913年出生於河北，1949年後擔任中華人民共和國外交官。曾擔任中國駐加納、加拿大大使及駐聯合國代表，1977–1980年任中華人民共和國外交部部長。1987年後擔任多個榮譽職位。

俞啟威，1949年擔任天津市市長，1958年過世，年僅46歲。

姚依林(1917–1994)，經濟學家，專家出身的高級官員，是1978年鄧小平實行改革開放經濟政策的建議人之一，曾主管財政經濟委員會。1989年後成為中央政治局第四號人物。

109 柏烈偉(Serge Polevoi)是共產國際派駐上海的代表。漢密爾頓(Hamilton)在斯諾的傳記中認為他在斯諾的採訪安排中起了重要作用，而伯納德・托馬斯(Bernard Thomas)提出鑒於《紅星照耀中國》出版後莫斯科對毛澤東的冷漠態度，這種可能性不高。

110 Thomas Kampen, "Wang Jiaxiang, Mao Zedong and the Triumph of the Mao Zedong Thought 1935–1945," *Modern Asian Studies*, vol. 23, no. 4, 1989.

111 比如把卡片一撕為二，接頭時重新對上。喬治斯・海德姆(Georges Hatem)祖籍黎巴嫩，在共產黨的邀請下來到陝北根據地，旨在改善當時紅軍艱苦的醫療環境。

112 根據1979年8月一份記錄毛澤東與斯諾討論的資料，吳亮平稱毛澤東十分滿意斯諾在《紅星照耀中國》一書中宣傳中國共產黨的政策。斯諾的筆記現存放於密蘇里堪薩斯城密蘇里大學檔案館。其中第一、三、四次採訪沒有全部出版。第二、五次採訪於1936年11月14日和21日刊登在《中國每週評論》上。《紅星照耀中國》一書中不少篇幅描述了這些採訪，尤其是在1968年的修訂版中。五篇採訪的中文譯本於1937年3月11日以《中國的新西南》為名出版。

113 當時謠言盛傳，說斯諾已經被共產黨槍斃了。

114 這是一位叫王福時的人翻譯的，他是斯諾的舊識，其父在北京編輯一份張學良支持的刊物。中譯本300頁，有豐富的地圖和照片資料，總共印刷了5,000冊。原中文書名為《外國記者西北印象記》。

115 直至1979年，《紅星照耀中國》的官方譯本才在中國大陸發行。

116 海倫・斯諾(Helen Snow)，筆名尼姆・威爾斯(Nym Wales)，1937年4

月–9月中旬和艾格尼絲・史沫特萊一同訪問陝北蘇區。史沫特萊在蘇區做了許多採訪。1938年，海倫・斯諾的《紅區內幕》(*Inside Red China*)出版，這本書的出版晚於埃德加・斯諾的《紅星照耀中國》，但內容更嚴肅。在蘇區訪問期間，史沫特萊還用一個老舊的留聲機教中國領導人跳現代美國舞(查爾斯頓舞和糕餅舞)，她還請斯諾在北京買兩千個老鼠夾，在延安發起一場滅鼠行動，幫助她能睡個太平覺。一同抵達蘇區的還有一名漂亮的中國女演員吳莉莉(吳光偉)，三個女子身穿制服，模樣可人，她們的到訪還引發了一件著名的事件：毛澤東十分殷勤地上吳莉莉的舞蹈課，使賀子珍與毛澤東的感情出現裂痕，最終賀子珍憤然出走，這些年輕女子離開延安。

117 如果你需要了解艾格尼絲・史沫特萊(1893–1950)的生平，請參閱 Janice and Stephen R Mackinnon, *Agnes Smedley*, Berkeley, University of California Press, 1988. 艾格尼絲出生於科羅拉多州一個貧苦的家庭，深受世界國際工人無政府工團主義影響，積極支持女權運動。1928年艾格尼絲來到中國，在作品和報道中高度評價中國共產黨。1937年，艾格尼絲採訪朱德總司令，回國後開始撰寫朱德傳記。1956年，《偉大的道路：朱德的生平和時代》(*The Great Road: The Life and Times of Chu Teh*)由其遺產執行人埃德加・斯諾在《新聞評論月刊》(*Monthly Review Press*, London-New York)上發表。法文版《長征：朱德元帥回憶錄》(*La Longue Marche: Mémoires du maréchal Chu Teh*)1969年由黎塞留出版社出版(Éditions Richelieu)，法國漢學家畢仰高為此書作了序言。

118 *Mao's Road* 5. 五嶺指1934年10–11月紅軍翻越的五座山嶺：江西南部的大庾、騎田、廣東北部南嶺的萌渚、湖南廣西交界處的都龐、湘江河谷通往靈渠的越城。烏蒙山綿延在貴州、雲南兩省之間，遵義以西，紅軍1935年5月翻過此山。詩中還提到了橫渡金沙江和飛奪大渡河上的瀘定橋。三軍指毛澤東的紅一軍、張國燾的紅四軍和賀龍的紅二軍。

119 Parks M. Coble, *Facing Japan: Chinese Politics and Japanese Imperialism 1931–1937*, Harvard University Press, 1991.

120 莫斯科和北京的開放檔案證明，毛澤東當時曾積極尋求蘇聯的援助，這與廣泛流傳的觀點相反。米歇爾・沈(Michael Sheng)與約翰・卡特

(John Cater)在1992年3月的《中國季刊》(*The China Quarterly*)第129期上展開激烈討論，探討毛澤東、斯大林和國共第二次合作拼提出各種證據。當然，對於斯大林是否真心支持毛澤東，以及毛澤東是否真心贊同斯大林這些問題確實還存在疑問。

121 Jürgen Domes, *Vertagte Revolution* (*La révolution différée*), Berlin, 1969, pp. 641–644，提到了蔣介石1937年8月4日的個人備忘錄寫道：目前中國軍隊還不夠強大，只能耐心等待。但是「如果日本及滿洲國對北平、天津、綏遠、山西、山東或者上海發動進攻，那麼中國軍隊必須奮起抵抗，不論抵抗最終的結果會如何」。

122 毛澤東十分注意對美國人民發表的講話，他希望美國能夠放棄孤立主義政策。

123 《年譜》1，頁607–608。

124 或者是「他原本可以」，中文的語法沒有法語語法嚴謹。(譯註：中文此處本無歧義，可能是作者閱讀的法文版翻譯問題所致。)

125 毛澤東曾告訴斯諾，他同意更改紅軍番號，名義上加入國民革命軍，但是共產黨必須掌握獨立自主的指揮權。*Snow*, p. 439.

126 「七君子事件」，指上海愛國會七位有一定身份地位的領導人，如知名律師史良，11月初被國民黨逮捕，此事在社會上反響巨大。

127 華清池，著名的史傳楊貴妃沐浴之處。

128 張學良曾告訴周恩來，除非南京西安之間內戰爆發，且西安被圍，他才會處決蔣介石。這一點在12月17日周恩來致毛澤東的電報中寫得清楚。關於這個問題，張戎和哈利戴查閱了蘇聯以及共產黨中央檔案館各種文獻摘錄，*Jung*, pp. 206–212.

129 *Short*, p. 305, 註釋127指出，據一名叫王凡的人在著作中提出(1997年中國青年出版社出版)12月10日，毛澤東曾致電張學良，12月11日，毛澤東的秘書葉子龍收到張學良的密電回覆。電報是一段短短的中文古文，其中有兩字他問遍了身邊的人都不認識。當他把電報呈給毛澤東時，毛迅速掃了一眼，笑着說「好消息」。與斯圖爾特・施拉姆及其他歷史學家不同，肖特認為張學良通過電報事先通知了毛澤東扣留蔣介石一事，而且毛澤東是同意的，因此當他必須否認自己決定好的事情時，毛澤東才會勃然大怒。

130 張國燾：《我的回憶》，卷二，頁480：「毛澤東大笑，像個瘋子」。

131 關於西安事變的敘述請參閱Bertram James, *First Act in China*, New York, Viking Press, 1938; Wu Tien-wei, *The Sian Incident: A Pivotal Point in Modern Chinese History*, Ann Arbor, University of Michigan Press, 1976；吳天威：〈關於西安事變的新資料〉，刊登在《現代中國》第10期，1984年1月第1期，頁115–141；楊奎松：《西安事變新探，張學良與中共關係之研究》（台北：東大圖書公司，1995）；《金》，頁415–425；《年譜》1，頁621–646；*Mao's Road* 5（1936年12月13日–28日）；張國燾：《我的回憶》，卷一，頁481–483；Edgar Snow, *Random Notes on Red China*, Cambridge, Harvard University East Asian Research Center, 1957, p. 1；郭華倫：《中共史論》（台北：中華民國國際關係研究所，1970），卷三，頁228–331；Jiang Jieshi, *General Chiang Kai-shek: The Account of the Fortnight in Sian When the fate of China Hung in the Balance*, Garden City, Doubleday, 1937, 該書宣傳作用大於歷史研究。

132 *Jung*, pp. 208–209，引用自《張學良年譜》。周恩來曾對張學良說，最安全的做法就是殺了蔣介石。在12月17日寫給毛澤東的信中，周恩來強調要「採取些強制性措施」，此話與前文意思一致，只是表達比較含蓄。見張友坤、錢進：《張學良年譜》（北京：社會科學文獻出版社，1996），頁1124–1125。

133 關於這一點，我仍然無法接受張戎和哈利戴的觀點。他們提出毛澤東想成為全中國的主人，被這個念頭沖昏了頭腦，想方設法欲置蔣介石於死地，直到12月20日，共產國際一再命令共產黨釋放蔣介石，毛澤東才不得不作出讓步。這個觀點跟兩人之前提出的觀點相同。儘管作者能拿出新的資料，但是他們未確認這些資料的真實性，而且故意對其他支持相反觀點的資料置之不理。

134 蔣介石三大錯誤為：面對日本人的不抵抗政策；使用武力解決國內問題；鎮壓人民。

135 這裏指中國兩條重要的鐵路：隴海鐵路從東向西連接黃海和陝西，京漢鐵路連接北京和漢口。

136 這裏我遵循斯圖爾特·施拉姆和金沖及提出的時間順序（《金》1，頁418）。

137 金沖及根據中共中央檔案館資料詳細敘述了毛澤東所做報告。

138 斯圖爾特・施拉姆根據一些目擊者的回憶，推測當時通信很不發達，這篇社論一週後才傳到保安。但是中共之前可能已經知曉社論的大致內容。當時潘漢年在上海，能接觸到蘇聯的報紙。而張學良的消息網絡十分發達，因此他的表現才會如此緊張。蔣介石在《西安半月記》中提到，12月14日張學良慚愧地走進關押他的房間，靜靜地哭泣，過了一會兒再次回來，為自己「愚蠢莽撞」的行為道歉，承諾儘早釋放自己。《西安半月記》1985年由「中華印刷公司」在台北發行。儘管這個版本的事件有美化蔣介石的嫌疑，但是可以肯定，張學良很早就知道不能指望蘇聯的援手。而且蘇聯的反應也在意料之中，自1936年夏天起，共產國際就一直向蘇聯施壓，要求共產黨儘早結束國共內戰。

139 共產國際秘書格奧爾基・季米特洛夫（Georgi Dimitrov）於12月16日從莫斯科下達了這些命令，18日電報抵達保安，由於傳輸困難，電文無法譯出，因此19日再發命令，20日上午譯出。不過18日共產黨應該已經知曉命令的大致內容。張戎和哈利戴認為毛澤東故意以電文無法譯出為託詞，暫不公布共產國際的命令。我同意他們的說法，但是原因並非如兩人所言毛澤東執着地想要蔣介石的腦袋。我認為是毛澤東不想讓中共中央認為自己在斯大林的命令下讓步，故意讓黨中央集體協商決定蔣介石的命運。

140 在季米特洛夫的日記（Ivo Bassac, *The Diary of Georgi Dimitrov*, Yale University Press, 2003. 法文版：*Le Journal de Dimitrov, 1933–1949*, Belin, 2003）中，1936年12月14日記錄了這麼一段軼事：這天斯大林打電話給季米特洛夫，十分生氣，責問是不是他作出了扣押蔣介石的決定。顯然，斯大林知道了中國共產黨高興地慶祝蔣介石被捉一事。季米特洛夫保證這並非自己所為，並稱「這個讓日本人高興」的事件是毛澤東和張學良密謀的。斯大林於是讓共產國際向中共發出通告，重申自己的要求。通告由王明起草，當時王明任中共駐共產國際代表，他同意扣押蔣介石，也贊成處死蔣介石。於是斯大林問季米特洛夫：「這個王明是誰？是不是他唆使的？」因此把王明無條件地說成是斯大林的「國際派」是不對的，這也解釋了1938年王明和毛澤東發生衝突時，為甚麼斯大林不支持王明。

141 在這種情形下，這意味着承認中國共產黨的合法性。

142 正如金沖及在《毛澤東傳》中記載的那樣（《金》1，頁420）。

143 Edgar Snow, *Random Notes on Red China*, p. 21；張國燾：《我的回憶》，卷二，頁484。當時告知斯諾毛澤東勃然大怒的人應該是宋慶齡，但是宋慶齡當時未在場。毛澤東生氣一事，《年譜》和《金》中均未提及。但是張國燾在書中作出證實，而且1933年羅斯・特里爾（Ross Terrill）與黃華會面後也證實了這一點（*Mao*, p. 173）。我認為毛澤東發怒確有其事，但是生氣的緣由可能並非是斯諾給出的解釋。

144 關於這個事件最好的描述當屬吳天威的作品，這裏我參考了他的著作，他的著作內容翔實，條理清楚，優於金沖及和周恩來起草的中共中央報告。《金》1，頁421–422；《毛澤東選集》，2版，卷一。杜勉等少數人認為周恩來當時根本沒有和蔣介石會面。Jürgen Domes, *Vertagte Revolution*, pp. 668–674.

145 根據吳天威的分析，這個「警告」的內容可能已經被多次修改，儘管其真實性不容懷疑，但是最初的原文如今已經無法找到。12月28日，毛澤東在〈關於蔣介石聲明的聲明〉中曾經嘲諷地評論此事。見《毛澤東選集》（北京：人民出版社，1991），2版，卷一，頁245–251。

146 張學良1937年1月4日被特赦，但長期被軟禁，由於抗戰期間國軍不斷失去領地，張被軟禁的地點也經常變動，國民黨敗走台灣時，張學良轉至台灣繼續被軟禁直至1961年。1975年蔣介石逝世10年後，張學良逐漸恢復人身自由。2001年10月14日張學良在夏威夷寓所內過世，享年103歲。

147 1937年2月2日，東北軍內參與西安事變的少壯派與協商促成釋放蔣介石的元老派產生內訌，相互屠殺。

148 楊虎城以「特殊軍事調查」為名流亡海外。1938年楊虎城回到中國，隨即被蔣介石逮捕，關在集中營，被囚地點一再轉移。其妻絕食抗議，請求蔣介石釋放楊虎城遭拒。1949年9月楊虎城與四位親人在重慶附近被槍決，其長子在西南指揮紅軍作戰。

149 自1月起，毛澤東的電報一再要求蔣介石遵守承諾，用一句中國的老話說就是「言必信，行必果」。

150 潼關位於中國聖山之一華山的山腳，黃河和渭水在此處相匯，從潼關起，南北流向的黃河改而向東奔去。

151 延安城還建有機場，是當初美國標準石油公司為勘探石油而建。

152 《金》1，頁421–432。

153 共產國際不認同艾格尼絲・史沫特萊的採訪，要求共產黨公開譴責艾格尼絲。由此可見毛澤東並非對共產國際言聽計從。

154 國民黨參與會談的是張沖與顧祝同，後者率軍控制了西安，剝奪了楊虎城的指揮權。

155 在大會上毛澤東致開閉幕詞。原文請參閱*Mao's Road* 5, pp. 637–658. 法文版可以參閱 "Les tâches du PCC dans la période de la résistance au Japon," *Œuvres choisies*, vol. I, pp. 310–334和 "Luttons pour entraîner les masses dans le front national antijaponais uni," pp. 335–346 (Editions sociales).

156 朱德任總指揮，彭德懷副之，下轄四個師，分別由林彪、賀龍、徐向前和劉伯承指揮。

157 以下我按時間順序描述1937年夏天的歷史事件，參閱了《年譜》2，頁2–23; *Mao's Road* 6, pp. 1–32; *Saich*, pp. 665–668, pp.771–773和pp. 791–792；以及《毛澤東選集》卷二，北京外文出版社提供多個外語譯本；時法國駐華使館武官紀業馬將軍（Jacques Guillermaz），《中國共產黨黨史》(*L'histoire du parti communiste chinois de Jacques Guillermaz*, tome II, Paris, Petite Bibliothèque Payot, 1975, pp. 280–287 et pp. 309–312.

158 *Saich*, pp. 663–668 et pp. 791–792.

159 《毛澤東選集》，2版，卷二，頁359–361；*Mao's Road* 6, pp. 39–45.

160 *Mao's Road* 6, pp. 66–77；《毛澤東選集》，2版，卷二，頁362–372，〈國共合作成立後的迫切任務〉。

161 在總結目前的情形時，為了取悅農民聽眾，毛澤東使用了拉伯雷式的俚俗言語，這些言語後來沒有收錄在《毛澤東選集》內。毛澤東批評蔣介石態度傲慢，「君主專制和鎮壓挫傷了人民的積極性」，「目前矛盾的關鍵是有些人佔着茅坑不拉屎，而其他人肚子嘰裏咕嚕響，卻沒有茅坑可上」。

162 毛澤東1945年作了這首詩。

163 見斯圖爾特・施拉姆在《通向權力之路》第六卷（*Mao's Road* 6）中所寫的

序言以及施拉姆翻譯註釋的《毛澤東閱讀辯證唯物主義的筆記》(*Notes de lecture de Mao sur le matérialisme dialectique*)(pp. 573–667)。1938年4至5月這些筆記在延安以油印材料形式發行，其他筆記還有1936年11月至1937年4月所做的關於希羅科夫(M. Shirokov)《辯證唯物主義》(*Le matérialisme dialectique*)的上課筆記(pp. 671–766)，1937年7月所寫的米丁(M. B. Mitin)《辯證唯物主義與歷史唯物主義》(*Matérialisme dialectique et matérialisme historique*)旁批(pp. 767–832)。這些內容於1988年在北京結集為《毛澤東哲學批註集》出版。讀者還可以參閱尼克．奈特(Nick Knight)：《毛澤東關於辨證唯物主義：哲學論文1937年》(*Mao Zedong on Dialectical Materialism: Writings on Philosophy, 1937*, Armonk, M.E. Sharpe, 1990)。

164 《年譜》1，頁671–672。

165 《毛澤東選集》，2版，卷一，頁282–340。1965年會見埃德加．斯諾時，毛澤東證實從未寫過名為〈辯證唯物主義〉的文章。請參閱Snow, *The Long Revolution*, Londres, 1971, p. 207.

第九章　毛澤東思想的誕生(1937–1941)

1 *Short*, p. 326, note; Agnes Smedley, *Battle Hymn of China*, Londres, Gollancs, 1944, p. 123.

2 這家生產413號標準油的美國公司在陝北進行開發無果，在延安留下了一個小型機場和數以千計的空箱子，人們拿這些箱子做家具。保安博物館供參觀的會議室裏配的是石頭凳子：曾經有一位忠誠的博物館館長難以忍受黨的高級官員坐的凳子是最令人髮指的帝國主義提供的，所以改變了現實情況。今天，人們在離此不遠處的吳起鎮挖掘油井，當年毛澤東在吳起宣布長征結束。

3 *Short*, pp. 311, 324–325; *Jung*, p. 221;《年譜》2，頁96。

4 肖特根據多位證人的回憶和尼姆．韋爾斯的筆記進行的描述(*Short*, pp. 325–327; *Jung*, pp. 218–219)。賀子珍似乎向毛澤東扔了一個手電筒。

5 毛岸英，1922年出生，1950年在朝鮮戰爭中死於美國的轟炸。毛岸青，

1923年出生，患有輕微精神病。毛岸龍，1927年出生，母親被槍決後於1931年在上海死於痢疾。

6 *Mao's Road* 7, p. 168.

7 Ibid., p. 665.

8 江青(1914–1991年5月14日)，本名李雲鶴。出生於山東，父親是一名粗暴的車夫，母親在康生父母家做幫傭，江青逃離了這種貧苦的環境，接受了一份補助之後在濟南學習戲劇藝術。1931年，她加入了由流動演員組成的海濱劇社，到過去追隨義和團的村落裏表演抗日劇目，受到當地村民的熱烈歡迎。1933年回到上海的江青加入了共產黨，這使她遭受了八個月的監禁。和其他黨內的活動分子一樣，她簽署了一份公開放棄並意識到共產黨的罪惡特性的文件以換取她的自由。她以藍蘋為藝名成為了上海左翼電影公司拍攝的愛情愛國電影的主角。她結過兩次婚，有兩段公開的曖昧關係，偶像為女演員葛麗泰・嘉寶(Greta Garbo)。到延安後她才改名為江青，「青色的江水」，寫的時候加上了三點水，但讀法是一樣的，意思為清澈的江水：這位花邊新聞不斷，夢想成為女明星的年輕電影演員，在延安的革命中得到了淨化，因而延安也成為了她的第二個出生地。關於江青的更多信息，我們可以參考由羅克珊・維特克(Roxane Witke)整理的江青傳記：《紅都女皇》(*Comrade Chiang Ch'ing*, Boston, Little Brown, 1977)。這本書顯然仿傚埃德加・斯諾關於毛澤東的傳記，書中的內容多是對江青的肯定。羅斯・特里爾在他寫的江青傳記中予以反駁：《白骨精：毛澤東夫人傳記》(*Madame Mao: The White-boned Demon*, Stanford [CA], Stanford University Press, 1992)。該書於1997年再版發行。以上兩本書都被翻譯成法文。

9 《年譜》2，頁97。

10 英國記者岡瑟・斯坦(Gunther Stein)在1938年將對毛澤東的長篇採訪收錄於《紅色中國的挑戰》(*The Challenge of Red China*, New York, McGraw-Hill, 1945, p.106)。這次採訪從下午3點一直持續到第二天凌晨3點。期間，毛澤東出去找了一塊平整的石頭墊在斯坦做筆記的木桌下。幾天以後，毛澤東在路上偶遇斯坦，便叫住了他：「我後來就上次和你談的問題又諮詢了朱德和周恩來同志，他們都十分贊同我！」

11 關於艾思奇(1910–1966),見Joshua A. Fogel, *Ai Ssu-ch'i's Contribution to the Development of Chinese Marxism*, Cambridge, Harvard University Press, 1987。

12 陳伯達(1904–1989),由於無法擺脱濃重的福建口音,別人常常無法理解他表達的意思,他還有輕微的口吃。老天為了補償他身體的缺陷,給了他非凡的文筆和過人的工作能力。在宣傳方面屈居於陸定一的他,成了毛澤東的特別秘書,在創立「毛澤東思想」的過程中扮演了重要角色。見R. Wylie, *The Emergence of Maoism: Mao Tse-tung, Ch'en Po-ta and the Search for Chinese Theory, 1935–1945*, Stanford, Stanford University Press, 1980.

13 *Mao's Road* 5. 丁玲(1904–1986),這位女文人於1932年在上海加入共產黨。她被藍衣社綁架,並被蔣介石的特務監禁在一個秘密的地方。在《中國論壇》上,伊羅生(Harold Issacs)建議大家關注國際進步分子對她的命運的看法。重獲自由以後,她來到保安。毛澤東問起她將來的打算,她回答説:「加入紅軍。」事實上,她被分配到總政治局工作。

14 *Mao's Road* 6, p. 193.

15 關於梁漱溟,見Guy S. Alitto, *The Last Confucian: Liang Shu-ming and the Chinese Dilemma of Modernity*, Berkeley, University of California Press, 1979. 梁漱溟負責關於鄉村建設的研究,他在菏澤和鄒平兩個地方試點,實行他的鄉村建設計劃。這項計劃因日軍逼近黃河而終止。梁漱溟負責研究院關於農村重建的研究,他在菏澤和鄒平兩個地方試點,實行他的農村重建計劃。日軍逼近黃河終止了這項計劃。

16 *Mao's Road* 6, p. 312. 毛澤東修改了林彪的文章〈關於抗大教育方針的講話〉,將「我們要無條件地進攻,有條件地防禦」改為「我們要以攻為主,以防為輔」。見《年譜》2,頁70。顯然林彪沒有堅持説這句話來改變毛澤東的想法。

17 斯圖爾特・施拉姆在*Mao's Road* 7, p. 37中指出毛澤東聲稱從來沒有認真學習過孔子的著作,但在他1921年前的作品中有超過100處引用了孔子的話。

18 *Mao's Road* 7, pp. 22–39.

19 章炳麟（1869–1936）、梁啟超（1873–1929）、胡適（1891–1962）和馮友蘭（1895–990）。這四個人可能是那個世紀前30年中國最重要的思想家。毛澤東補充說他還沒有時間學習章炳麟和馮友蘭的思想，要謹慎地使用它們。

20 *Mao's Road* 6, pp. 297–300.

21 徐志摩（1897–1931），現代西方派詩人，先後在紐約哥倫比亞大學和英國劍橋大學學習，集各種榮耀於一身的徐志摩在往返於上海—北京的飛機上因濃霧導致飛機失事而喪生。毛澤東曾引用他的一句話來詮釋自己的想法：「詩要如銀針之響於幽谷」。

22 亞歷山大・法捷耶夫（Alexandre Fadeyev，1901–1956）。這部小說描述了1920年與中國東北交界的東西伯利亞發生的一場游擊戰。

23 *Mao's Road* 6, pp. 301–303.

24 《年譜》2，頁37。

25 *Mao's Road* 6, pp. 112–126.

26 在1938年1月12日寫給艾思奇的信中，毛澤東說起梁漱溟，還說「軍事問題我在開始研究，但寫文章暫時還不可能」。

27 5月30日的講話〈抗日游擊戰爭的戰略問題〉。我們可以在《毛澤東選集》（*Œuvres choisies*, vol. 2, pp. 77–116）看到這篇講話的修訂版，在*Mao's Road* 6, pp. 393–420看到講話的原文。5月26日和6月3日的兩篇演說經修訂後以〈論持久戰〉為標題收錄在《毛澤東選集》，卷二，頁439–518。我們可以在*Mao's Road* 6, pp. 319–389中看到原文。

28 斯諾的朋友英國記者詹姆斯・貝特蘭於1937年10月25日對毛澤東進行的採訪收錄在《毛澤東選集》，2版，卷二，頁373–386以及《毛澤東選集》（*Œuvres choisies*, vol. 2, pp. 41–55）和*Mao's Road* 6, pp. 112–128. 同樣，上海淪陷（11月8日）和太原失守（11月9日）之後發布的聲明和11月12日毛澤東發表的關於戰爭導向問題的文章都收錄在《毛澤東選集》，2版，卷二，頁381–400以及《毛澤東選集》（*Œuvres choisies*, vol. 2, pp. 57–71）和*Mao's Road* 6, pp. 131–145.

29 《年譜》2，頁40–41。

30 請參閱弗雷德里克・C・泰偉斯（Frederick C.Teiwes）的有說服力的分

析：《毛澤東思想領導地位的確立：從王明回國到中共七大》(*The Formation of the Maoist Leadership: From the Return of Wang Ming to the Seventh Party Congress*, London, Contemporary China Institute, 1994, p. 29)。

31 根據張戎引述的各種後期史料證據，*Jung*, p. 40，康生曾在中共駐共產國際代表團中做王明的助手，並且積極參與排除在莫斯科的中國托洛茨基分子或者假托洛茨基分子活動，他可能曾經申請去延安的警察幹部培訓學校實習。在王明到達後不久，他就高呼：「我們黨的天才領袖王明同志萬歲！」在政治上，誇張的做法可能是欠考慮的行為。

32 *Saich*, document E 26, pp. 795–802.

33 Général Jacques Guillermaz, *Histoire du Parti communiste chinois*, Paris, Petite Bibliothèque Payot, vol. 2, Chapitre XXIII, "Vue d'ensemble de la guerre sino-japonaise," pp. 288–308.

34 Iris Chang, *The Rape of Nanking: The Forgotten Holocaust of World War II*, New York, Basic Books, 1997. 馬爾戈蘭 (Jean-Louis Margolin) 根據一些精確的數據撰寫了一篇文章，刊登在2005年11至12月第92期的《中國透視》雜誌上，重新估計了這場屠殺的確切數據。據他統計，三萬到六萬的中國戰士被軍刀或刺刀所殺，相當於幾乎所有戰爭被俘人員。大約三萬名百姓被殺害，相當於8%的沒有逃跑的南京人口。這樣算下來一共有六萬到九萬人死亡，95%為男性，大約兩萬女性遭到強姦。我們知道這場慘絕人寰的大屠殺成了中日兩方無休止的論戰的中心。南京紀念牆上的遇難人數為三十萬。我們對於毛澤東對這件事從頭到尾一直保持沉默感到驚訝。

35 《年譜》2，頁61。

36 沒有對任何政治決議進行投票。儘管如此，從漢口回來之後，王明還是於3月11日撰寫了一份討論會的概要，這份概要在黨內廣泛傳閱。見*Saich*, document E 27, pp. 802–812. 王明在這份概要中表示所有出席的同仁對於總體形勢的意見都很統一。當毛澤東看到文章的時候，這句話讓他勃然大怒。

37 《年譜》2，頁61。

38 Teiwes, *The Formation*, p. 8.

39 李維漢：《回憶與研究》(北京：中共黨史資料出版社，1986)，頁443。

40 引述出自 Thomas Kampen, *Mao Zedong, Zhou Enlai and the Evolution of the Chinese Communist Leadership*, Nordic Institute of Asian Studies, 2000, p. 98. 這是在黨的七大選舉新的中央委員會時，毛澤東為了讓王稼祥當選而做的講話。該講話被收錄在《文獻和研究》(北京：中共黨史資料出版社，1986)，第四期，頁32。

41 《年譜》2，頁51。

42 *Mao's Road* 6, pp. 214–216. 范長江(1909–1970)在他的報紙《大公報》上詳細報道了西安事變。1939年回到延安後，他加入了共產黨。

43 Ibid., p. 281.

44 Ibid., p. 310–311.

45 Ibid., p. 313–315. 布告由林伯渠簽署，但是逄先知向我們證實這份布告是毛澤東重新撰寫的，見《年譜》2，頁70，斯圖爾特・施拉姆在他發表的諸多關於毛澤東的文章中收錄了這篇布告。

46 *Saich*, p. 848, notes 51 et 52, et pp. 670–671.

47 1937年10月新四軍建立。

48 〈我們對於保衛武漢與第三期抗戰問題的意見〉，見 *Saich*, p. 848, note 53 and p. 671. 摘自延安黨的書記處編：《六大以來——黨內秘密文件》(北京，1952和1981)，卷一，頁946–964。

49 *Mao's Road* 6, p. 422. 其他六位共產黨領導——王明、博古、林伯渠、吳玉章、董必武和鄧穎超(周恩來夫人)也重新併入國民黨。

50 Ibid., p. 435. 毛澤東宣布其他六位共產黨參謀會出席會議。

51 *Mao's Road* 6, pp. 443–450.

52 在莫斯科的華人移民中瀰漫着恐怖的氛圍，詳見 Patrick Lescot, *L'Empire rouge: Moscou-Pékin*, Paris, Belfond, 1999.

53 計劃的第一步可能就是1940年由彭德懷指揮的「百團大戰」。

54 *Jung*, p. 232. 參考書目：A. S. Titov, *Matériaux pour une biographie politique de Mao Zedong (in Russian)*, Moscou, Nauka, (Académie des Sciences), vol. 1: jusqu'en 1935, publié en 1969; vol. 2, 1935–1937, publié en 1970; vol. 3, intitulé "La lutte pour le pouvoir de Mao Zedong, 1936–1945," publié en

1970. 張戎參照了第三卷中安德里亞諾夫(Andrianov)的報告節選，pp. 124、197–200和229–233，以及任弼時4月14日在共產國際的報告節選，pp. 234和249–250。蒂托夫的作品寫於中蘇論戰正酣之時，要慎用。

55 一千次空中戰鬥的勝利歸功於他們。

56 遭到批判的張國燾1938年4月4日在黃陵參加了國共祭拜黃帝儀式，之後他折回武漢，與王明、博古和周恩來進行商議。張國燾對於無法說服他們公開反對毛澤東感到失望，最終於4月17日正式加入國民黨。4月18日他被共產黨開除黨籍，6月11日，共產國際批准了這項決議。幾乎在同一時期，一項原本由斯大林指使，並由蘇維埃政治警察局提告的關於毛澤東托洛茨基主義的訴訟被撤銷了，1937年7月皮亞特尼茨基(Ossip Piatnisky)和馬尼科夫(Boris Melnikov)先後被捕。見Jung, pp. 232–233.

57 《年譜》2，頁90。

58 同上，頁90。李維漢：《回憶與研究》，頁641–642。Thomas Kampen, "Wang Jiaxiang, Mao Zedong and the Triumph of Mao Zedong's Thought," *Modern Asian Studies*, October 1989, pp. 705–725. 王稼祥9月14日在政治局的講話草稿被收錄在雜誌《文獻與研究》(北京：中共黨史資料出版社，1986)，頁68–75。我們沒有季米特洛夫的官方文獻資料。有可能這是他的一次口頭聲明。

59 《年譜》2，頁90。

60 我們在《年譜》2，頁91中可以看到部分中文引述，在*Mao's Road* 6, pp. 412–413中看到完整的英文翻譯，由斯圖爾特・施拉姆於1974年在台北的《蔣總統秘錄》中找到。

61 我們知道由於睡得很晚又睡得不好，他到正午才起床。

62 前五部分刊登在1938年11月25日的《解放報》上。我們可以在*Mao's Road* 6, pp. 458–541中找到完整的英文翻譯。在《毛澤東選集》，2版，卷二，頁519–536，我們可以找到大段的報告節選，對比原文來看，它們大多做了大幅修改，例如標題「中國共產黨在民族戰爭中的地位」。

63 1938年8月日蘇軍隊在琿春縣附近的張鼓峰發生短暫的軍事衝突，這個地方位於蘇聯和朝鮮的邊界，屬日本和偽滿洲國的殖民地，這一系列的軍事衝突讓人以為日本對蘇聯的攻擊迫在眉睫。後因布呂歇爾將軍的全權介入，形勢重新趨於穩定。這次衝突於8月11日在莫斯科正式告終。1939年夏，外蒙和偽滿洲國的邊界緊張狀態又重新出現了，蒙蘇軍隊與日軍在諾門罕發生了一場短暫卻很激烈的交鋒，這一緊張狀態直至9月下旬雙方在莫斯科簽訂停戰協議時才終結。蘇聯紅軍的實力遠遠超過日軍。

64 《毛澤東選集》，2版，卷二，頁519的修訂版本為「同志們！我們有一個光明的前途」，後面的句子被刪去了。事實上，所保留的文字僅限於毛澤東講話的第七點，他自己改動了許多。

65 與「研究」呼應，《毛澤東選集》經過了大量重寫。所有關於「馬克思主義中國化」的部分都被刪去了。

66 *Saich*, pp. 672–673.

67 王明：《中共半世紀與叛徒毛澤東》(莫斯科：進步出版社，1979)，頁72。

68 在《毛澤東選集》卷二(*Œuvres choisies* 2)中有兩篇相關文章。5日的〈統一戰線中黨的獨立和自主性〉和6日的〈戰爭和戰略問題〉。原文見 *Mao's Road* 6, pp. 548–559。

69 「一方面，階級的政治經濟要求在一定的歷史時期內以不破裂合作為條件；又一方面，一切階級鬥爭的要求都應以民族鬥爭的需要為出發點(為着抗日)。」這一將階級鬥爭工具化的觀點是毛澤東思想的中心。通常來講，這個觀點意味着用結果解釋手段，否認各種社會運動的自主性。

70 這一點參考了法國共產黨的一個口號：「每一次行動都有它的理由」。

71 我堅持引用大段文字，因為這是毛澤東政治思想的核心，在他的作品中一直出現。通常別人引用的時候都是斷章取義的。我的翻譯基於 *Mao's road*，*Short* 略作了修改，見該書323頁。

72 秦朝的開國皇帝。

73 依據周恩來1943年11月的演講。見金沖及：《周恩來傳》(北京：中央文獻出版社，1998)。

74 《年譜》2，頁98。

75 Shum Kui-kwong, *The Chinese Communists's Road to Power: The Anti-Japanese National United Front, 1935–1945*, Oxford, 1988, pp. 149–154.

76 《年譜》2，頁103。

77 *Mao's Road* 6, pp. 50–51.

78 Ibid., pp. 40–41。「晉」是山西的簡稱。「冀」是河北的簡稱。「察」是察哈爾的簡稱。紅軍在延安周圍的根據地叫做陝（西）甘（肅）寧（夏）邊區。

79 *Mao's Road* 6, pp. 69–79.

80 《毛澤東選集》，2版，卷二，頁570–574，〈反對投降活動〉；*Mao's Road* 7, pp. 104–140; *Saich*, 10 and 13 June 1939, pp. 867–887.

81 *Mao's Road* 7, pp. 146–158.

82 Ibid., pp. 160–164.《毛澤東選集》，2版，卷二，頁575–579，〈必須懲罰反動派〉。

83 *Mao's Road* 7, pp. 177–185. 張繼（1882–1947）領導戰爭支援委員會。林森（1868–1943）1932至1943年任國民政府主席。他其實只是榮譽主席，並無實權。

84 *Saich*, pp. 890–897.

85 *Mao's Road* 7, pp. 212–229.

86 《毛澤東選集》，2版，卷二，頁580–601：9月1日共產黨報紙《新華日報》記者的採訪，9月16日國民黨新聞記者的採訪，9月14日毛澤東的文章〈第二次帝國主義戰爭講演提綱〉以及9月28日毛澤東的文章〈蘇聯利益和人類利益的一致〉。9月24日和26日埃德加．斯諾的採訪見*Mao's Road* 7, pp. 170–229.

87 因為斯諾問了蘇聯給日本提供了多少石油，沒有得到答案，他補充説也許斯大林的口袋有洞。

88 要匯總數據比較難，這些數據還包括1941年的部分數據。依據的書籍為 Mark Selden, *The Yenan Way in Revolutionary China*, p. 102以及Andrew Watson, *Mao Zedong and the Political Economy of the Border Region: A Translation of Mao's "Economic and financial problems,"* Cambridge, Cambridge University Press, 1980, pp. 12–15.

89 馬克．塞爾登（Mark Selden）在他的經典作品中對這個邊區的研究過於偏意識形態方面：*The Yenan Way in Revolutionary China*, Cambridge, Harvard University press, 1971. 作者在寫完這本書20年後批評了自己的作品，並且在新書中更偏重於對這一地區進行歷史角度的描述：*China in*

Revolution: The Yenan Way Revisited, Armonk, M.E. Sharpe, 1995. 在這之前有兩部很好的作品可以幫助我們更好地了解這一地區：Pauline Keating, *Two Revolutions: Village Reconstruction and the Coperative Movement in Northern Shaanxi, 1934–1945*, Stanford, Stanford University Press, 1997; Park Sang-Soo, *La révolution chinoise et les sociétés secrètes: L'exemple des Shaan-Gan-Ning et du Nord Jiangsu. Années 30–40*, Thèse manuscrite, EHESS, 2001.

90 *Cambridge History of China* (*CHOC*), vol. 13, p. 635, note 26.

91 在長征抵達陝北之前，劉志丹和高崗已經重新加入哥老會了。這也是1935年6月他們被當地黨組織逮捕的原因，因為當地黨組織認為哥老會是一個被軍閥楊虎城操控的土匪團體。之後毛澤東釋放了他們兩人。

92 朴尚洙（Park Sang-Soo）的論文研究了1936至1937年黨的內部刊物《黨的工作》，頁130–162，找到有文獻曾經參考了1936年10月23日周恩來在中共中央政治局會議上提出的有必要深入哥老會的講話。他還在1936年10月5日的雜誌《紅色中國》第304期中找到了一篇文章〈哥老會是麼？〉，此文強調哥老會的特點是群眾組織。

93 薄一波1908年出生於山西，1932至1936年參加抗日活動並在北京被捕入獄。回到山西後，他受到閻錫山的賞識，並在太行山與劉伯承和鄧小平建立起聯繫。

94 Kathleen Hartford and Steven Goldstein, *Single Sparks: China's Rural Revolutions*, Armonk, 1989; Lyman P. Van Slyke, *Enemies and Friends: The United Front in Chinese Communist History*, Stanford, Stanford University Press, 1967; Donald G. Gillin, *Warlord: Yen Hsi-shan in Shanxi Province, 1911–1949*, Princeton, Princeton University Press, 1967.

95 1939年12月至1940年3月的這一場國內戰爭十分血腥。1940年1月至3月這短短的幾個月中，在太行山以南的晉察冀根據地，雙方各有一萬名士兵犧牲。見David Goodman, *Social and Political Change in Revolutionary China: The Taihang Base Area in the War of Resistance to Japan 1937–1945*, Lanham, Rowman and Littelfield, p. 52.

96 《毛澤東選集》，2版，卷二，頁749–750；*Mao's Road* 7, pp. 438–445.

97 *Saich*, pp. 858–859, documents F10 et F11, pp. 929–936.

98 Ibid., documents F11. 這一綱領根據簽訂日期取名為「雙十綱領」。

99 *Mao's Road* 7, p. 388.

100 Ibid., pp. 432–434.《毛澤東選集》的版本語氣明顯要緩和一些，2版，卷二，頁748–750。

101 同上。*Mao's Road* 7, pp. 449–450.

102 陵川是山西東南部的一個縣城，在太行山最南端。林縣位於河南西北部，離安陽不遠的丘陵中。它們屬晉冀魯豫根據地，不被國民黨承認，根據1937年國民黨和共產黨之間的協議，沒有第一軍區參謀部的同意，共產黨軍隊在這裏出現是不合法的。

103《毛澤東選集》，2版，卷二。

104 同上，頁325–358。*Mao's Road* 7, pp. 279–306.

105 這一概念由安東尼奧・葛蘭西（Antonio Gramsci，1891–1937）提出。見《馬克思主義批評詞典》（*Le dictionnaire critique du marxisme*）中「葛蘭西主義」（Gramscisme）和「領導權」（Hégémonie）這兩條，喬治・拉畢卡（Georges Labica）主編，巴黎法國大學出版社（Paris，PUF）1982年出版。

106《毛澤東選集》，2版，頁561–569，〈青年運動的方向〉；1935年「一二・九運動」四週年時的講話：〈一二九運動的偉大意義〉，*Mao's Road* 7, pp. 270–278. 毛澤東1939年12月1日的講話〈大量吸收知識分子〉，《毛澤東選集》，2版，卷二，頁618–620。

107 毛瑟1834年出生，也就是拿破崙去世後的第13年。

108 *Mao's Road* 7, pp. 307–308, 309–311 et 312–313.

109「造反有理」這句口號出自斯大林，這也是斯大林成為紅衛兵教父的原因。

110 諾曼・白求恩（Norman Bethune，1890–1939）。這位加拿大籍共產黨醫生1939年來到晉察冀根據地之前曾是西班牙國內戰爭的軍醫。他在五台山建立了鄉村醫院，在一次緊急手術時受傷，不幸感染了敗血症而死。毛澤東為紀念他所寫的文章是1960年代毛澤東的「老三篇」之一。文章的中心圍繞着一句話：「為人民服務」。然而這句話的使用背景卻將這個很好的原則轉化為空洞盲目地為黨服務，假定黨已經將人民的利益具體化了。

111 這篇文章還刊登在理論性雜志《解放》1940年2月20日第99期上。譯本見《毛澤東選集》2版，頁662–711以及*Mao's Road* 7, pp. 330–369. 具體出版情況見《年譜》2，頁156–157，以及*CHOC* 13, pp. 663–664.

112 *CHOC* 13, p. 857. 關於毛澤東思想形成的章節。

113 參照1930年毛澤東寫給林彪的信〈星星之火，可以燎原〉。見本書第六章。

114 該短語由聶榮臻提出，見《聶榮臻元帥回憶錄》(北京：新世界出版社，1988)，頁426。

115 我對百團大戰的描述依據了*Saich*, pp. 859–860和Lyman P. Van Slyke, "The Battle of the Hundred Regiments: Problems of Coordination and Control During the Sino-Japanese War," *Modern Asian Studies* 30, no. 4, October, 1996, pp. 979–1005.

116 *Saich*, pp. 941–944.

117 *Mao's Road* 7, pp. 759–780.

118 Ibid., pp. 759–760.

119 新四軍的組成人員包括由項英和陳毅領導的長征時期紅軍在江西的倖存者，張國燾和鄂豫皖蘇維埃領導的倖存者以及福建各個游擊隊的戰士。蔣介石任命葉挺為軍長，對此王明也同意，由於葉挺經過1927年底的災難之後離開共產黨，毛澤東一直把他視為叛徒。這支一萬三千人裝備簡陋的部隊駐守在安徽以南的黃山地區。關於新四軍的建立，見Gregor Benton, *New Fourth Army: Communist Resistance along the Yangtze and the Huai, 1938–1941*, Berkeley, University of California Press, 1999以及Xiang Lanxin, *Mao's General: Chen Yi and the New Fourth Army*, Lanham, University Press of America, 1998.

120 顧祝同，1893年出生在江蘇的一個達官顯貴家庭，這位將軍於1936年2月開始管轄西安。他指揮的戰區包括江蘇南部、安徽南部、江西東北部、浙江以及福建。

121 張國燾的第四軍在向西挺進過程中在甘肅被殲滅，倖存下了的幾百個軍官很快被派到正在整編的新四軍中擔任幹部。

122 *Mao's Road* 7, pp. 454–458. 這些軍事委員會的指示標題為〈新四軍的任務〉，不現實地要求十萬名戰士在敵後方建立抗日根據地，十五萬戰士在李先念的指揮下在湖北建立根據地。毛澤東主張撤回正規軍，只留守游擊隊。他還打算將新四軍移至那些由八路軍管轄的地區，並由那些他所信任的人來指揮管理。

123 *Mao's Road* 7, pp. 516–517.

124 這個長江上的小島長約25公里，位於鎮江和揚州的下游。

125 *Mao's Road* 7, pp. 527–529. 那時周恩來在重慶。

126 Ibid., pp. 530–532.

127 Ibid., pp. 536–537.

128 Ibid., p. 541. 所有這些文章出自1982年中央黨校出版社出版的《皖南事變》。

129 Ibid., p. 546.

130 Ibid., pp. 547–551, 553–559.

131 儘管項英並沒有接受過軍事訓練，人們還是給他將軍的頭銜。他喜歡穿軍裝，有機會的時候喜歡展示斯大林送給他的象牙槍托納甘左輪手槍。

132 公元前一世紀的中國著名傳記。

133 位於南部的「戰國」之一，介於武漢和四川之間的。

134 Alexandre Dallin and Firsov, *Dimitrov and Stalin, 1934–1943: Letters from the Soviet Archives*, New Haven, Yale University Press, 2000, pp. 128–130.

135 *Mao's Road* 7, pp. 573–574.

136 所有以下引述的文字直至1941年1月9日均出自 *Mao's Road* 7, pp. 573–620.

137 毛澤東並沒有在他的文章中提到這次失敗。我們可以猜想劉少奇隱瞞了失敗的嚴重程度。這個缺口應該在寶應和淮安之間，也就是在江蘇北部作戰的國民黨兩個部隊的交界處。

138 銅陵對面。

139 《年譜》2，頁250。

140 在《年譜》2，頁250中，我們能找到計劃的路線。為了使跟蹤者迷失方向，換了很多次方向，最後到達位於茅山南部的一個小型共產黨根據地溧陽，也就是在這裏「我們等待時機過江」。相藍欣（Xiang Lanxin）在他的《毛澤東的將軍們：陳毅與新四軍》（*Mao's General: Chen Yi and*

the New Fourth Army）第四章中認為，項英希望在途中遇到一次抵抗用來作為他南下到黃山避難的藉口。可以看得出，他並不想落入最後失敗的巨大圈套中。

141 *Jung*, pp. 253–261，認為在這封沒有發出的電報中，毛澤東給項英設了一個致命的圈套。這看起來是不太可能的：國民黨埋伏的八萬人特地選了一些曲折的道路來轉移，這一切已經準備了幾個星期，而且一定會發生。需要注意的問題是為何一支這麼大規模部隊的轉移，項英卻不得而知。這種失誤更肯定了他負責的統一戰線工作存在着許多問題。

142 *Mao's Road* 7, pp. 619–638，這是斯圖 · 施拉姆的看法。

143 1月17日至1月底這段時間見*Mao's Road* 6, pp. 640–654和Saich, pp. 946–958, documents F16–F18.

144 《年譜》2，頁257。

145 *Mao's Road* 7, pp. 686–689.

146 相藍欣看到紅軍的這五支隊伍更專業化了：在2,411名軍官中，1/4中學畢業，只有103人是文盲。其中只有534人是以前的游擊隊戰士。

147 一般來說，對於那些中國北方平原上的馬賊，日本人是視而不見的。

148 Goodman, *Social and Political*, pp. 53–54. 作者引用了共產黨1987年出版的文獻資料。

149 Peter Schran, *Guerilla Economy: The Develoment of the Shenxi-Kansu-Ningshia Border Region, 1937–1945*, Albany, State University of New York Press, 1976, p. 184.

150 *Mao's Road* 7, pp. 579–580.

151 Ibid., pp. 788–805.

152 黎城事件見Goodman, *Social and Political*, chapitre VIII: "Licheng, Resistance and Rebellion," pp. 33–245. 還可參考Bianco, *Jacqueries et révolution dans la Chine du XXe siècle*, chapitre XVII: "Paysans et communistes dans la conquête du pouvoir," Paris, La Martinière, 2005. 我將會在本書的第十章回顧這個問題，並給出毛澤東的答案。

153 96%的當選者都是來自這些領域。

154 Gregor Benton, *New Fourth Army: Communist Resistance along the Yangtze and the Huai, 1938–1941.*

155 毛澤東的回應見*Mao's Road* 7, p. 711，《年譜》2，頁288以及*Saich*, pp. 952–955.

156 *Mao's Road* 7, p. 764;《年譜》2，頁309。

157 *Mao's Road* 7, pp. 844–845以及12月12日發給周恩來的電報，pp. 848–849.《年譜》2，頁343–346；*Saich*, pp. 965–966.

第十章 延安之路(1942–1945)

1 炕是這一地區傳統的磚床，靠熱空氣循環把磚加熱。

2 *Short*, p. 330，1948年，毛澤東向他的一個貼身侍衛吐露了這個秘密：「我現在有些難辦；當初同她結婚，沒搞好。唉，草率了……江青是我的老婆，要是我身邊的工作人員，我早把她趕跑了！」

3 1939年抗大搬到延安以東40千米左右的延長縣。

4 傅連暲：《我的延安筆記》，油印原稿，1961。

5 *Mao's Road* 7, pp. 766–768.

6 Ibid., pp. 708–710, 719–721.

7 他們中的一部分後來成了他的親信，如洛甫、王稼祥。

8 *CHOC* 13, pp. 619–621.

9 見《路易・波拿馬的霧月十八日》。

10 儘管中國從未使用過這個說法。

11 *Mao's Road* 7, pp. 783–785;《年譜》2，頁315–316。1940年2月6日，毛澤東的批示中出現過一個類似的決議(*Mao's Road* 7, pp. 511–512)。這些指定給黨情報處的人事檔案清晰地區分了「與蔣介石有聯繫的大買辦資本家」和民族資本家、地主和「有文化的鄉紳」，但是不包含那些社會邊緣人。除了身份以外，檔案還明確記錄了家庭環境、政治傾向、習慣、社會關係以及生活類型。

12 關於中央政治局第三次擴大會議，見《年譜》2，頁326–327; *Mao's Road* 7, pp. 808–811. 毛澤東9月10日的開幕詞在pp. 826–832。《年譜》2，頁349–351有一篇題為〈駁第三次左傾路線〉的文章，我們可以看到這篇文章的具體日期是政治局第三次擴大會議期間。也許他在這次會議上重提了不久之前他所做過的演講。9月10日毛澤東的開幕詞還可以在*Saich*, pp. 1008–1011中找到。關於會議本身，我們可以參考Thomas Kampen, "Wang Jiaxiang, Mao Zedong and the Triumph of Mao Zedong Thought," *Modern Asian Studies*, Canberra, octobre, 1986.

13 政治局14名正式或候補委員中的11名參加了會議：毛澤東、任弼時、王明、洛甫、陳雲、王稼祥、凱豐、博古、鄧發、朱德和康生。三人缺席：周恩來、劉少奇和彭德懷。會議還邀請了7位中央委員會尚未晉升的成員：楊尚昆、李富春、林伯渠、高崗、葉劍英、李維漢和胡喬木。凱豐(1907–1955)，原名何克全，是「二十八個半布爾什維克」之一，他和洛甫一樣在長征的時候站到毛澤東一邊，1937年進入政治局任宣傳負責人。

14 《年譜》2，頁327。

15 *Mao's Road* 7, pp. 820–821.

16 胡喬木在他的《胡喬木回憶毛澤東》(北京：人民出版社，1994)一書中有一些有意思的詳細描述。這500冊發給各個機構的刊物中的大部分在1947年春國民黨佔領延安時被銷毀。之後這份刊物在1950年和1980年兩次再版：再版和原版並非完全吻合。書中的註釋指出，那些出現在《毛澤東選集》中的文章並沒有放入彙編中，但是它們的標題卻出現在目錄中。這就給人一種這份刊物都是毛澤東的文章的誤解，而小心謹慎的毛澤東將《毛澤東選集》出版的時間推遲至與整風運動同步。這件軼事證明毛澤東還沒能勝券在握，至少表面上如此。

17 *Mao's Road* 7, pp. 833–834.

18 *Saich*, p. 1076.

19 1942年2月1日和8日的報告，一篇關於增強黨性的文章，三篇關於農村調查的文章，一篇1941年11月21日陝甘寧邊區大會上的發言稿以及1937年9月7日的文章〈反對自由主義〉。我們十分驚訝地發現那些最精心編寫的文章例如〈新民主主義論〉、〈論持久戰〉並沒有出現在書目中，沒有任何1936至1937年間的理論文章，也沒有〈中國革命和中國共產黨〉。也許這是另一個表明黨內仍然存在反對勢力，毛澤東表現得謹慎小心的例子。

20 在這個時期和這個層次，所有的共產黨都至少會將卡爾・馬克思的《工資、價格和利潤》列入參考書目中。這篇文章闡述了他的剩餘價值理論，是《資本論》的基礎。中國在引進馬克思理論的第一時間就將這篇文章翻譯成了中文。

21 *Mao's Road* 7, pp. 826–832.

22 文章本包含九大段，但是只有其中的五段為人所知。在1966年5月的一份摘要中，毛澤東說原稿只給劉少奇和任弼時看過，因為「寫得太尖銳了，不利於團結犯錯誤的同志們」。

23 *Jung*, pp. 278–290和《胡喬木》，頁193–200和頁222–232。毛澤東十分喜歡這九篇論戰的文章，1974年6月和1976年8月初他還讓人念給他聽。在他最後清醒的時候，這些文章使他感到安慰。

24 關於1941年後半年毛澤東和斯大林的關係， 詳見Dallin and Firsov, *Dimitrov and Stalin, 1934–1943: Letters from the Soviet Archives*, New Haven (Conn), Yale University press, 2000, vol. 3, pp. 141–146. 1941年7月18日，毛澤東給季米特洛夫發電報說：「假若日本進攻蘇聯時，我們在軍事上的配合作用恐不很大。」在另一份無線電報中，毛澤東進一步說：「假若不顧一切犧牲來動作，有使我們被打坍，不能長期堅持根據地的可能，這不管從哪一方面都是不利的。」

25 *Mao's Road* 7, pp. 855–856.

26 根據胡喬木所言，他是毛澤東貼身秘書之一。

27 *Jung*, pp. 280–290.

28 Peter Vladimirov（中文名「孫平」）, *The Vladimirov Diaries: Yan'an-China 1942–1945*, New York, Doubleday, 1976.

29 *Saich*, pp. 978–982 et 1059–1103. Boyd Compton, *Mao's China: Party Reform Documents, 1942–1944: Translation and Introduction*, Seattle, University of Washington Press, 1966.《毛澤東選集》，卷三，頁31–104。Guilhem Fabre, *Genèse du pouvoir et de l'opposition en Chine: Le printemps de Yan'an, 1942*, Paris, L'Harmattan, 1990. 高華：《紅太陽是怎樣升起的》。*Jung*, "Comment Mao édifia son pouvoir par la Terreur?," p. 262–275. Seybolt Peter, "Terror and Conformity," *Modern China*, vol. 12, 1986, no. 1, pp. 39–93. Dai Qing, *Wang Shiwei and the Wild Lilies: Rectification and Purges in the CCP, 1942–1944*, Armonk, M. E. Sharpe, 1993.

30 Guilhem Fabre, *Genèse du pouvoir et de l'opposition en Chine*, pp. 173–178. 儘管丁玲已經寫了許多有教育意義的文章，她還是在1941年秋寫了一篇小說〈在醫院中〉。這篇小說用極具諷刺意味的手法描寫了男幹部的虛偽和一個女護士的覺醒。關於延安婦女生存條件的有限改善，見Hua Changming, *La condition féminine et le communisme chinois en action, 1931–1946*, Paris, Éditions de l'École des Hautes Etudes en Sciences sociales, 1980.

31 《年譜》2，頁373–374，註釋1，頁373–374和腳註。

32 Patricia Stranahan, "The Last Battle: Mao and the Internationalist's Fight for the Liberation Daily," *The China Quarterly*, Septembre, 1990, no. 123, pp. 521–537. 1941年5月15日，由《新中華報》和《今日新聞》合併而成的《解放日報》誕生。作為黨內的日報，這份報紙由「國際派」掌控，主編為博古，他讓丁玲了解蘇聯文學。該報通過接收外國媒體的電函發表各種國際新聞，卻無視那些分裂中國共產黨的內部辯論。

33 《年譜》2，頁372–374。Guilhem Fabre, *Genèse du pouvoir*, pp. 155–166.

34 4月3日的文件譯文見*Saich*, pp. 1073–1076。

35 《毛澤東選集》(北京：人民出版社，1991)，2版，卷三，頁847–879；《年譜》2，頁379–383；Bonnie S. Mac Dougall, *Mao Zedong's Talks at the Yan'an Conference on Litterature and Arts: A Translation of the 1942 Text with Commentaries*, Ann Arbor, Michigan Paper in Chinese Studies, 1980; Timothy Cheek, "The Fading of the Wild Lilies: Wang Shiwei and Mao Zedong's Yan'an Talks in the First CCP Rectification Movement," *The Australian Journal of Chinese Affairs*, no. 11, 1984, pp. 21–58.

36 發表於1942年5月28日、29日的《解放日報》。法語譯文見Guilhem Fabre, *Genèse de l'opposition*, pp. 191–206 et *Saich*, pp. 1113–1122.

37 范文瀾(1893–1969)，天津南開大學歷史系教授，他曾到過延安。他在整風運動中的態度使他成為黨內官方歷史學家之一，並於1956年在黨的八大上進入了中央委員會。

38 我更傾向於這種譯法，而不是經常採用的「意識審查」。

39 Anne Cheng, *Histoire de la pensée chinoise*, Paris, Le Seuil, 1997, pp. 490–495. 佛教宗派Dhyâna在日語中叫「zen」，中文叫「禪(chan)」。

40 《文獻與研究》(北京：中央文獻出版社，1984)，第八期，頁6–7。這份文件日期為1943年6月6日。

41 Mark Selden, "The Yenan Legacy: The Mass Line," *in A. Doak Barnett, Chinese Communist Politics in Action*, Seattle, Washington University Press, 1969, p. 107. 以及同一位作者的：《革命中的中國：延安道路》(*The Yen'an Way in Revolutionary China*, Cambridge, Harvard University Press, 1971) 以及其再版：《革命中的中國：重溫延安道路》(*China in Revolution: the Yen'an Way Revisited*, Armonk, M. E. Sharpe, 1995)，再版有一個新的前言和純粹自我批評式的後記。

42 毛澤東：《毛澤東選集》，卷三，頁121–127。

43 郭華倫：《中共史論》(台北，中華民國國際關係研究所，1971)，卷四，頁421。

44 1947年3月延安淪陷之後共產黨大撤退之際，他被看守所的人當街斬首，屍體被丟進井中。後來毛澤東說這實際上是一個錯誤。

45 《年譜》2，頁408–409。

46 Guillermaz, *Histoire du Parti communiste chinois*, tome 2, p. 371.

47 Xiang Lanxin, *Mao's General*, pp. 116–117.

48 金沖及：《周恩來傳》(北京：中央文獻出版社)，卷二，頁289–290。

49 《年譜》2，頁465–466。這段文字部分引述自逄先知，後者並未注明出處。而張戎和哈利戴則在他們撰寫的毛澤東傳記的法語版第714頁注明了出處，並在第271頁寫了一段在《年譜》中並未出現的毛澤東的指令，而省略了文章的其餘部分，因而使得文件的意思變了樣。這篇題為〈中共中央關於審查幹部的決定〉的刪節版發表在1984年共產黨歷史部的雜誌《文獻與研究》第9期的第12頁，被逄先知和張戎引述。此處我引用的是1992年中央黨校出版社出版的《文獻毛澤東毛澤東選集》，頁89–96。引號中是翻譯的部分，其餘的部分是綜述。另外，還有一個十分不錯的英譯版本，見Saich, p. 1152–1157.

50 指1939年8–9月間在山東南部微山湖西的冤假錯案，三百名無辜的黨內幹部被指控為托派分子。一支四千人組成的共產黨特遣隊從山東西部轉至南部和新四軍會合，破壞了兩條戰略鐵路：天浦(天津—浦口—南京—上海)和隴海(連雲港—西安)。事件詳情可見羅榮桓元帥

(1902–1963)的傳記，他是一個和毛澤東關係十分密切的湖南人，見《當代中國人物傳》(北京，當代中國出版社，1991)。

51 以下是張戎提出的翻譯版本，見*Jung*, p. 271，「不能過早也不能過晚……」,「只在恰當的時間點糾正錯誤……」:「毛澤東1943年8月15日發出指令：緩和這種趨勢不能過早也不能過晚。如果過早的話……這場戰役就無法適度地發展；如果過晚的話……(受害人所遭受的)的痛苦就太深重了。原則是要小心翼翼地觀察，在恰當的時候進行糾正」。很明顯這段話譯者曲解了原文的意思。毛澤東指的是要糾正一種政治行為，而非或多或少地折磨民眾。

52 《年譜》2，頁475。毛澤東的意見可見這次會議的文件附檔，這份文件還未對外國歷史學家公開。

53 *Jung*, p. 286，援引自Yuri Ovchinnikov, "Comintern-CCP Relations," 2e part, *Chinese Law and Government*, Taibei, ROC, vol. 30, no. 2, 1997, pp. 84–85.

54 用於殺死困擾延安人民的虱子。這些援引自張戎和哈利戴於1994年10月25日和1998年3月17日在延安對老兵的採訪，整理編入*Jung*, p. 271。1959年毛澤東與李銳的談話被收錄在《李銳廬山會議實錄》中(長沙：春秋出版社，1989)，頁349–350。我們還可以在胡喬木(頁281)和李維漢(頁554)的回憶錄中看到類似的內容。

55 《年譜》2，頁408–409；*Saich*, pp. 985–986，高崗的講話見pp. 1132–1143。

56 我在本書中關於共產黨擴大根據地的章節中有詳細的分析。

57 *Saich*、*Kampen*和*Short*詳細介紹了這個秘密決定，他們參考了《中共黨史教學參考資料》(北京：中國人民解放軍國防大學出版社，1986)，卷17，頁344–346。

58 *Saich*, pp. 1143–1145, document G. 21. 文章承認共產國際的功勞，尤其是它在中國共產黨成立中扮演的角色，並指出不論如何中國共產黨遲早會建立，因為它是「順應歷史潮流的」。

59 *Short*, p. 344.

60 《年譜》2，頁418。

61 譯文全文見Andrew Watson, *Mao Zedong and the Political Economy of the Border Region: Translation of Mao's Economy and Financial Problems*, Cambridge, Cambridge University Press, 1980. 部分譯文見*Saich*, pp. 1045–1051. 這一時期唯一一篇關於經濟的文章收錄於《毛澤東選集》，2版，卷三，頁910–913，標題為〈開展根據地的減租、生產和擁政愛民運動〉，這篇文章比較含糊，大意為推動生產必須經過有成效的政治鬥爭。

62 兩篇譯文全文見*Saich*分別在pp. 1011–1038和1038–1045。

63 1970年又再版了1945年的《毛澤東選集》。

64 見《毛澤東選集》，2版，卷三，頁928–936，標題為〈組織起來〉。

65 Bianco, *Jacqueries et révolution dans la Chine du XX° siècle*, Paris, La Martinière, 2005. 尤其是第十七章〈奪取權力的農民和共產主義者〉（"Paysans et communistes dans la conquête du pouvoir," pp. 429–455）。

66 Kathleen Hartford and Steven Goldstein, *Single Sparks: China's Rural Revolutions*, Armonk, M. E. Sharpe, 1989; Feng Chongyi and David Goodman, *North China at War: The Social Ecology of Revolution, 1937–1945*, Lanham, Rowman and Littlefield, 2000; David Goodman, *Social and Political Change in Revolutionary China: The Taihang Base Area in the War of Resistance to Japan, 1937–1945*, Lanham, Rowman and Littlefield, 2000; Pauline Keating, *Two Revolutions: Village Reconstruction and the Cooperative Movement in Northern Shaanxi, 1934–1945*, Stanford, Stanford University Press, 1997; Odoric Woo, *Mobilizing the Masses: Building Revolution in Henan*, Stanford, Stanford University Press, 1994; Chen Yung-fa, *Making Revolution: The Communist Movement in Eastern and Central China 1937–1945*, Berkeley, University of California Press, 1986.

67 Mark Selden, *The Yenan Way in Revolutionary China*, Cambridge, Harvard University Press, 1971; Mark Selden, *China in Revolution: The Yenan Way Revisited*, Armonk, M. E. Sharpe, 1995.

68 Chalmers A. Johnson, *Peasant Nationalism and Communist Power: the Emergence of Revolutionary China, 1937–1945*, Stanford, Stanford University Press, 1962.（法語翻譯見帕約出版社Payot, 1969）

69 Gergor Benton, *New Fourth Army: Communist Resistance along the Yangtze River and the Huai: 1938–1941*, Richmond, Curzon Press, 1999, p. 729.

70 Park Sang-Soo, *La révolution chinoise et les sociétés secrètes: l'exemple de Shaan-Gan-Ning et du nord Jiangsu (années 1930–1940)*, 2 volumes, Thèse dactylographiée, Paris, EHESS, 2002.

71 Chen Yung-fa, *Making Revolution*, p. 187.

72 1943年，當局向地主徵收收成的22.7%，富農13.5%，中農8.1%，貧農2.1%。

73 我在這一段中主要參考了兩部最近的作品，這兩部作品都是依據實地研究寫成的，並且觀點很相近。紀保寧(Pauline Keating)的《兩次革命：1934–1945年陝北的鄉村重建與合作化運動》(*Two Revolutions: Village Reconstruction and the Cooperative Movement in Northern Shaanxi, 1934–1945*)介紹了1934–1945年陝甘寧邊區中的陝北地區社會和政治生活的演變：位於東北部的綏德縣有6個鄉，1942年11,000平方公里的土地上有居民545,000人；位於東南部延安周圍的楊舒鄉有10個村，23,000平方公里的土地上有居民360,000人。大衛．古德曼(David Goodman)的書《革命中國的社會與政治變遷：抗日戰爭時的太行山基地》(*Social and Political Change in Revolutionary China: the Taihang Base Area in the War of Resistance to Japan*)介紹的也是1937–1945年這一個時期的情況，陝西東南部(晉冀魯豫邊區)的三個縣在太行山形成了一個三角形，遼縣(現稱為左權縣)在中日戰爭初期的居民有71,935人，吳縣有141,000人和875個村落，黎城有77,955人和301個村落。

74 耕地面積從8,431,000畝增長到15,206,000畝。15畝大約等於1公頃。

75 如運水，打掃地主的院子，將糧食運送到省會補充國庫……

76 石，這裏的讀音為dàn，馬克．塞爾登認為一石在這一地區相當於60升。儘管1929年政府規定使用公制，也就是公擔或公石，可是「石」仍然沿用，並且這一容量單位與另一個同音異形的重量單位「擔」的對等關係在每個地區都不同。紀保寧和張戎估計，延安，「石」相當於150千克，而我認為這一數字是大大高估了重量。數據出自Mark Selden, *The Yenan Way of Revolutionary China*, p. 182.

77 王震，1908年生於長沙附近瀏陽的一個貧農家庭，曾是一名鐵路工人，參加了共產黨的工人運動。秋收起義的時候，他負責破壞鐵路。在廣西部隊服役兩年後，他在家鄉組織了一支四千人的游擊隊。彭德懷部隊於1930年在長沙打敗仗之後，王震加入了江西的蘇維埃並參加了長征。在八路軍中，他任賀龍率領的120師359旅的旅長。

78 出產自北方的岩鹽佔邊區出口總量的90%。

79 相當於現在五千萬美元。這一數據出自非蘇聯的檔案，見*Jung*, p. 302.

80 Chen Yong-fa, "The Blooming Poppy under the Red Sun: the Yan'an Way and the Opium Trade," in Tony Saich and Hans van de Ven, *New Perspectives in the Chinese Communist Revolution*, Armonk, M. E. Sharpe, 1995；謝覺哉：《謝覺哉日記》(北京：人民出版社，1984)；*Jung*, chap. 26: "L'opium au service de la révolution," pp. 301–309.

81 相當於現在的六億四千萬美元。

82 謝覺哉：《謝覺哉日記》，頁734，由張戎引述(*Jung*, p. 309)。

83 1944年由史敬棠編寫的調查結果收錄在《中國農業合作化運動史料》(北京：三聯出版社，1957)，頁211–269中。法文版的註釋本由克勞德·奧伯特(Claude Aubert)和陳穎於1980年編寫，題為〈前共產時期中國北方的農業互助〉("L'entraide agricole dans la Chine du Nord Pré-communiste," Paris, POF-Études)。

84 Mark Selden, *The Yen'an Way*, p. 210.

85 Claude Aubert et Chen Ying, *L'entraide agricole*, p. 17.

86 Pierre Gourou, *La terre et l'homme en Extréme-Orient*, Paris, Flammarion; Richard H. Tawney, *Land and Labour in China*, Londres, 1932.

87 見駐重慶的美國大使萊倫斯·高斯(Clarence Gauss)的電報，〈中國1943〉載《美國的外交》(*Foreign Relations of the United States*, "China 1943," p. 142)。

88 1943年夏到1944年夏，共產黨的損失為一萬九千人，而1941年夏到1942年夏損失人數為六萬四千人。

89 生病又絕望的汪精衞於1944年11月10日死於名古屋。兩位接任他南京政府職務的人分別是陳公博(1892–1946)和周佛海(1897–1948)，這兩個人都是1921年7月中國共產黨的12位創始人之一。

90 *CHOC* 13, pp. 580–583. 在「一號作戰」之前，共產黨估計日軍會出動84%的兵力對抗他們，而只用16%的兵力對抗國民黨的軍隊。

91 這一天，美國飛機無法回到他們遙遠的基地，機組人員逃到中國，要麼被逮捕，要麼折回到共產黨的游擊隊基地。那些到達蘇聯的人依照《蘇日互不侵犯條約》規定被拘禁。

92 中國方面稱豫湘桂會戰。

93 有關這次可怕的河南饑荒見美國記者的報道：白修德（Théodore White）和賈安娜（Annalee Jacoby）合作撰寫的《中國驚雷》（*Thunder out of China*, New York, William Sloane Associates, 1946）。關於農民的態度見Lucien Bianco, *Les origines de la révolution chinoise, 1915–1949*, Gallimard, 1967, seconde édition, 1987, pp. 251–252以及*Jacqueries et révolution*, pp. 440–497. 畢仰高總結了農民行為的十個特點，第五點是為了生存而鬥爭。

94 起名為「駝峰」的這條空中運輸線穿越了飛機本無法飛過的喜馬拉雅山脈，但是運輸效率比較差，每架DC3的有效載重量只有500千克。

95 為了證實這一點，請見他與白修德共同編寫的回憶錄：《史迪威日記》（*The Stilwell Papers*, New York, Schoken Books, 1948）。

96 Ch'i Hsi-Sheng, *Nationalist Army at War: Military Defeats and Political Collapse, 1937–1945*, Ann Arbor, University of Michigan Press, 1982; James C. Hsiung and Steven I. Levine, *China's Bitter Victory: The War with Japan, 1937–1975*, Armonk, M. E. Sharpe, 1992. 這兩本書中強調這樣一個事實：是國民黨的軍隊，而非共產黨承擔抗日的大部分任務，這一點和毛澤東說的剛好相反。德溫（Hans Van de Ven）在《1925–1945中國的戰爭與民族主義》（*War and Nationalism in China 1925–1945*, Routledge Curzon, 2003）中認為國民黨軍官按照中國軍事傳統來打仗。

97 《毛澤東選集》，2版，卷三，頁937–951，標題為〈學習和時局〉，日期為1944年4月12日。毛澤東曾就六屆七中全會預備會議和5月20日、6月5日中央黨校的會議做了一些報告，介紹了1944年7月八路軍參謀部和中央各個部門將進行學習，詳情見《年譜》2，頁507–508和金沖及：《毛澤東傳》，卷二，頁698–701。4月12日的文章包含了這些分析的重點。

98 *Saich*, pp. 1145–1152.

99 《年譜》2，頁504–505。

100 1943年6月5日關於黨在城市的工作指示見*Saich*, pp. 1157–1164.

101 援引自《毛澤東選集》英譯版，卷三附錄，頁171–218，這個版本翻譯的是1953年北京的中文版本。該文件與六屆七中全會「原則上」通過的決議相比做了更為細緻的修改。六屆七中全會的這份決議直至1945年8月的中央委員會第二階段會議才正式投票通過。原始版本見*Saich*, pp. 1164–1184，根據1941年以來共產黨書記處歸檔的文件翻譯成英文。這份文件曾收入一本名為《六大以來黨內秘密文件》的文集中，共兩冊，為內部使用，於1952年和1981年印刷過兩次。我用的就是這個版本。1944年在延安出版的四卷本《毛澤東選集》包含了對這個名為〈關於糾正黨內的錯誤思想〉的決議的簡略版。

102 一隻輪子陷進了墳堆中，撞壞的螺旋槳打穿了駕駛艙的隔板，但是沒有造成人員傷亡。包瑞德上校生動地記錄了這次「美軍觀察組」的行動：David D. Barrett, *Dixie Mission: The United States Army Observer Group in Yenan, 1944*, Berkeley, University of California Press, 1970. 還可見John Hart, *The Making of An Army "Old China Hand": A Memoir of Colonel David D. Barrett*, Berkeley, Institute of East Asian Studies, University of California Press, 1985; Carolle J. Carter, *Mission to Yan'an*, Lexington, University Press of Kentucky, 1997.

103 出生於中國的美國傳教士家庭，十分了解中國，中文比包瑞德上校還要流利。

104 Peter Vladimirov, *The Vladimirov Diaries: Yenan, China 1942–1945*, Garden City (New Jersey), Doubleday, 1976, p. 273. Joseph W. Esherick, *Lost Chance in China: the World War II Dispatches of John S. Service*, New York, Random House, 1974, pp. 289 et 295–307.

105 幾週以後，赫爾利就被任命為美國駐華大使，由於他的處事風格以及他總是將軍事和民事的職權混淆，美國外交官給他起了個綽號「genbassador」結合了「gentel」(紳士的)和「ambassador」(大使)兩個詞。包瑞德認為赫爾利是一個有名無實的將軍，在與他見面時調侃他除了獨立戰爭的勛章外，所有的勛章都戴全了。赫爾利出生在俄克拉何馬州，因石油生意成為百萬富翁。他是一個自以為了不起的軍事政治家，缺乏最起碼的外交經驗，不能不說他完全沒有軍事能力。儘管他的任務完成得十分糟糕，但是在軍隊參謀長馬歇爾將軍的眼裏，他還是頗有影響力的，他要求馬歇爾取消將包瑞德提升為準將的決定。

106 事實上，毛澤東將赫爾利稱為「小丑」，而赫爾利則用毛澤東名字的諧音開玩笑，將「moose tongue」戲稱為「moose dung」（老鼠屎），完全沒有意識到其實很多中國領導人精通英語。

107 這份赫爾利—包瑞德/毛澤東—周恩來的商議文件成了冷戰初期「輸掉了中國的美國人」論戰的主題。最準確的分析見Theodore H. White, *In Search of History*, New York, Harper and Row, 1978, pp. 203–204.

108 毛澤東於10月11日嚴厲地回應了蔣介石的演講。見《毛澤東選集》，2版，卷三，頁1007–1010，〈評蔣介石在雙十節的演說〉。

109 12月7日的這次飛行十分戲劇化，飛機雙翼因霜凍而過度負重，試了幾次都無法飛過四川的高山，只能嘗試着改從那些籠罩在濃霧中的矮一點的山口飛過。

110 根據包瑞德提交給他的上級——魏德邁將軍的報告，見John Hart, *The Making of an Army "Old China Hand": A Memoir of Colonel David D. Barrett*, p. 49. 毛澤東在1945年8月13日對延安黨內幹部的講話中引述了他向包瑞德發出的聲明，見《毛澤東選集》，2版，卷四，頁18，《抗日戰爭勝利後的時局和我們的方針政策》（北京：人民出版社，1991）。毛澤東加了一句他在其他場合說過的話：「現在我們有的是小米加步槍，你們有的是麵包加大炮。」

111 《毛澤東選集》，2版，卷三，頁1114–1116。

112 《憤怒的葡萄》1940年上映，由約翰．福特（John Ford）導演，亨利．方達（Henry Fonda）主演，改編自斯坦培克（John Steinbeck）1939年的同名小說，小說家將作為經濟危機受害者的農民投入社會鬥爭比作《聖經》中對應許諾土地的追尋。這部電影深深打動了毛澤東。

113 Ross Terrill, *Mao*, p. 204 (note)，引自1947年毛澤東對加拿大記者馬克．蓋恩（Mark Gayn）說的話：「你們西方自由主義者的麻煩在於你們誤解了美國社會和政治的潮流，美國的勞苦大眾受夠了資本主義的壓迫和不公正。他們想要更好的生活，想要一個民主制度。當下一次蕭條來臨時，人們會向華盛頓進軍，推翻華爾街政府。然後建立一個民主的政權，它會和包括中國在內的世界一切民主力量合作。」鑒於記者對這番言論的質疑，毛澤東引用了資本主義的出版社出版的白修德和賈安娜合作撰寫的《中國驚雷》(*Thunder out of China*)來證明勤勞的人民所遭受的這種壓力，認為這本書強烈批評了蔣介石的政權。這也再次證明了毛澤東不僅對美國不了解，而且對資本主義體系本身也不清楚。

114 *Saich*, document H1, pp. 1207–1211.

115 *Saich*, document H2, pp. 1211–1215. 就如同之前的文件一樣，這篇文章出自中國共產黨中央檔案館，在共產黨內部發行。

116 他們的請求通過美國觀察組交到重慶的美國使館。而赫爾利大使並沒有將這份請求告知華盛頓。1944年8月23日毛澤東的聲明見Joseph Esherick, *Lost Chance in China: The World War II Despatches of John S. Service*, New York, Random House, 1974, pp. 295–307.

117 John Garver, *Chinese-Soviet Relations, 1937–1945*, Oxford University Press, 1988, pp. 257–258.

118 邱吉爾從不掩飾他認為美國人要將中國提升為第四大國是一個鬧劇，在面對日軍的「一號作戰」計劃時國民黨軍隊的全面潰敗讓美國重新審視他們的地位，而且蔣介石傲慢的態度也讓羅斯福十分不快。

119 毛澤東建議將這一領導權交付給美國將軍，被蔣介石拒絕。毛澤東調侃地把蔣介石比作《紅樓夢》的主角賈寶玉，賈寶玉出生時口含一塊從天而降的寶玉，這塊寶玉被認為是他的「命根子」，他必須將其穿一根鏈子戴在脖子上，如果不這樣做的話就會失去生命，對於蔣介石來說，那塊玉上的鏈子就是他的軍隊，沒有軍隊的話，蔣介石也就不存在了。見*Terrill*, p. 221。

120 *Saich*, document H3, pp. 1215–1216. 周恩來的聲明發表在1945年2月17日共產黨的《解放日報》公報上。

121 《年譜》2，頁591–608。《金》1，頁705–717。《毛澤東選集》，2版，卷三，頁1025–1028：4月23日的演講〈兩個中國之命運〉，4月24日報告的重點節選〈論聯合政府〉以及6月11日的總結〈愚公移山〉。毛澤東在七大上作了八次演講，以上列舉的三篇被收錄在《毛澤東選集》中。報告的全文發表於1945年5月的《解放日報》。「文化大革命」時期又再次發表在《毛澤東思想萬歲》(《萬歲》)上(1967),頁68–82。英文譯本見*Saich*, document H5, pp. 1230–1243.

122 史蒂芬・賴文(Stephen Levine)在弗拉基米洛夫的日記中找到了這篇文章的俄語版。他並沒有在英文版本中找到這篇文章。於是他將自己的新發現翻譯成英文,以〈毛澤東在共產黨七大上的口頭報告:摘要性筆記(1945年4月24日)〉("Mao Tse-tung's Oral Report to the Seventh Party Congress: Summary notes [24 avril 1945]")為題,在台灣的雜誌《中國的法律與政府》卷十第四期上發表。

123 這篇文章於1962年被北京外國語出版社翻成英文:題為"The Battlefront of the Liberated Areas"。

124 《周恩來選集》(北京,人民出版社,1981),卷一,頁190–220。

125 劉少奇這篇報告的英文版見*Saich*, document H6, pp. 1244–1253. 這篇報告之後是6月11日通過的黨章,見document H7, pp. 1254–1267.

126 1943年10月的莫斯科會議聚集了蘇聯、美國和英國外交部的部長們。1943年11月、12月的德黑蘭會議聚集了這三個國家的領導。這兩次會議使得這三個強國關係更加緊密,聯手對抗德國希特勒。1943年11月開羅會議召開,羅斯福、邱吉爾和蔣介石一同考慮日本投降以後遠東的形勢。這次會議預想將台灣歸還中國,使朝鮮自由獨立。1945年2月的雅爾塔會議再次聚集了斯大林、邱吉爾和羅斯福一同考慮納粹德國戰敗之後新的歐洲版圖。這次會議同時要求蘇聯在歐洲戰爭結束之際加入抗日戰爭。而1944年8月至10月在華盛頓附近舉行的敦巴頓橡樹園會議聚集了蘇聯、美國、英國和國民黨領導的中國代表,起草了建立聯合國的憲章:聯合國成立大會於1945年4月至6月在舊金山舉行。共產黨員董必武代表由共產黨掌管的中國地區出席會議。

127 張瀾(1872–1955),四川人,他在舊體制下支持梁啟超和他的君主立憲制計劃,但在民族危急的時候,他是反偽滿洲國的愛國人士,他與四川人民一同反抗清政府為了外國銀行集團的利益而將中國鐵路國有化,即使當時這個省連一公里的鐵路都沒有。作為省會成都大學的校長,他的政治生涯在瓜分這個省的幾個軍閥之間周旋。國民政府退至重慶時奪去了他的行動自由,因為他反對蔣介石的獨裁統治。1941年他創立民主政團同盟，1944年更名為中國民主同盟，由幾千社會精英組成，目標是在共產黨和國民黨之間建立第三條道路，他出任民主同盟的主席。1948年年底，成為中國人民政治協商會議的副主席之一。

左舜生(1893–1969)，中國青年黨的黨員，他參加了1933–1934年冬的福建事變，然後又參與了民主同盟的創立，是行政人員之一。毛澤東認為他試圖從共產黨和國民黨的衝突中獲利。

章乃器(1897–1977)，浙江人，銀行家和商人，1936年加入了全國各界救國聯合會。1936年9月18日，毛澤東給他、鄒韜奮、陶行知和沈鈞儒寫了一封信，讚揚他們的愛國主義精神。1949年3月25日，他是在北京接待毛澤東的人之一。後成為糧食部部長，支持土地改革，但對於拷問和草率處理地主及他們的家庭表示擔憂。

128 Thomas Kampen, "Mao Zedong, Zhou Enlai and the Evolution of the Chinese Communist Leadership, 1935–1945," *Modern Asian Studies*, vol. 23, no. 4, 1989. 毛澤東為了王稼祥的利益進行的干預請參閱北京的雜誌《文獻與研究》(1986)，頁32–33。

129 《毛澤東選集》，2版，卷三，頁1101–1104，〈愚公移山〉。

130 委員會的成員按照等級順序為毛澤東、朱德、劉少奇、周恩來、彭德懷、陳毅、聶榮臻、賀龍、徐向前、劉伯承和葉劍英。

131 《毛澤東選集》，2版，卷三，頁1119–1120。

132 *Saich*, document H8, pp. 1267–1269. 關於8月10日、11日兩天截然相反的命令和8月13日毛澤東在新華社發表的聲明(〈蔣介石在挑動內戰〉)見《毛澤東選集》，2版，卷四，頁1137–1140。8月13日和16日毛澤東發給蔣介石的兩封電報見頁1141–1147，8月16日〈評蔣介石發言人談話〉見頁1148–1151。

133 《毛澤東選集》，2版，卷四，頁1123–1136。

134 1945年7月至1946年夏這段時期，中國、蘇聯和美國的關係有很多爭論。我同意肖特的觀點(*Short*, pp. 632–633, note 179)，毛澤東被情況的複雜性弄得有點不知所措了。我們可以參考幾部優秀的作品：Odd Arne Westad and Michael Sheng, *Battling Imperialism: Mao, Stalin and the United States*, Princeton University Press, 1997; James C. Hsiung and Steven I. Levine, *China's Bitter Victory*, Armonk, M. E. Shape, 1992; Michael H. Hunt

and Niu Jun, *Towards a History of Chinese Communist Foreign Relations, 1920s–1960s*, Washington DC, Woodrow Wilson Center, 1997; James Reardon-Anderson, *Yenan and the Great Powers: The Origins of Chinese Communist Foreign Policy, 1944–1946*, New York, Columbia University Press, 1980.

134 《毛澤東選集》，2版，卷四，頁1152–1155。

135 張治中，1890年生於安徽，雖然有着偏「紅」的名聲，但是這位將軍還是長期受到蔣介石的器重，1925年他在黃埔軍校任課。在1993年北京出版的回憶錄（《張治中回憶錄》）664–665頁中，他承認曾經問過周恩來他加入中國共產黨的可能性，後者勸他打消這樣的念頭，而希望他在暗中幫助共產黨。張戎和喬・哈利戴在224–226頁以及226頁的註釋1「歷來最重要的密探」中稱其為共產黨最重要的「間諜」，因為根據斯大林的命令，他本應該在1937年作為上海—南京駐地的負責人在中日衝突爆發中扮演決定性角色。因日軍謠言，作為湖南省主席的他被當做1938年11月12日長沙大型火災的負責人而被撤職，但是他還是被統帥任命為西北蘭州（甘肅）地區司令。他以這樣的頭銜多次與周恩來會面。作為蔣介石的特派人員，他到延安是為了說服猶豫的毛澤東積極回應到重慶的邀請。

136 王若飛（1896–1946），出生在貴州一個經濟寬裕的家庭，1917–1919年獲得獎學金，畢業於東京早稻田大學，之後三年在法國學習，認識了周恩來並加入了共產黨，再之後的三年在莫斯科的東方大學學習。重慶會談期間，他因為精通外語和了解國際問題而顯得炙手可熱。

參考文獻

此處我列出的是最常用的參考文獻，每本書在第一次出現後，我會在括號中增加該書名的縮寫。關於翻譯成法語的著作，除非特殊說明，頁碼指的均是譯本的頁碼。

關於20世紀中國歷史的著作

Barnouin, Barbara and Changgen Yu. *Ten Years of Turbulence: The Chinese Cultural Revolution*. New York, Paul Kegan, 1993. (*Barnouin*)

Bergère, Marie-Claire. *La Chine de 1949 à nos jours*. Paris, Armand Colin, 1987, 2000. (*Bergère 1987*)

Bianco, Lucien. *Les origines de la révolution chinoise 1915–1949*. Paris, Gallimard, 1967, 2007. (*Bianco 1967*)

———, et Yves Chevrier. *Dictionnaire biographique du mouvement ouvrier international: la Chine*. Paris, les Éditions ouvrières, 1985. (*Dicobio*)

Bowie, Robert and John Fairbank. *Communist China 1955–1959: Policy Documents with Analysis*, Cambridge, Harvard University Press, 1965. (*Bowie*)

Escherick, Joseph, Paul Pickowicz and Andrew Walder. *The Chinese Cultural Revolution as History*. Stanford, Stanford University Press, 2006.(*Escherick* 2006)

MacFarquhar, Roderick. *The Origins of the Cultural Revolution*. Oxford, Oxford University Press, 1974–1997. (*MacFarquhar*)

Résolution sur l'histoire du parti communiste chinois de 1949 à 1981. Pékin, Éditions en langues étrangères, 1981. (*Résolution*)

Saich, Tony. *The Rise to Power of the Chinese Communist Party*. Armonk, M. E. Sharpe, 1996. (*Saich*)

Schoenhals, Michael. *Mao's Last Revolution*. Cambridge, Harvard University Press, 2006. (*Last Revolution*)

Teiwes, Frederik and Warren Sun. *The Lin Biao Tragedy: Riding the Tiger during the Cultural Revolution*. London, Hurst, 1996. (*The Tragedy*)

The Cambridge History of China, 1912–1982, vol. 12–15. Cambridge University Press, 1983–1991. (*CHOC*)

常凱主編：《中國工運史辭典》。北京：勞動人事出版社，1990。(*Dicomo*)

毛澤東傳記

Benton, Gregor ed. *Mao Zedong and the Chinese Revolution* (4 vol). London, Routledge, 2008. (*Benton*)

Chang, Jung, and Jon Halliday. *Mao: The Unknown Story*. London, Jonathan Cape, 2005. [法文版：Paris, Gallimard, Biographies, 2006.] (*Jung*)

Chevrier, Yves. *Mao et la révolution chinoise*. Florence, Casterman Giunti, 1993. (*Chevrier 1*)

Hu, Chi-hsi. *L'armée rouge et l'ascension de Mao*: Paris, Éditions de l'EHESS, 1982. (*Hu Chi-hsi*)

Leys, Simon (Pierre Ryckmans). *Les habits neufs du président Mao*. Paris, Champ libre, 1971. (*Leys*)

Li, Zhisui. *La vie privée du président Mao*. Paris, Plon, 1994. (*La vie privée*)

Schram, Stuart. *Mao Tsé-toung*. Paris, Armand Colin, Collection U, 1963. (*Schram 1963*)

———. *Mao Tse-tung*. Harmondsworth, Penguin Books, 1966–1968. (*Schram 1968*)

Short, Philip. *Mao Tse-toung*. London, Hodder et Stoughton, 1999. [法文版：*Mao Tsé-Toung*. Paris Fayard, 2005](*Short*)

Siao, Yu (Xiao Yu). *Mao Tse-tung and I Were Beggars*. New York, Collier Books. 1973 (*Xiao Yu*)

Snow, Edgar. *Red Star over China*. New York, Random House, 1938 [法文版：*Étoile rouge sur la Chine*. Paris, Stock, 1965](*Snow*). 引文基於法文版。

Spence, Jonathan. *Mao Zedong*. Putnam, 1999. [法文版：Québec, Fides, 2001.](*Spence*)

Teiwes, Frederick and Warren Sun. *The End of the Maoist Era: Chinese Politics during the Twilight of the Cultural Revolution, 1972–1976*. Armonk, M. E. Sharpe, 2007. (*Teiwes 2007*)

Terrill, Ross. *Mao: A Biography*. Stanford, Stanford University Press, 1999. (*Terrill*)

Wang, Nora. *Mao: Enfance et adolescence*. Paris, Autrement, 1999. (*Wang*)

Wilson, Dick. *Mao, 1893–1976*. Paris, Éditions Jeune Afrique, 1979. (*Wilson*)

李鋭：《毛澤東同志的初期革命活動》。北京：中國青年出版社，1957。[英文版：*The Early Revolutionary Years of Comrade Mao Tse-tung*. Armonk, M. E. Sharpe 1977.](*Li Rui*)

金沖及主編：《毛澤東傳（1893–1949）》（上下）。北京：中央文獻出版社，1996。（《金》）

逄先知等主編：《毛澤東年譜（1983–1949）》（上中下）。北京：中央文獻出版社，1993。（《年譜》）

逄先知、金沖及主編：《毛澤東傳（1949–1976）》（上下）。北京：中央文獻出版社，2004。（《逄和金》）

關於毛澤東的著作

Kau, Michael and John K. Leung. *The Writings of Mao Zedong*, vol. I: 1949–1955; vol. II : 1956–1957. Armonk, M. E. Sharp, 1986 and 1992. (*Kau*)

MacFarquhar, Roderick et al. ed. *The Secret Speeches of Chairman Mao: From the Hundred Flowers to the Great Leap Forward*. Cambridge (Ma), Harvard University Press, 1989. (*Secret*)

Schoenhals, Michael. *China's Cultural Revolution, 1965–1969: Not a Dinner Party.* Armonk, M. E. Sharpe, 1996. (*Schoenhals*)

Schram, Stuart. *Mao's Road to Power: Revolutionary Writings* (7 vol). Armonk, M. E. Sharpe, 1992–2009. (*Mao's Road*)

《毛澤東文集》(八卷)。北京：人民出版社，1993–1999。(《文集》)

《毛澤東選集(1926–1949)》(四卷)。北京：人民出版社，1951–1964。《毛澤東選集》第五卷包括了1949–1957年的內容，於1977年出版。(*Mao V*)

《建國以來毛澤東文稿》(十三卷)。北京：中央文獻出版社，1987–1998。(《文稿》)